A outra Independência

Evaldo Cabral de Mello

A outra Independência

Pernambuco, 1817-1824

prefácio a esta edição
Heloisa Murgel Starling

todavia

De todos os partidos em que se acha dividido o Brasil […] são duas as principais divisões, a saber não separatistas e separatistas. Os primeiros são os inimigos da Independência, estes fanáticos chamados vulgarmente pés de chumbo, que ainda suspiram pelas cebolas do Egito […]. Os segundos são os sectários da Independência do Brasil e que querem que ele figure como nação livre. Porém estes separatistas ainda se subdividem em quatro classes: primeira, os que querem a separação, mas não a liberdade, pois preferem o antigo governo, e são chamados corcundas; segunda os republicanos a que chamarei prognósticos; estes não podem levar à paciência que o Brasil não quisesse por voto unânime ser república e preferisse a monarquia constitucional; este partido é hoje miserável e abandonado por todo o homem sensato; terceira os monárquicos-constitucionais: estes fitam suas vistas na felicidade do Estado; não querem democracias nem despotismo, querem liberdade mas liberdade bem entendida e com estabilidade; este partido forma a maioria da nação; quarta os federalistas, ou bispos sem papa, a que eu também chamarei os incompreensíveis. Estes, que não querem ser monárquico-constitucionais, que não podem ser corcundas e que não querem ser republicanos de uma só república, querem um governo monstruoso; um centro de poder nominal e cada província uma pequena república, para serem nelas chefes absolutos, corcundas despóticos.

José Bonifácio de Andrada e Silva, 1823

História não é destino,
por Heloisa Murgel Starling 9

Prefácio à primeira edição (2004) 17
1. Dezessete 29
2. A junta de Gervásio 61
3. O governo dos matutos 129
4. Vinte e Quatro (1) 171
5. Vinte e Quatro (2) 205

Apêndice 233
Abreviaturas 249
Notas 251
Índice onomástico 279
Créditos das imagens 285

História não é destino

Heloisa Murgel Starling

Revolução, por certo, não é a melhor palavra para descrever a maneira pela qual o Brasil se emancipou. A história da Independência — e da fundação do Império brasileiro — contada ainda hoje do ponto de vista da corte, isto é, do Rio de Janeiro, nada tem de romântica ou revolucionária, diz Evaldo Cabral de Mello.[1] Afinal, por aqui ninguém atravessou os Andes, metido numa guerra de morte em direção a Caracas, como fez Simón Bolívar, em 1813; e vai ser preciso exagerar na fantasia para imaginar em d. Pedro o mesmo traço libertário de, por exemplo, San Martín, que estava disposto a varrer os espanhóis da parte sul do território americano. Tampouco encaramos um conflito prolongado com a metrópole e não sucederam enfrentamentos armados em campo aberto para selar a Independência, aos moldes da batalha de Ayacucho, em Pampa de la Quinua, no Peru — embora o processo da nossa Independência revele uma longa série de acontecimentos marcada pela violência, pela guerra e pelo morticínio na Bahia, no Piauí, no Pará, no Maranhão e na província da Cisplatina, hoje Uruguai, então precariamente incorporada ao reino do Brasil. Na verdade, faltou entusiasmo revolucionário ao processo de emancipação comandado pelo Rio de Janeiro; mas, ainda assim, predominou a versão da história que reduz esse processo à construção de um Estado unitário e restringe seus eventos ao triênio 1820-2. Talvez persista um travo de decepção na imaginação do país. No fim das contas, sempre existe algum desacerto num movimento de emancipação política que carece de um gesto arrebatadoramente revolucionário, de uma boa dose de radicalismo, ou ainda, de um genuíno colorido libertário.

Evaldo Cabral mergulhou no assunto, de início, em artigos para o jornal *Folha de S.Paulo* — artigos que ele gostava de escrever, possivelmente motivado por acontecimentos do presente. Vista do Rio de Janeiro, a Independência foi pouco mais excitante que a tramitação de um projeto burocrático, afirmou, em um desses textos, em novembro de 2000. "O que deveria ter sido nossa revolução nacional, a Independência, foi, na realidade, uma contrarrevolução, comandada do Rio por um príncipe e empreitada por uma elite de altos funcionários públicos ameaçada na sua própria existência pelas Cortes de Lisboa."[2] O espaço para gestos revolucionários era mesmo minguado e o projeto de capitanear a separação política entre Brasil e Portugal frutificou na combinação de um punhado de interesses contrariados, ele completou, quase na sequência, só que dessa vez em um ensaio notável, *A ferida de Narciso*, publicado em 2001.[3]

Havia uma massa de empregados na administração pública desembarcada no Rio de Janeiro com a transferência da família real, em 1808. Essa gente se apavorou diante do risco de perder seus cargos, a partir de 1821, quando os deputados reunidos em Lisboa durante as sessões das Cortes Gerais, Extraordinárias e Constituintes — atuando, naquele momento, como o centro político do Império português — dispararam dois decretos com o propósito de desmantelar a estrutura de poder estabelecida no Rio de Janeiro. Com o primeiro, os deputados criaram juntas governativas provisórias nas províncias e transferiram o controle militar local para os governadores de armas que, a partir de então, só cumpririam as ordens emanadas diretamente de Lisboa; com o segundo decreto, as Cortes ordenaram o imediato regresso do príncipe regente, d. Pedro, a Portugal.[4] A perda da autonomia política e financeira provocada pelo desmanche da máquina administrativa seria enorme e isso ameaçava tanto a burocracia de governo quanto os grandes comerciantes fluminenses. Ademais, o aparato estatal alojado no Rio de Janeiro gastava a rodo, mas quem pagava as contas eram as províncias.

No quadro de referências em que se criou o sentimento autonomista desses grupos, o projeto da Independência concebeu a ideia de Império e buscou preservar os interesses enraizados em torno do Paço fluminense. Significava emancipação política, é claro. Também incluía a criação de um Estado monárquico centralizado à escala da América portuguesa com pelo menos duas tarefas urgentes: sustentar a carga tributária exigida das províncias; garantir, seja por negociação política ou com o uso da força militar em que a guerra foi recurso fundamental, a manutenção da unidade de governo no imenso e desarticulado território da antiga colônia, de modo a impedir sua fragmentação, sobretudo em comparação com a experiência da América espanhola. Deu certo. Ao fim de 1824, todas as províncias estavam incorporadas ao Império do Brasil, uma estrutura de poder centralizadora ampla e complexa de natureza política, jurídica e administrativa, e ao sistema de governo monárquico instalado no Rio de Janeiro.

Faltou, contudo, considerar alguns aspectos decisivos. E nossa historiografia costuma se esquecer deles, explica Evaldo. Ao contrário do que defendia José Bonifácio enquanto lustrava o sonho de uma monarquia constitucional gloriosamente implantada no país a partir do Paço fluminense, a América portuguesa não alimentou nenhuma vocação incoercível de vir a constituir um vasto Império. Ao tempo da Independência, tampouco existia uma unidade brasileira — o nome "Brasil" servia para designar genericamente as possessões portuguesas na América do Sul. Tem mais: aspirações de soberania persistiam pelo país afora. Esse não era o único projeto de emancipação política, não estava escrito nas estrelas que a Independência desembocaria na formação do Estado unitário e a centralização nunca foi a solução desejada em todas as províncias.

Então, em 2004, Evaldo Cabral de Mello publicou *A outra Independência: O federalismo pernambucano de 1817 a 1824*. Escreveu o livro para ajustar de vez as contas com a historiografia da Independência — já vinha fazendo isso, pouco a pouco (mas com alarde), em seus artigos publicados na *Folha de S.Paulo*. Ele virou do avesso a história contada exclusivamente do ponto de vista do Rio de Janeiro, responsável "por encarar teleologicamente a opção pela ideia de Império ou pela unidade nacional", e por reduzir a Independência "à construção do Estado unitário por alguns indivíduos dotados de enorme visão política geralmente nascidos no triângulo Rio-São Paulo-Minas".[5] Num deslocamento certeiro de perspectiva historiográfica, seu livro traz para o centro dos acontecimentos que culminaram na Independência toda a movimentação política que aconteceu bem longe do Rio de Janeiro, nas margens do Norte do Brasil.

Em história, Evaldo costuma repetir, os eventos que ocorreram não tinham necessariamente que acontecer de uma única forma — sempre existe a possibilidade de que as coisas possam ser distintas do que foram. *A outra Independência* é um livro fundador: revela a existência, entre 1817 e 1825, de uma alternativa concreta ao processo de emancipação como empresado no Rio de Janeiro. Evaldo construiu um ponto de vista sobre a história do Brasil capaz de transformá-la — afinal, nós poderíamos ter seguido caminhos diferentes. Mas *A outra Independência* é também um livro escrito com arte: envolve o leitor, à medida que conta, passo a passo, a história da criação de um projeto alternativo de soberania, concebido em províncias cujas elites queriam autonomia para escapar ao controle tanto de Lisboa quanto do Rio de Janeiro.

Aspirações autonomistas estavam espalhadas pelo território, mas apenas duas províncias — Bahia e Pernambuco — tinham realmente condições para articulá-las num formato político consistente, sobretudo por seu bom posicionamento na economia de exportação. Fez diferença no caso da Bahia, explica

Evaldo, a combinação de armas e negócios que garantiu aos portugueses, além de tropa estacionada em Salvador, o controle da quase totalidade do comércio da província — o que refreou o protagonismo autonomista baiano. Salvador era uma praça comercial estratégica para Lisboa. A cidade concentrava uma indústria naval responsável pelo abastecimento de embarcações para diversas regiões do Império português, e atuava comercialmente como um grande centro exportador de algodão, açúcar, tabaco e outros produtos agrícolas, além de ser um dos principais portos para o tráfico negreiro. Por outro lado, nos anos conturbados da Independência e da fundação do Império brasileiro, a localização entre o Norte/Nordeste e o Sul/Sudeste posicionou estrategicamente a Bahia como província-chave para as operações militares entre o Rio de Janeiro e Lisboa.[6]

Restou Pernambuco. É certo que aos pernambucanos sobrava motivo para reclamação: a corte no Rio de Janeiro precisava pagar as contas e Pernambuco tinha saldo. Não havia dinheiro que bastasse. A carga fiscal imposta à província era pesadíssima: os tributos incluíam desde impostos criados pela Coroa no século XVII para custear a guerra holandesa, até a contribuição anual para garantir a reconstrução de Portugal após a ocupação das tropas de Napoleão. De permeio, existia o imposto destinado à iluminação pública do Rio de Janeiro e, como se não chegasse, uma escorchante modalidade de tributação sobre o algodão, que era taxado duas vezes, sob a forma de imposto e de dízimo.

Subiam os preços, os tributos não baixavam e a corte fluminense gastava à vontade. A República brotou, em 1817, das insatisfações e queixas que sobravam nos quartéis e entre os bacharéis do Recife, circulavam nos corredores do Seminário de Olinda, e esparramavam-se nos engenhos da Mata Norte convertidos ao algodão. Mas não foi apenas uma solução pragmática para resistir à voracidade da Coroa: o projeto alternativo da Independência mobilizou novidades conceituais importantes. Independência significa soberania. Seu campo semântico supõe a criação de uma comunidade territorial com comando interno e autonomia em relação às potências estrangeiras, a fundação de um corpo político próprio — o Estado — e a capacidade de criar, alterar e revogar leis.[7] Soberania era uma causa longamente desejada pelos pernambucanos, contava com militância disposta a arrastar a população à rua contra a monarquia e poderia viabilizar um formato de comunidade política autogovernada, até então inédita, mas com reflexo imediato no resto do país. Seus partidários fizeram largo uso de uma linguagem francamente alternativa à dominação portuguesa que já estava disponível, no Brasil, ao final do século XVIII — e essa linguagem era republicana.

Mas as raízes do autonomismo pernambucano são antigas — e estão profundamente enraizadas no imaginário regional. "Até algum tempo atrás, a pessoa já nascia, em Pernambuco, envolvida com história oral", disse Evaldo, certa vez, em uma entrevista. E completou com bom humor: "Nascia ouvindo falar na expulsão dos holandeses e na Revolução de Dezessete".[8] É uma história intrigante que ele reconstruiu em uma trilogia primorosa: *Olinda restaurada*, *O negócio do Brasil* e *Rubro veio*.[9] Os pernambucanos se enxergaram na guerra holandesa, ocorrida em meados do século XVII, de uma maneira heroica cuidadosamente idealizada. Graças a essa idealização, contudo, eles foram capazes de construir uma narrativa com potencial simbólico e força retórica suficientes para abrigar reivindicações de soberania e autonomismo político ao longo de dois séculos. Funciona como uma espécie de mito de fundação: Pernambuco derrotou o invasor holandês em uma guerra travada às próprias custas. O retorno ao domínio português seria, portanto, o resultado mais espetacular de uma escolha livre, decidida pelos colonos vitoriosos, pactuada com a Coroa debaixo de condições que ela jamais cumpriu. Um episódio tão decisivo para Portugal e de tal forma grandioso implicava simetria e os pernambucanos passaram a se entender, a partir de então, como súditos especiais, mediados por uma espécie de contrato na relação de poder com o rei português. No final das contas, Lisboa lhes devia prestígio, cargos e privilégios.

Essa imagem de si próprios que os pernambucanos trataram de projetar no tempo largo da história, como memória e como base para ação política, funcionou à perfeição. A versão heroica fez o orgulho da gente da terra e atravessou o século XVIII com tal intensidade que pôde ser apropriada pela elite açucareira em sua pretensão de mando político e ambição aristocrática. Tornou-se parte da história do Brasil. No século seguinte ultrapassou a elite açucareira, consolidou uma linguagem política característica do nativismo pernambucano e fabricou um vocabulário próprio, de natureza autonomista, facilmente distinguível no decorrer de quase dois séculos. Conseguiu transitar ativamente por dentro da estrutura social, capturar seus estratos intermediários e se repartir entre as camadas populares. Surgidos desse imaginário, o nativismo pernambucano e sua longa história reivindicando soberania e autogoverno serviram para mobilizar o apoio de diferentes setores da sociedade. A partir de 1817, forneceram forma e acabamento ao projeto alternativo da Independência e acenderam o pavio da Confederação do Equador, em 1824, e da Revolução Praieira, entre 1848 e 1849.

Em 1817, antes mesmo de se completar a ruptura com Lisboa, Pernambuco deu início ao que Evaldo nomeou "ciclo revolucionário da Independência". No dia 3 de março de 1817, a República foi proclamada pela primeira vez no Brasil — na cidade do Recife. A revolução irrompeu em Pernambuco convocando a população a aderir a um programa de emancipação libertário e radical: federalista, voltado para a garantia do princípio do autogoverno provincial e ancorado na figura de um personagem de forte inspiração republicana — o "cidadão patriota".

Nos anos que se seguiram, os pernambucanos continuaram em pé de guerra. A província contestou o projeto de Império brasileiro encabeçado pela corte instalada no Rio de Janeiro, com uma longa sequência de eventos políticos de natureza mais ou menos local. Em 1821, a insurreição de Goiana, a terceira vila mais importante de Pernambuco, depôs o governador Luís do Rego Barreto, um militar do Exército de Portugal que assumiu o governo da província após a rendição de 1817. Os rebeldes ocuparam o Recife e instituíram um governo de viés francamente autonomista. A vitória do levante de Goiana e a eleição da junta de Gervásio Pires Ferreira, entre 1821 e 1822, levaram ao enfraquecimento do dispositivo militar português em Pernambuco. A junta de Gervásio era autonomista. Sua sucessora — a "junta dos matutos", como ficou conhecida — compunha-se de senhores de engenho da Mata Sul, que iriam se decidir a favor da adesão de Pernambuco ao projeto de monarquia constitucional proposto pelo Rio de Janeiro. O termo "matuto" significava "atrasado" e o governo dos senhores de engenho queria dizer isso mesmo — havia descrença generalizada no Recife, em Olinda e nas vilas da Mata Norte acerca da capacidade da junta para gerir os negócios públicos. Sem experiência política, em disputa constante com os grupos federalistas e republicanos, a junta não encontrou saída. Apresentou sua renúncia em 13 de dezembro de 1823, abrindo espaço para a instalação do governo temporário — previsivelmente composto de lideranças originárias da Revolução de 1817. Era possível identificar sinais de um desastre iminente; o ar estava carregado de rumores e a temperatura política chegou a ponto de ebulição.

Pernambuco tinha se transformado no centro da resistência ao Estado unitário que se organizava no Rio de Janeiro. Só não pretendia parar por aí. Em 2 de julho de 1824, a província hasteou mais uma vez sua bandeira republicana e federalista, e conjurou nova revolução: a Confederação do Equador afirmou a autonomia de Pernambuco, reimplantou a República e convidou os vizinhos do Norte a aderirem — Piauí, Ceará, Rio Grande do Norte, Alagoas, Sergipe e Paraíba.

Entre 1817 e 1824, a duração do ciclo revolucionário que sustentou a todo custo o projeto político dessa outra Independência, os pernambucanos brandiram o argumento autonomista: uma vez desfeita a unidade do Reino de Portugal, Brasil e Algarves, a soberania revertia às províncias onde, aliás, deveria residir. Cabia a elas negociar um pacto constitucional com a Coroa, no Rio de Janeiro, ou constituir unidades separadamente sobre o sistema que melhor lhes conviesse.

Às vésperas da Confederação do Equador, Frei Caneca, talvez nosso primeiro pensador republicano e um valente homem público, equilibrou seus escritos entre República e Revolução para alinhavar o formato final do argumento autonomista que Pernambuco estava construindo desde a Revolução de 1817. "Nós estamos, sim, independentes, mas não constituídos", sustentou categórico, em 1824, repisando o discurso em que a autonomia provincial tinha prioridade sobre a forma de governo:

> O Brasil, só pelo fato de sua separação de Portugal e proclamação da sua independência, ficou de fato *independente*, não só no todo como em cada uma de suas partes ou províncias; e estas independentes umas das outras. Ficou o Brasil *soberano*, não só no todo, como em cada uma de suas partes ou províncias.[10]

E para que não sobrasse ao leitor dúvida da justeza do argumento, Frei Caneca desfiou exemplos:

> Quando aqueles sujeitos do *sítio do Ipiranga*, no seu exaltado entusiasmo, aclamaram a s. m. i., e foram imitados pelos aferventados fluminenses, Bahia podia constituir-se *república*; Alagoas, Pernambuco, Paraíba, Rio Grande, Ceará e Piauí, *federação*; Sergipe d'El Rei, *reino*; Maranhão e Pará, *monarquia constitucional*; Rio Grande do Sul, *estado despótico*.

Evaldo argumenta que o ciclo revolucionário da Independência foi ao mesmo tempo contra Portugal e Rio de Janeiro. Seu programa político combinava constitucionalismo, republicanismo e federalismo — no início do século XIX, o termo "federal" significava liga ou aliança de Estados em oposição à forma centralizadora e unitária do Estado Nação. A combinação era, de fato, revolucionária, e seus efeitos seriam duradouros sobre a vida e o comportamento político de uma larga população de brancos pobres, índios e descendentes de africanos livres e libertos, que vivia em uma sociedade hierárquica, escravista e profundamente desigual. Entre 1821 e 1822, conta Evaldo, eram frequentes os grupos de homens pobres negros livres e brancos que percorriam a cidade do Recife cantando o hino patriótico e gritando "Viva a nossa Liberdade". Ia piorar. Em fevereiro de 1823, batalhões de pretos e pardos tomaram Recife e Olinda de surpresa, por oito dias, escorraçaram a junta dos matutos — o governo provincial — que fugiu para o interior da província e aclamaram o governador de armas, antigo capitão do regimento de artilharia, Pedro da Silva Pedroso, negro, jacobino e revolucionário de primeira hora, em 1817.

A outra Independência se dedica a concatenar eventos. É uma história da ação política no que ela tem de enredo, intrigas, incerteza e peripécia. A trama é detalhada pela narrativa de um dos grandes historiadores do Brasil — não só de agora, mas de qualquer época. Mestre da arte de narrar, Evaldo, em algum ponto do entrecho, vai refletir sobre como o tema foi tratado anteriormente pela historiografia e, ao longo da narrativa, esmiuçar em cada documento o dado empírico.[11] Um narrador que se preza não avisa nada de antemão. O acontecimento já teve início, a conjuntura é imprecisa, o evento ainda não se definiu. Tudo pode ocorrer — ou pode ocorrer nada, como ele diz. A chave da originalidade de sua narrativa é esta: a escrita de Evaldo examina a possibilidade de que as coisas possam ser diferentes do que foram. "A história, como a vida, cabe no verso de Manuel Bandeira: ela também é 'aquilo que poderia ter sido e não foi'."[12]

Evaldo teima que é um historiador de província, regional, e ainda pior, mais do que regional, um historiador que só trata da estreita faixa da da Mata Leste do Nordeste — entre Natal e a foz do São Francisco. Quanto a isso não há quem o convença do contrário. Mas, querendo ou não, sua obra transformou a reflexão sobre o país: Brasil não é um só, são muitos. Ao mudar nosso ponto de mirada, Evaldo escreveu uma história de Pernambuco em que se revelam interpretações inovadoras sobre o Brasil. E certamente é mais complicado do que isso. A narrativa é a linguagem própria ao pensamento e à imaginação, capaz de desvendar qual tipo de luz o passado oferece para nós, hoje, no presente. A escrita de Evaldo é poderosa: convoca a força da história, que confere permanência às ações humanas, para revelar aos brasileiros que os fatos dependem de nossas escolhas e o destino do país não está dado. No ano do bicentenário da Independência, os tempos são sombrios, mas nossa vantagem é esta: o futuro é uma questão em aberto. Afinal, ensina Evaldo Cabral de Mello, história não é destino, nem está escrita nas estrelas. "As coisas", ele insiste, "só são previsíveis quando já aconteceram."[13]

Prefácio à primeira edição (2004)

A fundação do Império é ainda hoje uma história contada exclusivamente do ponto de vista do Rio de Janeiro, à época, pelos publicistas que participaram do debate político da Independência, e depois pelos historiadores como Varnhagen, Oliveira Lima, Tobias Monteiro ou Octavio Tarquinio de Sousa, que repristinaram a versão original visando à maior glória ou da monarquia ou da unidade nacional. Como esta última fosse encarada teologicamente, eles limitaram-se a desenvolver, sem os pôr em causa, os pressupostos da ideologia da corte, reduzindo a Independência à construção do Estado unitário por alguns indivíduos dotados de enorme visão política geralmente nascidos no triângulo Rio-São Paulo-Minas. A despeito das qualidades de erudição ou de narração dessas obras, o filão esgotou-se, como demonstra o mais recente trabalho de conjunto a inscrever-se nessa tradição, o de José Honório Rodrigues, prejudicado, entre outras carências, pela inclinação a encarar a emancipação consoante critérios nacionalistas de meados do século XX. E, contudo, há cerca de quinze anos, malgrado as limitações inerentes a uma obra de síntese que abrange toda a primeira metade de Oitocentos, Roderick J. Barman questionou, no seu *Brazil: The Forging of a Nation, 1798-1852*, o paradigma ainda vigente.

Embora Barman pressuponha a existência de um sentimento autonomista que estava longe de conhecer a mesma força nas províncias em geral, ele tem razão ao assinalar que a criação do Estado unitário no Brasil não foi um "destino manifesto", para usar a expressão com que nos Estados Unidos do século XIX justificou-se a expansão para o Pacífico. Se a Revolução Portuguesa de 1820 fazia previsível a mudança do statu quo colonial, não estava escrito nas estrelas que ela desembocaria no Império do Brasil. Nas palavras do autor, a dura realidade subestimada pela interpretação nacionalista é que, em junho de 1821, o Reino do Brasil havia-se dissolvido nas suas partes constituintes, não devido aos manejos das Cortes de Lisboa mas ao desejo das elites locais de recuperarem a autonomia provincial e de escaparem ao domínio tanto do Rio de Janeiro quanto de Lisboa.

O triunfo do federalismo ou a criação de Estados regionais, não de um Império unitário, teria provavelmente ocorrido, caso três momentos decisivos não houvessem infletido o curso dos acontecimentos: a transmigração da dinastia bragantina para o Rio; a determinação da corte fluminense de preservar a posição hegemônica recém-adquirida; e a incapacidade do Congresso de Lisboa em lidar com a questão brasileira.

Como assinalou ainda Barman, se o Fico provocou um conflito aberto entre o regente d. Pedro e o Soberano Congresso,

> o elemento mais significativo nesta luta não foi, como pretende a interpretação nacionalista, a confrontação direta de dois centros de autoridade mas a competição entre eles para obter o apoio das províncias ainda semiautônomas, polarização que privou as "pátrias" locais de terceira opção, tendo de escolher entre Lisboa e o Rio.

Lembra, aliás, Barman que "a adesão das províncias não foi unicamente realizada através da persuasão", pois "a força bruta desempenhou um papel considerável para trazer ao Império regiões periféricas, particularmente as do extremo Norte". Finalmente, "a formação de um Estado unitário não foi desejada em todo o Brasil, nem sua criação beneficiou todos os territórios que o compunham".

Uma das consequências do rio-centrismo da historiografia da Independência consistiu em limitar o processo emancipacionista ao triênio 1820-2. Na realidade, 1823 e 1824, marcados pela dissolução da Constituinte e pela Confederação do Equador, foram anos cruciais para a consolidação do Império, na medida em que ambos os episódios permitiram ao Rio resolver a contento a questão fundamental da distribuição do poder no novo Estado. Questão que não se reduzia à disputa entre o Executivo e o Legislativo, privilegiada pelos historiadores do período, mas dizia respeito sobretudo ao conflito entre o centralismo da corte e o autogoverno provincial. Em 1821, Silvestre Pinheiro Ferreira observava ser geral a aspiração das províncias à autonomia, sem que isso significasse a abolição do governo central da monarquia, que deveria ocupar-se "unicamente dos interesses que são comuns a todas ou a algumas das mesmas províncias, abstendo-se de intervir nos que são só particulares a esta ou aquela".

Mas se tais desejos existiam Brasil afora, do que cabe duvidar, apenas a Bahia e Pernambuco estavam em posição de articulá-los de maneira consistente, graças inclusive às suas respectivas posições na economia de exportação e às receitas das suas alfândegas. Em Lisboa, os baianos sensibilizaram a bancada paulista para as reivindicações provinciais, ignoradas pelas instruções que lhe redigira José Bonifácio, as quais visavam apenas à criação de um Império dual que conferia ao Brasil grau importante de autogoverno, mas que nada concedia às províncias, concepção que caberá como uma luva nas ambições do Rio. Ocorreu que a Bahia ficou privada de protagonismo em face da ocupação portuguesa, que reforçou a corrente imperial entre o comércio de Salvador e a grande propriedade do Recôncavo.

Daí que, na Independência, o federalismo tenha constituído uma sensibilidade política eminentemente pernambucana, tanto mais que, na esteira da Revolução de 1817, a relação de forças era ali mais equilibrada: o liberalismo aliara-se à ideia de autogoverno até mesmo entre partidários de d. Pedro e, no limite, coloria-se de republicanismo. Enquanto isso, seja os corcundas, seja os constitucionais da corte coincidiam em não pôr em causa o caráter unitário do Império, para não falar no mofino republicanismo fluminense, se é que foi algo mais do que o fantasma criado por José Bonifácio para amedrontar timoratos, na sua luta contra o grupo de Ledo. O republicanismo fluminense não podia ser outra coisa, nem dar-se ao luxo de fazer concessões ao federalismo provincial, sem perder o escasso apoio de que gozaria no Rio.

Enterrado o projeto de império constitucional luso-brasileiro em decorrência da ruptura com Lisboa, a Independência ficou polarizada em Pernambuco pela competição entre dois programas políticos, o unitário, que se tornou vitorioso, e o federalista, que incorporava aspirações incompatíveis com o formato do Estado brasileiro que se organizava no Sul. Os dois partiam de pressupostos antagônicos. Se José Bonifácio procurara evitar o debate da questão da soberania, de modo a não dar pretexto aos liberais, a verdade é que, no seu espírito, o Brasil preexistia às províncias, como dirá *O Tamoio*, gazeta andradista. Reatando com a tradição dos cronistas coloniais e da "ilha Brasil", reformulada por estadistas portugueses do século XVIII, acerca da vocação incoercível da América portuguesa a constituir um vasto império, tratava-se para José Bonifácio de dar forma política ao que chamava "esta peça majestosa e inteiriça de arquitetura social desde o Prata ao Amazonas, qual a formara a mão onipotente e sábia da Divindade".

Por sua vez, o federalismo pernambucano (como também Padre Feijó) pretendia que, desfeita a unidade do Reino de Portugal, Brasil e Algarves, a soberania revertesse às províncias, onde propriamente residia, as quais poderiam negociar um pacto constitucional, e, caso este não lhes conviesse, usar de seu direito a constituírem-se separadamente, sob o sistema que melhor lhes parecesse. Ideia, aliás, implícita nas "Bases da Constituição portuguesa" ao preverem que a futura Carta só obrigaria de imediato os residentes do Reino, mas não os domiciliados no ultramar, a menos que manifestassem seu consentimento. Escusado assinalar que a historiografia da Independência tendeu a escamotear a existência do projeto federalista, encarando-o apenas como produto de impulsos anárquicos e de ambições personalistas e antipatrióticas, semelhantes aos que tumultuavam pela mesma época a América espanhola.

Nesta, como na América inglesa, a Independência havia girado em torno do conflito entre diferentes visões constitucionais. Nos Estados Unidos, os "Articles of Confederation", de 1776, e a Constituição, de 1787, consagravam graus distintos de organização nacional, confederal no primeiro caso, federal no segundo. Na América espanhola, onde o feitio da disputa aproximava-se da do Brasil, contenderam um liberalismo inspirado no constitucionalismo espanhol (que, como se recorda, exerceu grande influência nas Cortes de Lisboa), liberalismo cuja vertente federalista triunfou passageiramente, como no Chile e no México, só vingando na Argentina; e a concepção autoritária de Bolívar, que, descrente da capacidade das elites locais, favorecia um regime autoritário moldado nas Constituições francesas de 1799 e 1802 e que disporia de presidente e de Senado vitalícios. Sob esse aspecto, as posições de Bolívar e d. Pedro estavam muito mais próximas do que eles poderiam supor.

O leitor deve ter em mente que, no tocante ao federalismo, não havia ideias precisas ao tempo da Independência. Por um lado, empregava-se federação como sinônimo de confederação, e, por outro, de república e de democracia, muitas vezes no objetivo *ad terrorem* de confundi-la com o governo popular, quando se tratava de concepções distintas. Por outro lado, o conceito de federalismo contém dois significados historicamente distintos.

No seu sentido original, ele é a reunião de unidades políticas autônomas visando à criação, por motivos de defesa principalmente, de uma entidade maior. Essa é a acepção aplicável à criação das Províncias Unidas dos Países Baixos no século XVI na sua luta para se tornarem independentes da Espanha, e ao estabelecimento da Confederação das treze colônias inglesas da costa oriental da América do Norte (1776) na sua guerra contra a Grã-Bretanha, a qual se transformou em República federal em 1787. Mas federalismo veio a adquirir uma segunda significação, etimologicamente bastarda, a da transformação de um Estado unitário preexistente em Estado federal. Foi esse o caso do Brasil.

A despeito de que a historiografia do Império fale de federalismo ao ocupar-se do período regencial, de vez que ela não se deu ou não quis dar-se conta do papel que ele teve no processo da Independência, o Brasil era encarado então como irredutível a ele. Em 1821, "um pernambucano verdadeiramente amante de sua pátria" transcrevia aprovatoriamente em gazeta local a crítica formulada por um dos periódicos portugueses que circulavam em Londres, *O Padre Amaro*. Em vista das condições físicas e culturais da América portuguesa, custava a crer que se anelasse uma solução federalista para ela. Não havia comparação possível com a situação dos Estados Unidos, que já contavam no período colonial com "todos os elementos de governo e educação para estabelecerem e consolidarem a sua liberdade e independência", donde não lhes ter sido necessário mudar a legislação ou alterar os costumes, a Constituição americana não sendo "outra coisa senão o índex da Constituição inglesa, com a única diferença que, em lugar de um rei hereditário, há um presidente eletivo e, em vez de uma Câmara de Pares, há um Senado".

Prosseguia o articulista assinalando que as próprias vantagens do meio físico de que gozavam os brasileiros os indisporiam para o federalismo, pois, como sustentara Montesquieu, "a esterilidade das terras torna os homens industriosos, sóbrios, próprios ao trabalho, valorosos e guerreiros; é preciso que eles procurem o que o terreno lhes recusa", ao passo que "a fertilidade de um país traz consigo a ociosidade e o amor do luxo". E concluía o autor:

Uma república brasileira, proclamando a liberdade e a igualdade, nunca poderia deixar de produzir o contraste burlesco de se ver um pequeno número de homens brancos envoltos em cambraias e tafetás, conduzidos em palanquins ou redes, por pretos de pés descalços, que se compram, vendem, alugam e açoitam liberal e constitucionalmente, como as mulas, machos e cavalos em Madri, Londres e Paris. Verdade seja que tudo isto é de pouca monta, uma vez que se ache escrito em grandes caracteres "Direitos do homem, liberdade, justiça, humanidade, etc.". Não seria mais próprio, em vez de democracia, chamar a uma república assim organizada *"les nouvelles bigarrures de l'esprit humain"*?

Embora a seu ver a posição do Brasil fosse aparentada à da América espanhola, mesmo esta gozaria de circunstâncias mais favoráveis ao federalismo, as quais, contudo, não a haviam poupado a doze anos de guerras, devastação, mortes, "sem que até o presente tenha podido estabelecer alguma forma de governo que prometa estabilidade e prosperidade pública".

Quando do debate sobre o Ato Adicional em 1834, Evaristo da Veiga, após lembrar que, como viviam em colônias separadas, dotadas de importante grau de autonomia nos seus negócios internos, os norte-americanos haviam buscado federar-se, aduzia que

> a este respeito, há um abuso da palavra entre nós, que nos induz a gravíssimo erro: chama-se federalista àquele que não é senão democrata e chama-se unitário àquele que é chamado na América do Norte federalista. Federalista é o que quer os laços de união [...]. Nos Estados Unidos, eram chamados federalistas aqueles que tendiam a estreitar os laços da união das províncias ou dos estados; e quanto àqueles que tendiam a dar maior soma de atribuições às assembleias legislativas das províncias ou estados, isto é, a afrouxar os laços da federação, eram intitulados democratas. Por consequência, vinham a ser neste sentido federalistas uns, e democratas os senhores da opinião contrária.

Em resumo: ao passo que, para os norte-americanos, a tarefa consistia em construir a união, entre nós ela visava a desconstruí-la.

Naquela ocasião, Montezuma também martelava a ideia de que a federação pressupunha a segregação prévia de unidades livres com vistas à autodefesa, o que não ocorrera na América portuguesa, que já formaria, no período colonial, "um corpo de nação composto e unido", regido pelas mesmas leis, ao contrário das treze colônias, que não passavam de "estados separados, mais ou menos independentes não só uns dos outros mas da metrópole". O que pretendiam os chamados federalistas da Regência não correspondia nem ao modelo da Confederação Suíça ou da dos antigos Países Baixos nem tampouco à da federação norte-americana, sendo apenas um arranjo destinado a transferir poderes administrativos às províncias, no contexto de uma unidade preexistente, ou seja, a descentralização. E, com efeito, já se disse que o federalismo nascera espontaneamente da experiência colonial dos Estados Unidos, o Império britânico havendo-se mostrado até a década de 1760 compatível com uma distribuição proto-federal de poderes entre a metrópole e as colônias.

Contudo, graças à teoria segundo a qual a soberania residia nas províncias, os doutrinários como Frei Caneca, Cipriano Barata ou Natividade Saldanha tinham-se na conta de federalistas, embora seja excepcional encontrar-se em seus textos uma afirmação enfática do tipo da que o frade fez certa vez, ao afirmar que "o Brasil tinha e tem todas as proporções para formar um *Estado federativo*". Se eles não empregaram amiúde o vocábulo federação, deveu-se à autocensura linguística observada por Renato Lopes Leite entre os republicanos fluminenses, que tampouco utilizavam o nome de república, o que se explicaria, segundo o autor, por medo ao caráter repressivo do regime que se esboçara no Rio a partir de outubro de 1822. O jornalista João Soares Lisboa aludia a "carbonários, demagogos, jacobinos, republicanos, sans-culottes, jardineiros e vários outros nomes" como designações que, desconhecidas pelo "vulgo ignorante", amedrontavam mais do que os "feitiços e bruxarias". Como o amálgama entre federalismo e republicanismo servisse aos propósitos unitários da corte, a fim de desacreditar as aspirações de autonomia junto à grande maioria conservadora, o período entre a Revolução de 1817 e a Confederação do Equador absteve-se de explicitar seus objetivos de autogoverno em termos de regime federal, preferindo apresentá-los como compatíveis com o sistema monárquico implantado no Rio desde que autenticamente liberal, ou procurando esvaziar o debate sobre a natureza da chefia do Estado, que seria irrelevante em face do problema da distribuição do poder em escala nacional.

Há mais de sessenta anos, Lemos Brito, em obra intitulada *A gloriosa sotaina do Primeiro Reinado*, chamou a atenção para o fato de que Frei Caneca pensava antes em termos do sistema norte-americano dos "Articles of Confederation" do que da Constituição federal de 1787, pela qual os estados haviam sacrificado muitos dos seus poderes. Sob esse aspecto, o federalismo pernambucano apresentou reivindicações que nos Estados Unidos haviam sido defendidas pelos adversários da Constituição federal em nome dos direitos das antigas colônias. Como demonstrou Bernard Bailyn, ao reivindicarem para a União competências em matéria de representação, tributação, dívida pública e Forças Armadas, os federalistas haviam sido acusados de serem tão nocivos às liberdades dos colonos da América do Norte quanto, antes da guerra da Independência, a Coroa e o Parlamento britânicos.

Que o federalismo pernambucano primava sobre o republicanismo reconhecia-o José Bonifácio contra os que no Rio os identificavam abusivamente. Caracterizando na Constituinte as tendências que ali se manifestavam, ele enumerou, entre os adeptos da Independência, os corcundas, convertidos à causa do Brasil por temor ao liberalismo das Cortes e que repudiavam as instituições representativas; os monárquico-constitucionais, que representavam o consenso nacional, cuja política era a dele, Andrada; os republicanos do Rio, minoria numericamente desprezível que sonhava com a república unitária; e finalmente os federalistas, que intitulava "bispos sem papa", os quais, não querendo ser unitários como os monárquico-constitucionais, nem "republicanos de uma só república", aspiravam a "um centro de poder nominal [na corte] e cada província uma pequena república". O perigo para José Bonifácio vinha precisamente desses "incompreensíveis" que pululavam nas províncias do Norte e, em particular, em Pernambuco. Dissociando federalismo e república, os "bispos sem papa" se acomodariam a uma monarquia que, pari passu, teria sido despojada dos seus atributos essenciais, tornando-se de fato uma república cujo chefe de Estado, em vez de presidente, se intitulasse imperador. Eles constituíam assim ameaça muito maior do que os corcundas e os republicanos.

O federalismo de 1817-24 criou a pecha de separatismo sob a qual viveu Pernambuco ao longo do Primeiro e do Segundo Reinado, ao passo que a historiografia do período reivindicará para os conservadores do Rio, os saquaremas, o *beau rôle* de construtores da nacionalidade em que se havia travestido, graças à localização da corte, o particularismo fluminense. Como observava Horace Say, ao tempo da Independência, o Brasil era apenas "a designação genérica das possessões portuguesas na América do Sul", não existindo "por assim dizer unidade brasileira". Daí a preferência da língua inglesa pelo plural *the Brazils*. Se a unidade ameaçada em Dezessete ainda era a do Reino Unido de Portugal, Brasil e Algarves, em Vinte e Quatro a unidade brasileira não saíra da resma de papel em que se tinham redigido o projeto da dissolvida Constituinte e a Carta outorgada pelo imperador, que os federalistas do Norte recusavam-se a jurar. Como não se cansará de lembrar Frei Caneca, o Brasil estava *independente*, mas não estava *constituído*.

Denis Bernardes já pôs os estudiosos de sobreaviso contra o anacronismo de enxergar no Sete de Setembro o fim predeterminado do processo de emancipação, cuja consequência "é a de desqualificar — sob a marca do separatismo antinacional — todas as posições políticas que não se reconheceram no projeto imperial ou procuraram dar-lhe outro rumo". E Maria de Lourdes Viana Lyra entreviu na retórica contra o separatismo uma manobra propagandística para obter o apoio das províncias ao projeto do Rio. Destarte,

> a causa da unidade, sempre intimamente ligada à da Independência e aceita incondicionalmente por todos os grupos que participavam no processo de Independência, foi, por assim dizer, imperceptivelmente substituída, ou mais exatamente, confundida com a campanha pela centralização.

Não se podendo a rigor acusar o ciclo 1817-24 de separatista, cabe duvidar de que a unidade do Brasil representasse para ele a grande prioridade, não estando, ao contrário do Sul, disposto a sacrificar no altar de uma entidade unitária que abrangesse toda a América portuguesa nem suas aspirações de autogoverno nem tampouco os princípios liberais da Revolução Portuguesa, precondição do triunfo do federalismo deste lado do Atlântico. O que Tobias Monteiro observou com razão, mas sem compreensão, a respeito de Frei Caneca poderia ser escrito dos seus correligionários federalistas: que tampouco encaravam "na união nacional e na integridade do Brasil o problema máximo da Independência". Para eles, a liberdade provincial preteria a unidade do Brasil, atitude não menos legítima do que a oposta, na medida em que pressupunham julgamentos de valor. Em 1824, Natividade Saldanha colocou de forma nítida a disjuntiva liberdade ou independência:

> Antes ser livre e não ser independente, do que ser independente e não ser livre. E que vantagem tiraríamos nós de tal independência? Não estarmos sujeitos ao rei d. João VI e aos caprichos [do conde] de Subserra, [do] conde, hoje marquês, de Palmela, Salter de Mendonça e Gomes de Oliveira. Que ridícula vantagem! E não ficávamos sujeitos aos caprichos de Maciel da Costa, de Vilela Barbosa e de outros? Antes viver na

escravidão de Portugal do que na do Brasil, para que se não diga que os brasileiros foram tão estúpidos que tendo forças para separar-se da metrópole e tendo ocasião de adotar um governo livre e acomodado às suas circunstâncias, adotaram um governo infame e vil como são todos os governos absolutos.

Lamentava J. A. Gonsalves de Mello em 1985 não haver "uma história política geral dos anos 1821-4 [em Pernambuco]". *A outra Independência* propõe-se a preencher a lacuna, numa perspectiva diferente da impingida pela historiografia da Independência, buscando reconstituir o processo de emancipação na província onde se contestou, mais que em nenhuma outra, o projeto de José Bonifácio e a política do Rio. Como observava o baiano Cipriano Barata, "é certamente Pernambuco a província [...] mais ciosa da sua liberdade e por isso a mais abundante de sucessos políticos e a mais capaz de servir de farol ao espírito público do Brasil inteiro".

Este livro procura concatenar os eventos políticos da província entre si e com os de Lisboa e da corte, ignorando propositadamente o contexto socioeconômico e os episódios militares, pressupostos, mas não expostos. Duas outras premissas condicionaram também o trabalho. A primeira, a de que, tendo a Independência sob a forma unitária levado sete anos para consumar-se em Pernambuco (1817-24), ela só é inteligível quando narrada em conjunto, não isoladamente em seus subperíodos, como habitualmente se faz: a Revolução de 1817, o movimento de Goiana (1821), a junta de Gervásio Pires Ferreira (1821-2), o governo dos matutos (1822-3) e a Confederação do Equador (1824). A conexão entre eles foi na época sugerida por Felipe Mena Calado da Fonseca, revolucionário de Dezessete, articulador do levante contra Luís do Rego Barreto e redator da gazeta gervasista *Segarrega*: não agradando ao governo do Rio "o andamento dos negócios em Pernambuco, por isso e talvez pelo terror pânico de 1817", resolveu "substituir os homens de [18]21 por outros amoldados a seus intentos, sortindo dessa política bastarda a anarquia em Pernambuco, que produziu os tumultos acontecidos daí por diante até 1824".

A outra premissa é a de que tampouco se pode entender a Independência na província sem referência à tradição colonial, que, graças à experiência da guerra holandesa, gerara uma noção contratualista das relações entre a capitania e a Coroa portuguesa. Enquanto entre el-rei e os demais colonos prevaleceria uma sujeição natural, os pernambucanos manteriam com a monarquia um vínculo consensual, ao se haverem libertado dos Países Baixos mercê de uma guerra travada por seus próprios meios, havendo assim retornado à suserania lusitana de livre e espontânea vontade quando poderiam ter instituído governo próprio ou recorrido à proteção de uma potência europeia. Esse retorno ter-se-ia pactuado mediante certas restrições ao poder real, particularmente no tocante à proibição de novos impostos e à nomeação para os cargos locais, que deveriam ficar reservados à gente da terra, pacto que a Coroa violara sistematicamente. Sendo todo mito constitucional uma deformação ideológica para fins precisos, torna-se irrelevante assinalar que se submetia aqui a história provincial ao leito de Procusto de uma interpretação *pro causa sua*.

Não há dúvida de que, como costumava afirmar-se ao longo do século XIX, o republicanismo nunca foi majoritário em Pernambuco, mas ao identificar-se, a partir de Dezessete, com a aspiração autonomista herdada do período colonial, logrou apoio político bem mais amplo do que poderia esperar. Daí a ambiguidade que constituiu a marca registrada dos governos provinciais naqueles anos. A aliança, que não era sólida, foi reforçada entre 1821 e 1824 pelo projeto do Rio, só se desfazendo a partir do período regencial, quando, com a Revolução Praieira (1848-9), eliminaram-se as conotações republicanas em favor da descentralização no âmbito do sistema imperial. Resta, aliás, estudar as modificações sobrevindas nesse ínterim, baralhando as cartas do jogo político, com a formação da nova elite liberal que substituiu os protagonistas do ciclo revolucionário, alguns dos quais haviam voltado a atuar nos anos 1830, como Gervásio Pires Ferreira e Manuel de Carvalho.

Segundo a conjuntura, os federalistas pernambucanos foram chamados de gervasistas e de carvalhistas, embora o carvalhismo se fundasse numa aliança que incluía também unitários desapontados com a dissolução da Constituinte. Enquanto o gervasismo operou no contexto do Império Luso-Brasileiro, o carvalhismo fê-lo no âmbito do Império puramente brasílico. Quanto aos unitários, foram também designados por imperiais ou morgadistas, isto é, partidários do morgado do Cabo, Francisco Pais Barreto. A junta de Gervásio Pires Ferreira e o governo de Manuel de Carvalho Pais de Andrade corresponderam ao controle do poder provincial pelos federalistas, mas mesmo apeados do poder de setembro de 1822 a dezembro de 1823, eles exerceram influência considerável sobre a junta dos matutos, antes de romperem e articularem sua queda. O autor adverte que, à maneira do seu livro intitulado *O Norte agrário e o Império, 1871-1889*, também nesta obra empregaram-se os termos canônicos da velha geografia brasileira, o Norte, ou províncias do Norte, que incluíam até a Bahia, e o Sul ou províncias do Sul, que começavam no Espírito Santo.

A pesquisa do autor em torno do período 1821-4 em Pernambuco começou há cerca de vinte anos, quando Cícero Dias, que então pintava os painéis sobre Frei Caneca para a Casa de Cultura do Recife, presenteou-o com o microfilme da correspondência dos cônsules franceses na província, existentes no arquivo do Quai d'Orsay, em Paris. D. Francina Fonseca dos Santos permitiu-lhe consultar a coleção de jornais pernambucanos do tempo da Independência que pertenceram à sua ilustre família. Há que registrar também a dívida para com Alberto da Costa e Silva e Max Justo Guedes, pelas indicações bibliográficas atinentes ao tráfico negreiro e à história naval; Álvaro da Costa Franco, no Centro de História e Documentação Diplomática, da Fundação Alexandre de Gusmão; Reinaldo Carneiro Leão e Marcos Galindo, no Instituto Arqueológico, Histórico e Geográfico Pernambucano e na Biblioteca Pública do Recife; e Rodrigo Elias, no Arquivo Histórico Nacional. O autor agradece também a Cide Piquet, que reviu o texto com a competência e o rigor de sempre.

I.
Dezessete

O início do movimento da Independência em Pernambuco é costumeiramente datado da "conspiração dos Suassunas" (1801), que resultou na prisão de Francisco de Paula Cavalcanti de Albuquerque, o coronel Suassuna, senhor do engenho homônimo, e de um dos irmãos, suspeitos de tramarem o estabelecimento de regime republicano na capitania. Segundo cronista coevo, "o público jamais penetrou os esconderijos deste mistério, porque molas reais e secretas fizeram correr sobre ele cortinas impenetráveis", mercê de certo frade por cujas "religiosas mãos" correram "rios de dinheiro", "tirando-se por fruto serem os acusados restituídos à liberdade, à posse de seus bens sequestrados, à estima e prêmios do soberano". Outro irmão, José Francisco, teria sido o agente da conjura na Europa, a fim de obter o apoio de Bonaparte, graças às conexões maçônicas de que dispunha em Paris, como sugere o fato de que será nomeado representante do Grande Oriente de França junto ao Grande Oriente lusitano, tornando-se um dos negociadores do convênio de cooperação entre ambos.[1]

Portugal achava-se acuado pela aliança franco-espanhola, que levará naquele mesmo ano de 1801 à Guerra das Laranjas, mas não está claro se a coadjuvação francesa fora mero objeto de cogitação, ou se, como se alegará na época, o primeiro cônsul chegou a envolver-se na intriga, da qual só desistiria com a assinatura da paz de Badajoz, que pôs fim ao conflito na península Ibérica. Entre 1796 e 1800, nada menos que sete projetos haviam sido apresentados ao governo francês visando atacar o Brasil a fim de arruinar o comércio inglês, inclusive o projeto Willaumez (1799), que tinha em mira acometer Pernambuco. Como os conjurados baianos de 1798, os Suassunas acreditavam poder contar com ajuda da França, pois, em face do obstáculo da aliança anglo-portuguesa, ela sempre parecera aos conspiradores da terra seu óbvio protetor internacional.[2] É provável, aliás, que o plano visasse sobretudo a precatar-se da ocupação inglesa, no caso em que a invasão do Reino impedisse o príncipe regente de atravessar o Atlântico, como o próprio Suassuna teria declarado ao delator da cabala.[3] Na eventualidade de Portugal baquear frente à Espanha e à França, a Inglaterra sentiria a tentação, como ocorrerá pouco depois na Cidade do Cabo e em Buenos Aires, de intervir militarmente nas capitanias do Norte, que se haviam tornado importantes fornecedores de algodão à sua indústria têxtil.

É inegável que, na hipótese de o príncipe regente cair em mãos inimigas, seja em 1801, seja em 1807, o que, nessa última ocasião, por pouco não se verificou, a criação de um governo provisório da capitania se teria imposto naturalmente não só a Pernambuco como ao Brasil, à maneira do que acontecerá na América espanhola com a formação de juntas autônomas, que, para fins de autodefesa e em nome da monarquia, cujo titular, Carlos IV, fora destronado por Napoleão, transformar-se-iam nos motores da emancipação. Trajetória que, no Brasil, foi frustrada pela vinda da família real. Como assinalou Francisco de Sierra y Mariscal, autor em 1823 de um plano de reconquista do Brasil por Portugal, a transferência da Coroa evitara uma "revolução projetada", que "teria corrido parelha com a da América espanhola". Se, malgrado os erros governamentais, como a ocupação da Banda Oriental, o regime joanino pôde manter-se por treze anos, devera-se a que "no Rio de Janeiro se tinham acumulado as riquezas do Império Português e estas lhe davam meios, ainda que sempre escassos, para castigar qualquer conspiração das províncias". O desfecho não passou despercebido em Pernambuco, onde muitos pensavam como Afonso de Albuquerque Melo, ao escrever, ainda em meados do século XIX, que "foi ter pisado nesta terra a maldita corte de Portugal e ter-nos deixado um príncipe, a causa de tudo", isto é, da adoção do Império unitário.[4]

A instalação do aparelho de Estado português no Rio, proclamando a intenção de fundar um grande Império Luso-Brasileiro que recuperasse a posição de Portugal no sistema de equilíbrio europeu,[5] deu seguramente inflexão imprevista à emancipação da América portuguesa. Até então, frente à guerra europeia e seu previsível impacto sobre a estabilidade do trono, as províncias do Norte tinham a escolha entre a independência separada, provavelmente sob forma regional, a que as predispunha a existência do entreposto recifense; ou a independência associada ao Sul, perspectiva remota em face do descompasso entre as aspirações políticas numa e noutra área. A presença de d. João no Rio constituiu a etapa inicial na eliminação da primeira alternativa. Como assinalou Roderick J. Barman, "a Coroa ficou muito mais capacitada a se imiscuir nos negócios provinciais", o que redundou na diminuição da autonomia e da influência das elites locais.[6]

Por mais que, anteriormente a 1808, o Rio tivesse consolidado seu entreposto comercial no sul do Brasil, foi a "interiorização da metrópole" que lhe permitiu acaudilhar a Independência, ao transferir-lhe o papel exercido por Lisboa, dotando-o de uma estrutura burocrática que, ao enraizar-se, promovera a emancipação sob forma monárquica e centralizada. A presença da corte acentuou a integração do Sul, deflagrada pela mineração no século XVIII, e reforçou a diferenciação de interesses entre o comércio vinculado a Lisboa e ao Porto e os negociantes fluminenses, muitos deles convertidos à grande lavoura, ao passo que os investimentos públicos e privados estimularam grupos comprometidos com a preservação do novo statu imperial do Rio.[7] Se do ponto de vista mercantil o Rio se alimentava "fundamentalmente do próprio Sul-Sudeste, estando praticamente ausentes de sua esfera o Nordeste e o Norte",[8] na vertente fiscal, em particular, sua condição de "metrópole interiorizada" permitiu-lhe desfrutar, nas relações com as províncias, das vantagens do sistema colonial. O citado Sierra y Mariscal acentuava que

a passagem de sua majestade fidelíssima para o Brasil fez da corte do Rio de Janeiro o receptáculo de todas as riquezas do Império Português. Os pretendentes [a cargos públicos e a favores régios] para lá levaram somas consideráveis. Os generais das províncias de retorno de seus governos lá gastaram quanto tinham adquirido neles. Nas causas de foro que lá iam por apelação lá gastavam somas incríveis. O Erário régio de Portugal sofria saques avultadíssimos. As províncias do Brasil sofriam, umas saques de quatrocentos contos, outras mais e outras menos. Os viajantes das diversas nações, os ministros das cortes estrangeiras e os emigrados de diversos pontos da América espanhola lá gastaram somas muito fortes. Os saques feitos sobre as diversas províncias do Império [puseram] em movimento a um grau sumo o comércio daquela corte. O comércio do rio da Prata para lá encaminhou seu giro, conduzido pela concorrência e emigração dos espanhóis europeus ocasionada pelas dissensões civis das províncias da América meridional.[9]

Na sua condição de "parasito do Império Português", o Rio atraiu "o ódio de todas as províncias". Ressentimento que foi bem maior no Norte, pois, como assinalará Armitage, elas achavam-se "ainda sujeitas a uma pesada cota de encargos, ao mesmo tempo que comparativamente com a capital colhiam muito menos vantagens do que a esta derivava com a chegada da família real". Daí que as reivindicações políticas fossem ali mais amplas, tendendo "à adoção de instituições representativas", como provara o fato de que, suficiente para contentar o Sul, a elevação do Brasil a Reino em 1815 não obstara a Revolução de 1817.[10]

Tal descompasso de aspirações políticas originou a assimetria regional do processo de emancipação. Para Maria Graham, ao passo que "as capitanias do Sul" eram "fortemente monárquicas e muito dedicadas à causa de d. Pedro", as províncias que haviam "estado sob o governo holandês [...] tinham sentimentos decididamente republicanos, reforçados sem dúvida pelo constante intercâmbio com os Estados Unidos", cujos cônsules atuavam como "verdadeiros agentes políticos, inculcando aos Estados da América recém-emancipados os seus próprios Estados como os modelos mais convenientes para todos os novos governos". Observará com razão Caio Prado Júnior que, enquanto o "partido brasileiro" no Sul,

> gozando de todas as prerrogativas e privilégios, não poderá ver com simpatia uma revolução democrática [a portuguesa de 1820] e reagirá contra ela, o Nordeste, pelo contrário, encontrará nela a oportunidade de sua libertação [...]. A diferença é profunda, e isto explica por que foi tão mais difícil apartar o Norte da influência das cortes saídas da revolução.[11]

Não podendo a Coroa, refém do tratado de comércio com a Inglaterra, aumentar os impostos de importação, onerou-se a produção do açúcar e do algodão. Às vésperas do movimento de 1817, a carga fiscal de Pernambuco compunha-se de quatro categorias: os impostos devidos a el-rei por toda a colônia; as contribuições criadas para custear a guerra holandesa; as antigas taxas donatariais que continuaram a ser cobradas mesmo após a transformação da capitania donatarial em capitania real, à raiz da restauração do domínio lusitano; e, por fim, os tributos exigidos a partir da instalação da corte no Rio, como a contribuição anual de 40 mil cruzados para a reconstrução de Portugal, o imposto sobre o algodão, equivalente a 10% do seu valor, gravando-o duplamente de vez que ele já pagava o dízimo, e a imposição destinada à iluminação pública do Rio, que se tornou o símbolo da espoliação fiscal aos olhos da gente da terra, e à manutenção da Junta do Comércio ali erigida.[12]

Em 1816, ano-pico em que o preço do algodão disparara mercê da recente guerra anglo-americana e do fim do bloqueio continental, a receita de Pernambuco alcançou 1105000 contos. Pagas as despesas locais com a administração régia, transferiram-se para o Rio 360 mil contos, equivalentes a 32% da arrecadação, mais do duplo, por conseguinte, da soma estimada por Hipólito José da Costa. Na realidade, a carga fiscal era ainda maior, de vez que os investimentos públicos imprescindíveis, que deviam correr por conta do Erário régio, como a conservação do ancoradouro, tinham de ser bancados por donativos, sem que nem sempre as obras fossem realizadas. Autor anônimo alude a que, "de todos os erários, era o de Pernambuco que menos tinha para descansar; os saques e ressaques da corte e de outros erários [provinciais] eram quase cotidianos". Nem mesmo o estado da província após a revolução republicana induziu a corte a atenuar as exigências financeiras. Em 1818, o Tesouro provincial esteve a ponto de "não poder satisfazer os saques extraordinários que não cessam de o esgotar", segundo reclamação do governador Luís do Rego Barreto.[13] O ressentimento com a voracidade fiscal do Rio se exprimirá principalmente nas reivindicações federalistas do período 1817-24.

À chegada dos Bragança, a província tinha abundância de ouro e prata decorrente de vultosos saldos comerciais, mas em 1821, quando da partida da família real, a circulação só constava de papel-moeda e de moeda de cobre, pois, "sem meios, com um séquito numeroso da nobreza e do clero destituídos de rendimentos, todos tendo seus protegidos e todos determinados a viver às custas da antiga colônia", a corte recorrera, primeiro, à depreciação da moeda de prata, e posteriormente à emissão das notas do Banco do Brasil e de moedas de cobre, que prejudicaram Pernambuco sensivelmente, consoante observador inglês:

A corte do Rio tinha frequentes e prementes necessidades de dinheiro. Nos seus embaraços, o Tesouro sacava antecipadamente sobre os erários das províncias do Norte, sem levarem conta se eles podiam pagar esses saques. Os governadores tinham, contudo, ordens estritas para honrá-los. Aconteceu mesmo que, em certa ocasião os presidentes da província e do erário de Pernambuco, não sabendo com que meios atender estes saques, convocou-se uma reunião de comerciantes [...] em que se tomou a decisão fatal de recolher toda a moeda de cobre em circulação na província, de modo a reemiti-la pelo dobro do seu valor. Este procedimento vergonhoso produziu a soma indispensável a cobrir as necessidades do momento, mas que aconteceu depois? Em menos de seis meses, a maior parte do cobre existente no Brasil apareceu em Pernambuco, devidamente recunhado no dobro do seu valor [...]. A moeda de cobre tornou-se assim superabundante em Pernambuco, de onde já não voltou aos lugares de origem.[14]

A corte explorava impiedosamente a prosperidade inédita que a grande lavoura e o comércio pernambucanos conheceram nos últimos anos do século XVIII e primeiros anos do século XIX, graças ao surto algodoeiro que atraiu ao Recife o aluvião de navios estrangeiros a que se referia o autor anônimo da "Ideia geral de Pernambuco em 1817".

A fortuna do Recife devera-se a uma sucessão de circunstâncias favoráveis. Do ponto de vista administrativo, por mais que a Coroa se empenhasse em centralizar a gestão da América portuguesa, ela nada podia contra as realidades físicas que tornavam as antigas capitanias de cima mais facilmente governadas e socorridas de Pernambuco do que da Bahia ou do Rio. A região costeira do Ceará ao São Francisco fora conquistada e povoada a partir de Pernambuco, dali gerida ao longo do período holandês e depois de restaurada a suserania portuguesa. Foi cedendo a tais condições que el-rei estendeu a competência dos governadores de Pernambuco ao Ceará, ao Rio Grande do Norte, à Paraíba e a Itamaracá, que passaram a constituir as chamadas "capitanias anexas", integradas, no decorrer do século XVIII, à "capitania geral de Pernambuco". Na mesma direção apontava a criação do bispado de Olinda (1676), cuja jurisdição recobriu o território que, grosso modo, correspondera outrora ao Brasil holandês.

Comercialmente, o entreposto recifense, esboçado sob o domínio batavo, consolidara-se, na segunda metade de Seiscentos, graças ao sistema de frotas anuais entre Portugal e o Brasil, que, por motivos de segurança, velejavam em comboio, tocando no Recife, Salvador e Rio de Janeiro. Tal sistema requeria a cabotagem ativa, que ligou o Recife aos núcleos populacionais da marinha; e quando abolido, em meados do século XVIII, os privilégios da praça permaneceram intocados. A efêmera Companhia de Comércio de Pernambuco e Paraíba preservou-os. Acossado pela concorrência de Salvador, com quem teve de partilhar, em situação desvantajosa, o comércio dos "sertões de dentro", o Recife compensou-se, a noroeste, nos "sertões de fora", que poderiam ser alcançados a menor custo através dos "portos do sertão", como eram designados os núcleos litorâneos a oeste da baía de Touros, tanto mais que, no terceiro quartel do século XVIII, a população das capitanias da Paraíba, Rio Grande do Norte e Ceará era três vezes maior que a da área pernambucana além-Borborema, inclusive a comarca do São Francisco.[15]

Àqueles núcleos, podiam-se aplicar, com maior razão, as palavras que acerca da Paraíba escrevia um governador do século XVIII, segundo o qual "os negociantes por quem corre o trato da capitania são poucos e pobres, meros feitores dos comerciantes de Pernambuco". O Ceará, o Rio Grande e a Paraíba só foram autorizados a manter relações comerciais diretas com a metrópole ao ganharem autonomia nos finais de Setecentos, começos de Oitocentos, o que, porém, não lhes permitiu libertar-se imediatamente da intermediação mercantil do Recife, que se prolongará até a República Velha e mesmo depois. Em 1826, o cônsul francês, ao assinalar que "o comércio direto desta cidade [da Paraíba] com o estrangeiro só começou a adquirir alguma importância de oito anos para cá", informava só existirem ali cinco casas inglesas e uma francesa, das quais três eram sucursais de casas inglesas do Recife, que lhes enviavam fundos para a compra de algodão.[16]

O papel de Pernambuco na geração de superávits comerciais no Império Luso-Brasileiro já foi suficientemente posto em destaque. Enquanto o Rio de Janeiro era deficitário no seu comércio com Portugal, o Recife e São Luís e, em menor escala, Salvador produziam saldos que, para preocupação das autoridades da metrópole antes de 1808, davam lugar a remessas monetárias do Reino da ordem de 5 milhões de contos anuais. Em ano excepcionalmente favorável como 1816, o saldo da praça chegou a 6,75 milhões de contos, descontados os gastos com importação de africanos (que atingiu, de 1816 a 1820, seu ponto mais alto no século XIX) e de carne-seca do Rio Grande do Sul, que constituíam, após os gêneros trazidos do Reino, as principais rubricas das importações.[17]

Ainda em 1822, malgrado a instabilidade política, a província dispunha do saldo de 941 mil contos, resultante sobretudo das vendas de algodão à Inglaterra e à França. A maior parte desses gastos compensava o desequilíbrio das contas com Angola e com o restante do Brasil, de vez que as relações com a Bahia, com o Rio de Janeiro e com o Rio Grande do Sul também eram deficitárias. A rentabilidade do algodão reduzira a produção local de farinha de mandioca, aumentando o volume importado daquelas províncias, sem falar que, com o aniquilamento da produção de carne do Ceará, que suprira a capitania até os anos 1770, passara-se a importar charque gaúcho. No comércio com o Brasil, Pernambuco tinha saldo negativo de 394 mil contos, o que ainda lhe deixava o excedente de 548 mil contos, boa parte do qual, enviada ao Rio, a título de transferência de recursos públicos. Em vista desses saldos, não podia compreender o autor da "Ideia geral" que "os bastardos e detestáveis pedreiros pernambucanos" se tivessem deixado "alucinar com promessas de amelhorações republicanas" e concebido "a esperança de desencaminhar um povo agrícola, forte, opulento, satisfeito com as suas presentes vantagens, unicamente suspirando por novos braços africanos com que pudesse aumentar a sua opulência".[18]

Ao longo do período joanino, foram para o ralo as expectativas iniciais de reforma política e institucional. Silvestre Pinheiro Ferreira reconhecia em 1822 que

> o Brasil elevado à categoria de Reino [...], nada mais se fez do que esta simples declaração; e em vez de se regular a pública administração do Brasil nesta conformidade, tudo continuou como dantes; e as províncias continuaram a ser governadas pelo arbítrio de governadores tão arbitrários e absolutos como dantes.

Era a mesma justificação que dera para a Revolução de 1817 o agente enviado pelo governo republicano aos Estados Unidos. Segundo escrevia Antônio Gonçalves da Cruz, o Cabugá, ao secretário de Estado, a vinda de d. João para o Brasil

> persuadiu a uma parte dos seus habitantes que um príncipe acossado da desgraça tomaria dela a lição que tão fácil se lhe fazia e que adoraria um melhor e mais moderado sistema de governo e uma administração liberal, que pudesse assegurar-lhes os bens de que eram senhores e de que não gozavam pelo sistema de despotismo que entre eles se praticava. Mas esta esperança só existiu por mui pequeno espaço de tempo, e isto mesmo só entre os que menos instrução possuíam do sumo grau de corrupção a que tinha chegado aquele governo.[19]

Como ressaltará Armitage, em Pernambuco "a causa da Independência não havia [...] recebido o cunho de ficção" por lhe faltar "a presença de uma corte extravagante e aparatosa; e por este mesmo motivo tinha produzido raízes mais profundas entre a população".[20] Aguçando-se a percepção de um domínio colonial que se tornara desde 1808 mais próximo e mais sufocante, o ressentimento nativista concluiu que Lisboa já não estava em Lisboa, mas no Rio.

Em março de 1821, quando o conflito político no Rio, como assinalou Sérgio Buarque de Holanda, ainda não extrapolara a querela entre absolutistas e liberais portugueses, em Pernambuco o governador Luís do Rego atribuía a "inquietação pública" ao desejo generalizado de mudança, aduzindo: "Aqui se falava na Constituição e Cortes de Portugal; acolá, na independência absoluta do Brasil, outro clamava com a constituição política dos Estados americanos". Essa gama de reivindicações, mais ampla que a da corte, era produto da Revolução de 1817, sem referência à qual, como acentuou Denis Bernardes, a história política da província torna-se ininteligível até a Revolta Praieira (1848-9).[21] Ao iniciar-se o movimento da Independência, Pernambuco e suas vizinhas do Norte constituíam a única região da colônia a haver ensaiado uma experiência de autogoverno, ao contrário do Sul, que só havia conhecido inconfidências esmagadas no ovo. Àquela altura, o padre Lopes Gama avaliava o legado de Dezessete:

A Revolução de 1817 é uma daquelas épocas memoráveis, que aos olhos do pensador imparcial serve de explicar os fenômenos políticos que têm aparecido nesta formosa e malfadada província. Um país, que ao sair dos sustos de uma comoção geral, viu presos e cobertos de ferros os mais caros e distintos de seus cidadãos; que viu levar ao patíbulo seus sacerdotes, cujos corpos decapitados eram depois arrastados a caudas de cavalo; que viu suas famílias dispersas e foragidas mendigar o sustento, expostas a todos os rigores da adversidade; um povo no meio do qual se levantou o horrendo tribunal de Minos, isto é, uma alçada que abriu campo à delação, à vingança, à intriga; um povo enfim de acusadores e acusados devia guardar um fermento de inimizades e discórdias, sobejo a empecer todos os passos da sua regeneração política.[22]

Revolta anticolonial, Dezessete foi também insurreição que escapou ao controle da maçonaria portuguesa e fluminense. Havendo sobrevivido, após a ocupação francesa do Reino, à perseguição da Regência deixada por d. João, a Grande Loja Portuguesa ou Grande Oriente Maçônico, composta majoritariamente de elementos da nobreza, das Forças Armadas e do clero, recuperara-se a partir de 1813 na esteira do regresso das tropas lusitanas que haviam lutado sob Wellington, fundando-se novas lojas e reorganizando-se a entidade de cúpula. À reestruturação em Portugal, seguiu-se a do Rio, cujas lojas, fechadas em 1806 no governo do conde dos Arcos, reabriram após a chegada do príncipe regente, graças à tolerância e à cumplicidade de altos funcionários do regime, como d. Rodrigo de Sousa Coutinho, que, como vários outros, era tido e havido na conta de pedreiro-livre ou, ao menos, de simpatizante. Criou-se então o Grande Oriente Brasileiro, que teve um futuro protagonista de Dezessete, Antônio Carlos Ribeiro de Andrada, como seu primeiro grão-mestre.

Ao invés da maçonaria fluminense, a pernambucana fugira da tutela do Grande Oriente Lusitano. Seu aparecimento datava dos primeiros anos do século, sob o estímulo do naturalista Manuel Arruda da Câmara e do seu discípulo, o padre João Ribeiro. A partir de 1813, ela fora reativada não de Lisboa ou do Rio, mas de Londres, por Domingos José Martins, emissário de pedreiros-livres ingleses. Desde então, as lojas pernambucanas haviam-se tornado exclusivamente brasileiras, excluindo portugueses, os quais por isso mesmo fizeram seu inferno à parte. Martins e amigos trataram de conquistar o clero secular e a oficialidade, empresa tanto mais fácil quanto essas categorias já se compunham majoritariamente de naturais da terra, predispostos a atuar como ponta de lança de um projeto emancipacionista.[23]

Que a maçonaria pernambucana recebesse seu impulso de Londres, não de Lisboa, é essencial para compreender Dezessete. Os pedreiros-livres lusitanos haviam caído sob a influência dos franceses, embora sua instituição tivesse sido criação dos ingleses, que, contudo, se haviam cindido em lojas rivais devido a questões de ritual, só se reunificando em 1813. É provável, por conseguinte, que a missão de Domingos José Martins a Pernambuco tivesse visado precisamente fomentar alternativa brasileira à conexão franco-luso-fluminense, devido inclusive ao propósito dos maçons portugueses de liquidar a posição privilegiada da Inglaterra no comércio luso-brasileiro. A tal dissensão poderia estar ligado o rompimento de Martins e do padre João Ribeiro com o tenente-coronel Alexandre Tomás de Aquino Siqueira, ajudante de ordens do governador Caetano Pinto, rompimento que Antônio Carlos atribuiu a "algumas das misérias do espírito de bairro", mas que levou o oficial, provavelmente maçom monárquico-constitucional, a denunciar a existência de projeto republicano. A esse respeito, Gláucio Veiga chamou a atenção para a conduta de Caetano Pinto, conhecido por suas inclinações iluministas, o qual, mantendo-se imperturbável diante das advertências acerca da conspiração em marcha, só se resolveu a agir quando certificado pelo oficial de que ela tomara cariz antimonárquico.[24]

A maçonaria portuguesa não alimentava veleidades republicanas, mas monárquico-constitucionais. Nos quadros do Grande Oriente Lusitano, preponderavam a oficialidade e o clero, ao passo que a participação do comércio, da magistratura, do funcionalismo público e das profissões liberais não superava 30%. Mesmo durante a ocupação francesa, ela continuara fiel aos Bragança, embora se tivesse tornado receptiva à discussão sobre a legitimidade e a representatividade do poder. Acuada pelo fim do monopólio colonial, a burguesia do Reino convertia-se à ideia de constitucionalizar a monarquia a fim de defender sua posição em face do predomínio britânico e da indiferença da corte do Rio pelas dificuldades domésticas de Portugal. A conjura de Gomes Freire de Andrade, abortada em maio de 1817, não cogitou de república, hesitando apenas entre manter d. João VI no trono ou substituí-lo pelo duque de Cadaval. A Revolução do Porto (1820), na sua estridência antibritânica e antibrasileira, visará, após alguma hesitação de menor importância, à regeneração da monarquia, como a opção de "menores custos políticos", ao atender aos "mais importantes interesses em jogo". Como alegará um conselheiro do monarca, ao alienar a maçonaria portuguesa e fluminense, Dezessete comprometeu sua sorte.[25] Os pedreiros-livres da corte também aprenderam sua lição, redobrando esforços, a partir de 1821, no fim de tutelar as lojas provinciais.

A facilidade e rapidez da vitória em Dezessete impressionaram os contemporâneos. Antônio Carlos admirava-se do "sucesso assombroso" graças ao qual "cinco ou seis homens destroem num instante um governo estabelecido e todas as autoridades se lhes sujeitam sem duvidar". Contudo, segundo Tollenare, "o povo não tomava parte alguma na insurreição", nem demonstrava "nenhum entusiasmo, nenhum transporte". E lembrando-se das jornadas revolucionárias de Paris, exclamava: "Que diferença de ardor entre esta populaça e a nossa". Constatava o francês que "o povo [...] tinha-se armado sem saber para quê e podia facilmente ser dirigido contra os rebeldes", caso as autoridades régias se tivessem empenhado em controlar a situação. Na Paraíba, "a novidade arrastou mecanicamente, sem indício de oposição em toda a província"; no Rio Grande, "o povo permanecia inerte espectador". O adesismo da administração era geral, donde não ter havido substituições nos altos cargos, nem sequer entre os comandos da milícia. Do interior, afluíam vereadores, párocos e oficiais da milícia para prestar obediência ao novo poder.[26]

Dominou nos primeiros dias a impressão de que o movimento não se fizera contra el-rei, mas sim contra seus agentes, a serem em breve substituídos pelo Rio. Os membros da junta provisória só pronunciavam "a palavra república em voz baixa e só discorrem sobre a doutrina dos direitos do homem com os iniciados", o que equivalia à confissão de que "ela não seria compreendida pela canalha". Havendo Tollenare sugerido ao padre João Ribeiro que publicasse uma gazeta para endoutriná-la, recebera a resposta sonsa: "Convém deixá-los neste erro". O manifesto da junta revolucionária, redigido pelo padre Miguelinho, embora desejasse uma revolução, descria dos "movimentos precipitados", querendo "uma república, mas quando fossem dispostos os elementos". Ele não defendia mudança imediata de regime, atribuindo a insurreição ao "espírito do despotismo", que tolhera uma empresa conciliatória que "não seria árdua". A organização do governo provisório devera-se a que "os patriotas", achando-se "sem chefe, nem governador", viram-se na necessidade de "precaver as desordens da anarquia". Malgrado o gesto simbólico de se consagrar nova bandeira, não se proclamou o regime a que corresponderia, indefinição que, aliás, será explorada em favor dos réus, cujo advogado assinalava com razão que se elegera governo sem que aparecesse documento que declarasse sua natureza, "se era aristocrático ou democrático, e vitalício ou temporário".[27]

Mais do que a república, a independência foi o verdadeiro motor de Dezessete, e sob esse aspecto ele também se incompatibilizou com a aspiração de constitucionalizar o Império Luso-Brasileiro. Os observadores estavam acordes acerca da particular virulência do nativismo pernambucano. José Carlos Mayrink da Silva Ferrão, secretário do governo de Caetano Pinto e da junta de Dezessete, "tendo visto alguma coisa da história de Pernambuco, sabia que era este um pecado velho, comum a todo o Brasil, mas nesta capitania mais escandaloso". E Frei Caneca, ao analisar o antagonismo entre "os portugueses indígenas de Pernambuco e os portugueses europeus nele estabelecidos", antagonismo comum ao Novo Mundo, onde demonstrara sua eficácia na emancipação dos Estados Unidos e da América espanhola, acentuava que este mau humor se tem estendido, porventura, mais em Pernambuco do que em nenhum outro ponto do Brasil, pois deixando de parte coisas mais apartadas de nós, o ano de 1710, das perturbações civis desta província data a época do seu maior desenvolvimento; e desse tempo para cá, tem-se visto, por vezes, aparecer e ocultar-se, bem como os fosfóricos pirilampos nas trevas da noite, até que por último se mostrou com toda ostentação e ufania em 1817, e ainda hoje vai minando e solapando, quanto pode, as bases da sociedade.[28]

Antônio Carlos também fazia recuar a paixão antilusitana da província ao tempo da Guerra dos Mascates, muito recordada cem anos depois. Então, "uma nobreza numerosa e orgulhosa" não pudera "sofrer com paciência a preferência que o antigo sistema colonial dava a homens sem nascimento, virtudes ou mérito". Ao conflito civil, seguira-se seu "abatimento", do qual só começara a recuperar-se com a política pombalina de igualar os súditos de ambos os hemisférios e de abrir "novas fontes de riqueza". O reinado de d. Maria, a Regência de d. João e a mudança da corte para o Rio haviam feito conceber aos pernambucanos a esperança de se verem equiparados aos da metrópole. Mas como "os homens novos [isto é, os reinóis de origem plebeia que haviam ascendido socialmente na terra] são sempre orgulhosos", sobreveio o choque com os naturais, "a quem não queriam admitir na partilha das vantagens que até então tinham gozado só eles".[29]

Os adeptos da monarquia constitucional haviam sido mantidos à margem da conspiração, precipitada pelas medidas repressivas exigidas por oficiais reinóis, vários dos quais eram pedreiros-livres ou simpatizantes que rejeitavam o republicanismo. Entre os monárquico-constitucionais, sobressaía Antônio Carlos, que iniciava uma das carreiras mais versáteis de homem público que já conheceu o Brasil; e cuja nomeação para ouvidor de Olinda teria sido feita com o objetivo de colocar a maçonaria pernambucana a reboque da do Rio. Quando a junta governativa, formada às pressas por um colégio de dezessete eleitores escolhidos a portas fechadas em reunião dominada por Martins, debateu o regime a adotar, o representante dos letrados, José Luís de Mendonça, que se concertara com Antônio Carlos, propôs negociações com el-rei para solicitar a redução de impostos e o estabelecimento de limites ao poder dos governadores, segundo aspiração que datava da restauração do domínio português na capitania. A proposta foi repudiada por Martins, que contava com o apoio da oficialidade da terra, sobretudo do capitão Pedro da Silva Pedroso, o qual "quis atravessar com a espada e matar a José Luís de Mendonça, porque este fizera a moção de se estabelecer um reino constitucional em lugar de uma república".[30] Mendonça ficou a partir daí em posição isolada no governo revolucionário.

Mesmo o delegado da grande lavoura na junta, Manoel Correia de Araújo, que simpatizava com a posição do colega, eximiu-se de apoiá-la, ao passo que os demais membros, o padre João Ribeiro, representante do clero, e o capitão Domingos Teotônio Jorge, do Exército, eram, como Domingos José Martins, notórios por seus sentimentos monarcômacos. Os republicanos tinham, portanto, maioria no seio do governo. Tollenare, que conheceu Mendonça de perto, traçou o perfil de um reformista típico: vitorioso na sua atividade de advogado, gozava do respeito geral e, em particular, do das "pessoas de consideração". Nas suas conversas com o francês, Mendonça, que ignorara a trama, não punha em causa o regime monárquico, limitando suas críticas aos abusos da administração colonial, críticas que eram gerais e que, advertia Tollenare, eram erroneamente confundidas com "desejos revolucionários", embora pudessem ser muitas vezes o prelúdio das revoluções, como acontecera em seu país. Mendonça, que negociara com Caetano Pinto sua renúncia e partida, garantira-lhe, aliás, que o movimento não era contra a monarquia, mas apenas contra o governador.[31]

Antônio Carlos ainda tentou salvar a proposta de negociação. Malgrado considerá-la comprometida pela inabilidade de Mendonça, sondou Domingos José Martins e o padre João Ribeiro. Ambos responderam-lhe dissimuladamente que "a lembrança era boa e poderia ter efeito a não ser a imprudência do dito José Luís, mas que agora já não tinha mais lugar porque nem a tropa nem o povo a queriam e quem lha propusesse morreria necessariamente, o que esperavam que ele [...] não fizesse". Antônio Carlos também contatou o pró-homem rural de maior prestígio, o coronel Suassuna, que também ignorara o complô e, ao saber do levante, partira para o Recife com um séquito de milicianos e escravos aos gritos de "Viva el-rei", tornando-se suspeito aos republicanos. Ambos concordaram em que "os homens de qualidade estavam arruinados se não ajuntarem os seus esforços para destruir uma cabala de malfeitores". Enquanto Antônio Carlos ficava encarregado de atrair a tropa de linha, Suassuna obteria apoio no sul da capitania, para onde seguia com a missão de deter o exército realista que marchava da Bahia, sob o general Congominho, cujos oficiais maçons pretendia aliciar em prol da monarquia constitucional. Tal projeto deve ter chegado aos ouvidos do governo provisório, incitando-o a despachar para o sul outra tropa sob Domingos José Martins, que, como membro da junta, exerceria o comando. Resistindo Suassuna a abrir mão da sua chefia, adotou-se a solução de manter ambas as forças separadas, que foram assim mais facilmente batidas pela tropa d'el-rei. A essas manobras, podia estar associado o plano de "contrarrevolução para pedirem a sua majestade que desse nova Constituição", à maneira dos "rebeldes constitucionais" espanhóis, projeto que a Alçada encontrará entre os papéis do deão da Sé de Olinda, o dr. Bernardo Luís Ferreira Portugal.[32]

Dezessete foi uma derrota para a maçonaria portuguesa e fluminense, cujo objetivo, consoante o enviado de Buenos Aires ao Rio, Carlos de Alvear, informava a seu governo, consistira em compelir d. João VI a convocar as Cortes portuguesas e jurar uma Constituição, na linha, como se vê, do que Gomes Freire de Andrade projetara no Reino e do que as lojas do Porto executarão com êxito em 1820. Ocorrera que em Pernambuco os maçons "não só se haviam antecipado mas não haviam feito a revolução conforme o combinado". O informante de Alvear aduzia que, "se os pernambucanos houvessem seguido debaixo destes princípios, a coisa [o levante no Rio] se levaria a cabo". Diante do fato consumado no Recife, a maçonaria fluminense dividira-se "uns a favor, que são geralmente brasileiros, e outros em contra, que são os europeus e muitos brasileiros". Em Lisboa, também se sustentava que os propósitos republicanos haviam traído os planos maçônicos, cujo objetivo limitava-se a "forçar a família reinante a conceder uma nova Constituição e a adotar o sistema representativo".[33]

Os relatos de informantes da Coroa precisam os contornos da conjura fluminense, a cuja frente estava o barão de São Lourenço, um plebeu nobilitado por d. João, que o promovera de arrecadador de rendas no Ceará a tesoureiro-mor do Reino, e que era alvo de graves acusações de peculato. Da conspiração participariam, entre outros, "três [comerciantes] ingleses dos mais poderosos desta cidade", certo frade pernambucano, José de São Jacinto Mavignier, pregador da Capela Real, outro pernambucano, José Fernandes Gama, tio de Bernardo José da Gama, ouvidor do Sabará e que desempenhará papel de relevo na política da província em 1822-3, seu amigo Ludgero da Paz, contador da fazenda em Pernambuco, dois mercadores portugueses do Rio, um deles com correspondentes no Recife, e o agente de Bento José da Costa, importante homem de negócios dessa praça. Ao saberem da insurreição pernambucana, eles haviam dado "urros por ver não terem conseguido o seu plano", cujo objetivo era apenas o de reduzir os poderes da Coroa.[34]

À monarquia constitucional animava o afã de preservar o Reino Unido, mas a república teria de ser regional, devido ao descompasso entre as aspirações políticas no Norte e, por outro lado, no Sul e no conjunto da monarquia lusitana. Ao rejeitar a alternativa monárquico-constitucional, Dezessete devia contentar-se com base territorial menos ampla. O único texto que se conhece a respeito é a carta do padre João Ribeiro ao governo provisório da Paraíba, de 31 de março de 1817. O sacerdote era categórico: "Pernambuco, [incluindo Alagoas, então comarca pernambucana], Paraíba, Rio Grande e Ceará devem formar uma só república", pois "estas províncias estão tão compenetradas e ligadas em identidade de interesses e relações, que não se podem separar", ao que se somava a escassez de quadros dirigentes, ao menos "enquanto não se propagam as luzes". A ideia de que a área entre o Ceará e o São Francisco, que correspondia ao antigo Brasil holandês, constituía uma latente entidade estatal já fora formulada nas diretrizes constitucionais de 1799, alegadamente redigidas por Arruda da Câmara, João Ribeiro e José Fernandes Portugal, as quais aludiam às "províncias federadas desde Alagoas até as extremidades ao norte do Ceará".[35]

Opinião que não era consensual, segundo reconhecia João Ribeiro, pois, como referirá Muniz Tavares, o êxito inicial da revolução na Paraíba e no Rio Grande encorajara os patriotas a estenderem "suas vistas [...] ao bem ser de todo o Brasil". Ocorria apenas que "as províncias do Norte [estando] mais distantes do sopro empestado da corte seriam as mais solícitas em responder ao grito da liberdade", ao passo que, a longo prazo, "as do Sul seguiriam [...] o mesmíssimo destino". Caso não o fizessem, uma confederação do Norte nada teria a temer. João Ribeiro escreveu, aliás, à junta paraibana para dissipar a suspeita de que seu projeto visasse a "engrandecer Pernambuco, sujeitando-lhe as outras províncias como antigamente", isto é, como ao tempo em que haviam sido capitanias anexas, propondo desde logo que a capital da república fosse construída, "como condição essencial", no interior da Paraíba, a trinta ou quarenta léguas do litoral.[36]

Asseverou-se que "a Revolução de 1817 não foi separatista mas pretendia a independência e a integridade do então Reino Unido do Brasil".[37] Ora, como não havia então "Reino Unido do Brasil", mas Reino Unido de Portugal, Brasil e Algarves, não se pode reivindicar para o movimento uma inspiração de unidade brasileira de que ele manifestamente careceu. Por outro lado, é inegável que Dezessete não pode ser acoimado de separatista, pois o separatismo pressupõe a constituição prévia de uma nação brasileira, e esta não existia àquela altura, a monarquia portuguesa sendo a forma vigente do Estado, de que o Rio era a capital.[38] A imputação de separatismo a Dezessete, seja pelos que a formularam, seja pelos que a rejeitam, é um pseudoproblema. Mesmo Varnhagen, cuja antipatia pelo movimento é conhecida, absteve-se de caracterizá-lo como tal, cônscio talvez de que incorreria em anacronismo. Por fim, cumpre não confundir os objetivos de Dezessete com suas repercussões na América portuguesa. Os temores de contágio insurrecional denotavam as preocupações de quem as exprimia, não o ânimo brasileirista do governo revolucionário. As previsões de que os acontecimentos em Pernambuco desaguariam na independência de todo o Brasil não significa que Dezessete se propusesse a promovê-la.

Quando o representante britânico no Rio ou o comandante da estação naval inglesa no Atlântico Sul expressavam tal apreensão, como via de regra a correspondência diplomática do período, o que os assustava era a adesão de todo o Norte ao movimento. Alvear reporta-se à Bahia, Pará e Maranhão como os alvos dos rebeldes, não ao sul do Brasil. Naturalmente, em face do que ocorria na América espanhola e da inércia da Coroa lusitana, era natural que Dezessete fosse visto como a onda do futuro, embora o secretário do Exterior, Lord Castlereagh, constatasse em breve que a insurreição tivera "menor alcance do que a princípio se supôs".[39] Isolada no seu republicanismo, a junta do Recife não podia alimentar ilusões acerca das províncias meridionais, devido inclusive à sua proximidade da corte. Se, na melhor das hipóteses, elas também se revoltassem, fá-lo-iam certamente sob a forma da monarquia constitucional pretendida pelos maçons fluminenses, como ocorrerá em 1822, nem se teriam mostrado menos hostis a Dezessete do que o ministério de d. João VI. Se o 6 de março fora obra da maçonaria republicana, não havia por que procurar a adesão do Sul, que só poderia comprometer a pureza do novo regime.

Como sintetizou Barman, "a insurreição no Nordeste não visou à independência do Brasil como um Estado-nação".[40] O particularismo de Dezessete insinuou-se inclusive na justificação política do movimento. O governo provisório não invocava os direitos do Brasil, mas o descumprimento pelos Bragança do pretendido pacto com a capitania, segundo o mito constitucional de que a restauração do domínio português no século XVII tivera a contrapartida de isenções de natureza fiscal e administrativa por parte da

Coroa. Daí a autoproclamação de Dezessete como a "segunda restauração de Pernambuco", consoante rezava a fórmula dos seus impressos oficiais. Semelhante noção pressupunha que enquanto os pernambucanos seriam "vassalos políticos", os demais brasileiros eram apenas "vassalos naturais". Daí haver cabido a um monárquico-constitucional, o deão da Sé de Olinda, recorrer também ao argumento mais abrangente da violação pela Coroa do próprio pacto constitutivo da nação portuguesa, vale dizer, as pretendidas leis das Cortes de Lamego, concepção que, ao contrário da anterior, era coextensiva a todo o Império Luso-Brasileiro.[41]

É sintomático que as missões pré-revolucionárias do Recife tenham-se limitado à Bahia, ao Ceará, ao Rio Grande e à Paraíba, embora Domingos Teotônio Jorge tivesse viajado ao Rio. Que houve contatos com os maçons fluminenses já o sabemos. Vitoriosos, porém, os republicanos contentaram-se em dirigir proclamações às províncias vizinhas, abstendo-se de conclamar o Rio e o Sul, ao contrário do que fará em 1824 a Confederação do Equador. As alusões ao Brasil insertas nos manifestos à Bahia eram recurso retórico para fustigar a tibieza dos baianos, da mesma maneira como a propaganda revolucionária apregoava, para consumo interno e externo, que o Brasil estava a ponto de aderir. Ao assegurar ao governo norte-americano que a revolução fora realizada de concerto com as outras províncias ou ao estipendiar as gazetas de Boston ou Filadélfia para preverem que ela se espalharia por toda a colônia, o Cabugá visava sobretudo impressionar os Estados Unidos para captar-lhes o auxílio. Do ponto de vista dos chefes republicanos, a conflagração das províncias meridionais lhes traria a vantagem de obstar a reação militar do Rio, mas eles não puseram muita fé em tal possibilidade, embora tivessem de emitir sinal contrário.[42]

Julgava Oliveira Lima que em Dezessete a influência da Revolução Francesa fora superior à da Revolução Americana. Por uma questão de mimetismo e de intoxicação ideológica, tendeu-se a utilizar a cenografia e o vestuário da Grande Revolução, cuja dramaticidade era mais apta a empolgar imaginações brasileiras. Mas se o governo do Recife conhecia as Constituições de 1791, 1793 e 1795, mostrando preferência, aliás, pela mais "razoável", a termidoriana, possuía o "livro das Constituições" que Benjamin Franklin "compusera para as colônias da América inglesa".[43] A experiência norte-americana oferecia figurino mais adequado à tradição autonomista da província do que a Revolução Francesa, cuja concepção unitária buscara liquidar, mediante o sistema departamental, os particularismos regionais, identificados com o poder da aristocracia Nos primeiros dias do movimento, o cônsul britânico assegurava que o regime pautar-se-ia pelo "modelo [federal] dos Estados Unidos da América". E em Washington declarava o Cabugá que a Constituição "deve ser modelada pela dos Estados Unidos, com aquelas alterações ou modificações análogas aos costumes do país". "O êxito da federação americana faz virar muitas cabeças", anotava Tollenare, sobretudo em vista da "economia de despesas com uma corte".[44]

Oliveira Lima também vislumbrou influência termidoriana na criação de uma junta de cinco diretores, com o fim de "manter a supremacia do poder civil" em face da derrapagem militarista. Na realidade, o objetivo perseguido na formação do governo consistira em dotá-lo de base corporativa, como assinalavam a proclamação de 9 de março e o manifesto que ficou conhecido pelo galicismo de "Preciso", a primeira utilizando ainda a expressão "ordens do Estado", o segundo, já recorrendo à palavra "classes".[45] Ademais, a tradição republicana sempre estivera associada aos regimes de tipo colegiado, de modo a frisar sua diferença com o despotismo dos sistemas monárquicos. Afirmou também Oliveira Lima que a lição de Termidor explicaria que o governo se tivesse esquivado "a uma Constituinte, pelo menos imediata".[46]

As razões foram mais prosaicas. Em vista da rapidez da reação da Coroa, o novo regime não dispôs de tempo suficiente para institucionalizar-se, obstaculizado pela falta de órgãos preexistentes que canalizassem a reivindicação constitucional, como as assembleias coloniais da América inglesa metamorfoseadas nos congressos revolucionários que deram aos estados suas Constituições. Mesmo em condições favoráveis, o processo constituinte nos Estados Unidos levara nada menos que treze anos, do primeiro Congresso Continental (1774) à Constituição federal, de 1787. Os "Artigos de Confederação", adotados em 1776 para entrar em vigor quatro anos depois, previam uma coordenação frouxa das colônias no exercício dos poderes anteriormente exercidos pela Coroa britânica em matéria de defesa, relações exteriores, moeda e política indigenista. Por sua vez, a ratificação da Constituição federal pelas ex-colônias tivera de esperar dois anos.

Muniz Tavares criticará a junta do Recife por não haver, à maneira do Congresso Continental da América do Norte, convocado imediatamente um corpo constituinte e legislativo que estabelecesse "uma liga federal" para prover segurança externa. A tal opção correspondeu provavelmente o projeto, cujo texto ignora-se, encomendado a Pereira Caldas, cuja existência ele reconheceu perante a Alçada, adiantando que fora posto de lado em favor do redigido por "outro conselheiro", isto é, Antônio Carlos. Mas o governo revolucionário estava consciente da necessidade de uma entidade confederal. Na citada carta à junta da Paraíba, o padre João Ribeiro salientava que a questão do destino a ser dado ao regime municipal legado pela colonização deveria ser resolvida pelo que chamava "o Congresso geral".[47] A ideia de assembleia destinada a consagrar uma convenção confederal foi adiada em favor do estabelecimento de Constituição pernambucana, a ser aprovada em conclave provincial tão logo se consumasse a adesão das comarcas de Alagoas e do Sertão, como previsto na "lei orgânica", que deveria vigorar até então, a qual, endossada pelo governo revolucionário, fora redigida por Antônio Carlos para ser submetida à aprovação das Câmaras Municipais.

O projeto de "lei orgânica" previa que, caso a Constituinte pernambucana não houvesse sido convocada dentro de um ano, ou na hipótese de que a Constituição provincial não ficasse concluída no triênio seguinte, a junta do Recife ficaria automaticamente extinta, reintegrando-se o povo no exercício da soberania, "para o delegar a quem melhor cumpra os fins da sua delegação". Até a adoção da Carta, ela enfeixaria os poderes Executivo e Legislativo. No exercício das competências legislativas, seria assessorada, de um lado, por um conselho permanente de seis membros, escolhidos pelas Câmaras entre "os patriotas de maior probidade e luzes em matéria de administração", de outro, por dois secretários de Estado (assuntos internos e externos), do inspetor do Erário e do bispo, que, estando Olinda sede vacante, seria substituído pelo deão. Governo e conselho decidiriam por maioria de votos, e o primeiro poderia também consultar o segundo em matérias de competência executiva. Por crime de responsabilidade, os governadores só poderiam ser processados ao fim da sua gestão, mas os secretários de Estado sê-lo-iam imediatamente. A gestão do Erário incumbiria a um inspetor dependente do governo. A justiça ficaria composta, em primeira instância, dos juízes municipais, de cujas sentenças recorrer-se-ia ao Colégio Supremo de Justiça, formado por cinco membros vitalícios, extinguindo-se as ouvidorias, cuja jurisdição retornaria aos juízes municipais. As leis em vigor continuariam a sê-lo, a menos que derrogadas ou substituídas por um "código nacional e apropriado às nossas circunstâncias e precisões". Preservava-se o antigo sistema municipal. O catolicismo continuaria a ser a religião do Estado, tolerando-se as demais crenças. Previam-se a liberdade de imprensa e a responsabilidade conexa. Os reinóis e os estrangeiros naturalizados de denominação cristã teriam acesso aos empregos públicos.[48]

Enquanto elaborava-se o projeto de lei orgânica, a conjuntura mudava radicalmente. A fim de aprová-lo, as Câmaras deveriam "convocar o povo de todas as classes", em ato a ser "o mais solene possível", pois ao "povo quase todo [...] lhe interessa conhecer o como hão de ser governados". Contudo, essas Assembleias municipais só chegaram a ser realizadas no Recife, em Olinda e em Igaraçu, sendo logo suspensas pelo governo ao constatar que "os adversários da causa liberal valeram-se do mesmo projeto para mais desvairarem a opinião pública", mediante interpretação capciosa dos artigos relativos à liberdade de culto e à igualdade de direitos, pois, "valendo-se da tendência dos devotos, clamavam os perversos com estudada hipocrisia que o intento dos patriotas era destruir a religião e dar liberdade aos escravos". Na verdade, o projeto de lei orgânica não falava em igualdade de direitos; e segundo outro contemporâneo, o descontentamento das Câmaras disse respeito exclusivamente à liberdade religiosa, embora se deva reconhecer a indignação das oligarquias municipais com a consulta democrática ao "povo de todas as classes", que contrariava a tradição municipalista lusitana no Brasil.[49]

Muniz Tavares criticou a consulta às Câmaras por isolar "os interesses recíprocos" e não oferecer "aquela unidade que constitui a máxima força da lei". As razões do recurso ao antigo sistema camarário, deu-as João Ribeiro. Como a junta paraibana o houvesse abolido, ele opinava tratar-se de "um absurdo em toda a extensão da palavra", pois um governo não poderia constituir-se sem ou a manifestação da "maioria do povo por si própria, ou pelo órgão das Câmaras, que representam o povo nas diversas seções ou municipalidades". "Se vós não tivésseis feito isto por mera ignorância, deveríeis ter sido apunhalados pelo povo da Paraíba no dia em que promulgastes tão horrível lei, que os triúnviros de Roma não se atreveriam a promulgar." Ainda segundo João Ribeiro, por deficiente que fosse, o antigo sistema municipal constituía a única forma de representação, não se podendo destruí-lo antes de se criarem outras "quando se fizer o Congresso geral e se fizer a Constituição (federal), em que ou ficarão as Câmaras ou coisa idêntica, ainda que tenha outro nome".[50] Daí estabelecer o projeto de lei orgânica que "a administração das Câmaras ou municipalidades continua no pé antigo". Na realidade, o mandonismo municipal saía fortalecido com a extinção dos ouvidores e corregedores, cujas funções eram cometidas, como vimos, aos juízes ordinários das Câmaras. O nativismo ajustava suas contas mais que seculares com os "becas", vale dizer, com a justiça régia, mas a tentativa de pôr vinho novo em velhos odres estava fadada ao fracasso. O antigo sistema municipal nada tinha de representativo, sendo, por isso mesmo, irremediavelmente conservador, como compreenderá muito bem Frei Caneca em 1824 ao opor-se à participação das Câmaras no processo constituinte deflagrado pela corte do Rio após a dissolução de 1823.

Tollenare, cuja opinião Oliveira Lima endossou, afirmava que as hesitações constitucionais da junta deviam-se a que não sabia como incorporar os homens de cor livres ao mecanismo representativo. As Constituições francesas de 1791, 1793 e 1795 haviam adotado, com variantes, um sistema eleitoral relativamente amplo, que mesmo a Constituição termidoriana, com toda a sua obsessão pela manutenção da ordem burguesa, não ousara abolir. Segundo Tollenare, o governo de Dezessete inclinava-se para um sistema eleitoral com base na propriedade fundiária, ao mesmo tempo que escreve o padre João Ribeiro, de cuja amizade privou, "arrastado pela leitura das obras de Condorcet", pista importante acerca do principal ideólogo de Dezessete. Na Revolução Francesa, Condorcet encarnara a preferência, oposta à dos herdeiros de Rousseau, por um discurso que mergulhava suas raízes na fisiocracia e nos iluministas escoceses, batendo-se por uma monarquia reformada através da aplicação dos métodos estatísticos à política e à economia, de modo a garantir um sistema racional de representação dos interesses sociais. Sua chave devia residir, segundo Turgot, não na igualdade política, sob a forma do cidadão ativo em oposição ao cidadão passivo, titular de direitos civis, não políticos, mas no modelo do cidadão-proprietário rural, comprometido com que o país fosse bem governado, por serem, nas palavras mesmas de Condorcet, "os únicos cidadãos verdadeiros".[51]

O corolário político da doutrina fisiocrática pretendia que, constituindo a agricultura a atividade produtora de riqueza por excelência, sobre ela é que se devia organizar o Estado. As outras classes eram estranhas à nação, o comércio pela sua vocação cosmopolita a buscar o lucro onde o encontrasse, e o artesanato pela precariedade do salário e pela falta de domicílio fixo que também o desenraizava, só a ligação permanente à terra oferecendo garantia de integração social. Destarte, "o interesse das diferentes classes na felicidade geral da sociedade está na razão inversa da facilidade que têm de mudar de pátria". Ao advogar o imposto territorial, a fisiocracia buscava precisamente substituir a concepção tradicional de uma sociedade de ordens por uma classe de proprietários rurais que se distinguiriam do povo, mas sobretudo do clero, da nobreza e da alta burocracia. Às vésperas de 1789, não era ainda a igualdade política, mas o cidadão-proprietário que "constituía o horizonte natural da reflexão sobre os direitos políticos para aqueles que se tornarão os atores da Revolução". Se a Constituição de 1791 não adotou tal sistema, é que ele se revelara minoritário.[52]

A fisiocracia do padre João Ribeiro manifestou-se na política de perdoar o pagamento dos juros das dívidas à extinta Companhia Geral de Pernambuco e Paraíba, criada por Pombal e abolida em 1780, no adiamento da reforma da instituição servil e no estímulo à lavoura de subsistência. A junta sentiu-se obrigada a desmentir o rumor de que os escravos iam ser libertados, embora se tratasse de suspeita que a honrava. "O governo não engana ninguém", desejava a emancipação, mas a queria "lenta, regular e legal", mesmo se "o coração se lhe sangra ao ver tão longínqua uma época tão interessante, mas não a quer prepóstera". Num país escravocrata, um sistema eleitoral baseado na propriedade rural era incompatível, ao menos inicialmente, com veleidades abolicionistas. E uma das primeiras proclamações revolucionárias concitava os pequenos agricultores que haviam acorrido nas tropas de milícia em defesa da insurreição a regressarem às suas terras para se empregarem "com o maior desvelo nos trabalhos da agricultura, alargando as mãos na cultura dos víveres". E João Ribeiro aplaudiu a decisão da junta da Paraíba, "a bem da agricultura", de proibir a pecuária na faixa litorânea.[53]

Joaquim Nabuco idealizava Dezessete quando afirmou que fora empreitada pela "camada superior da sociedade pernambucana, as antigas famílias, os senhores de engenho, os ricos proprietários [que teriam sido] os que mais se apaixonaram pela Independência e pela revolução". No outro extremo, Fernando de Azevedo acentuou que "a posição da aristocracia rural, nas lutas que agitaram Pernambuco, foi sempre definida: uma atitude de reação conservadora", tanto assim que "na Revolução de 1817, quase nenhum senhor de engenho [havia] entre os conspiradores", o que é verdade, mas passa por cima do bom número deles que aderiram à insurreição.[54] É certo que, na época, já havia quem sobre-estimasse o potencial revolucionário da açucarocracia. Para recolonizar o Brasil, afiançava Sierra y Mariscal, a Coroa lusitana só podia contar com o "partido português", composto sobretudo do comércio, de vez que os senhores de engenho não formavam "ordem", na acepção de corpo privilegiado, pois "qualquer [um] pode ser senhor de engenho e há muitas qualidades de engenho".

> Como esta classe de proprietários está sempre no campo, sem o que ficariam perdidos, são muito estúpidos; como não conhecem economia e tampouco conhecem a ordem, tem chegado a maior parte deles a tal estado que para comerem carne de vaca duas vezes na semana e terem um cavalo de estrebaria se faz necessário que morram duzentas pessoas de fome, que são os escravos do engenho, a quem lhes dão unicamente o sábado livre, para com o seu produto sustentarem-se e trabalharem o resto da semana para seus senhores.[55]

Por conseguinte, tais homens pertenciam necessariamente ao "partido democrata", "porque é o partido das revoluções, e com ela se veem livres dos seus credores". Contra esse raciocínio, poderia, aliás, utilizar-se outro dos argumentos do autor. Com efeito, se "a falta de meios" dos senhores de engenho privava-os de "formar clientes e de fazer-se um partido entre o povo, porque eles mesmos são fraquíssimos e precisam da proteção dos negociantes [portugueses] com que se honram muito", como esperar que desempenhassem papel politicamente desestabilizador?

Nem tanto a Joaquim Nabuco nem tanto a Fernando de Azevedo. Ao longo da sedição, a atitude da Mata Norte de Pernambuco e da Paraíba destoou da Mata Sul e de Alagoas, nitidamente contrarrevolucionárias. A esmagadora maioria dos engenhos confiscados pela Coroa situava-se naquela região.[56] Malgrado sua numerosa parentela na Mata Sul, Francisco Pais Barreto não logrou recrutá-la, embora venha futuramente a consegui-lo quando se tratar de reprimir a Pedrosada (1823) e a Confederação do Equador (1824). O que no movimento deu relevo à ação do grande proprietário rural não foi sua posição social, mas a circunstância de deter o comando das milícias rurais, embora esta não se possa explicar sem aquela. Salvo a Mata Norte de Pernambuco e a da Paraíba, foi nas raras áreas não açucareiras do interior em que triunfou que Dezessete assumiu contornos eminentemente rurais: no Crato, sublevado pela família Alencar e sua clientela, ou no Rio Grande, onde a rebelião foi empresada pelo morgado de Cunhaú, maior fortuna da capitania.

À raiz da derrota do partido da nobreza na Guerra dos Mascates, a açucarocracia havia-se recolhido à rotina agrária. Depois, parte dela desclassificara-se socialmente na esteira da crise setecentista do açúcar. Quando a Independência lhe veio abrir novas perspectivas, a liderança já não lhe coube, havendo passado às camadas urbanas superiores, ironicamente descendentes dos antigos mascates e que representavam a verdadeira gente endinheirada que dava as cartas no começo do século XIX, fornecendo vários protagonistas ao ciclo revolucionário. "Nacionalizados" no decurso de duas ou três gerações pelo cargo público, pela profissão militar e pelo ingresso no clero secular, eram eles, não a antiga nobreza da terra, que compunham "a totalidade dos estudantes universitários de Pernambuco em Portugal". "Valorizados pela educação europeia, voltavam socialmente iguais aos filhos das mais velhas e poderosas famílias de senhores de terras", quando não superiores, tornando-se mais receptivos ao ideário político do tempo do que os rebentos açucarocráticos, cuja educação, mesmo depois da criação do curso jurídico de Olinda, Lopes Gama descreveu em traços crus.[57]

Indagava a *Aurora Pernambucana* em 1821:

> Quem ignora que o povo de Pernambuco se indignou o primeiro e assim que pôde sacudiu o jugo e se restaurou a si mesmo? Quais forças vieram aqui de fora capazes de esmagar a hidra se ela não tivesse já as cabeças decepadas pelo Hércules do mais acrisolado patriotismo?

E Oliveira Lima frisará que, militarmente, Dezessete foi liquidado "pelos próprios elementos conservadores e até populares da capitania", por tal devendo-se entender os senhores de engenho da Mata Meridional, seus clientes e aderentes, os mesmos que o deão da Sé de Olinda designava por "sevandijas do sul", equiparados na sua condenação aos "escravos do norte", isto é, os cearenses, que, salvo no Crato, haviam repudiado o movimento.[58] Em vão o governo do Recife tentou ganhar o apoio da população da Mata Sul ou ao menos imunizá-la contra a influência dos que chamava de "aristocratas insensatos" que só tratavam de defender "seus velhos e carunchosos pergaminhos". A eles, não motivava a fidelidade monárquica, tão somente

> a baixa saudade que conservam dos seus tortuosos e mal fundados títulos e brasões, das humildes zumbaias que recebia a sua prostituída e malfadada senhoria, o horror de se conhecerem iguais em direitos aos outros homens, entre os quais se julgam como uma raça distinta,

nascida para mandar, e finalmente o desejo que ainda lhes arde nos orgulhosos corações de vos pisarem e cobrirem de desprezo [...]. Essa rançosa e abastardada fidalguia do sul é o vosso único inimigo; o povo que os acompanha ou é seduzido ou arrastado à força; e que podem recear homens livres dessa chusma de escravos, que seguem quatro ou cinco pseudofidalgos sem letras, sem talentos, sem virtude, que não sabem senão vegetar e arrotar embolias e fanfarrices e que não estudaram outra ciência senão a história genealógica de suas arruinadas casas?[59]

Ao constatar que não podia cooptar a gente da Mata Sul, o governo revolucionário desistiu da tarefa, apregoando que "os inimigos únicos que temos a vencer sois vós, que, enganados, rejeitais o dom inestimável de uma liberdade racional".[60]

Nesse aspecto, Dezessete prefigurou o ciclo revolucionário da província. Embora os capitães-mores e oficiais da milícia da Mata Sul houvessem feito ato de adesão, a revolução foi mal recebida por ali. Seguindo o exemplo da comarca de Alagoas, onde a contrarrevolução começou em pouco tempo, a Mata Sul formou as guerrilhas realistas, que, embora batidas em Utinga, lograram isolá-la do Recife, a ponto de a tropa revolucionária ter de recuar para Candeias, e de se julgar que o exército realista ainda estivesse na margem direita do Persinunga quando ele já se encontrava em Sirinhaém. Malgrado dispersar o núcleo contrarrevolucionário de Utinga, o coronel Suassuna não lhe saiu ao encalço, ciente de que pisava terreno hostil. Ao desfazer-se a tropa rebelde diante do exército real em Merepe e Ipojuca, este já se compunha majoritariamente de efetivos pernambucanos que se lhe haviam agregado, lavradores e condiceiros dos engenhos locais, índios das aldeias e a companhia de pardos de Penedo, os quais correspondiam a 65% do total. Daí que o general Congominho não houvesse "encontrado o mais leve obstáculo na sua marcha".[61]

Quase três séculos decorridos do início da colonização, a Zona da Mata continuava a concentrar a vida da província, incorporando 66% da população, malgrado corresponder a apenas 16% da superfície do atual estado de Pernambuco. As mudanças verificadas desde o período pombalino haviam aprofundado as disparidades geográficas e econômicas entre a Mata Norte e a Mata Sul, delimitadas grosseiramente pelo paralelo do Recife. Do ponto de vista geológico, ao passo que a Mata Norte compreende, junto à faixa litorânea, uma subzona de tabuleiros sedimentares e, a oeste, outra subzona de estrutura cristalina, esta última domina a superfície da Mata Sul. Do ponto de vista morfoclimático, a diminuição dos totais pluviométricos no sentido leste-oeste se faz sentir mais pronunciadamente na Mata Norte do que na Mata Sul. Os geógrafos tendem por conseguinte a privilegiar o critério climático, referindo-se à Mata Norte e à Mata Sul como Mata Seca e Mata Úmida respectivamente.[62]

A monocultura da cana teve, assim, de adaptar-se a diferentes condições físicas. Enquanto na Mata Norte os canaviais ficavam circunscritos às várzeas quaternárias recortadas pelos tabuleiros, às várzeas fluviais e às encostas suaves, fugindo das chãs e dos tabuleiros interflúvios, na Mata Sul eles puderam avançar por várzeas e encostas, poupando apenas os cimos das colinas, onde se refugiaram os restos da Mata Atlântica. Essa diferenciação física e humana, já marcante no período holandês, não deve ser perdida de vista por quem deseje compreender o processo da Independência em Pernambuco. O apoio rural aos movimentos insurrecionais do Recife procedeu invariavelmente da Mata Norte, ao passo que a reação partiu geralmente da Mata Sul, a começar, como acabamos de ver, em Dezessete.

Das condições adversas do mercado internacional do açúcar, os senhores de engenho da Mata Sul compensaram-se mediante o aumento da produção, ampliando a utilização das terras que já possuíam; ou avançando pelo bolsão interior da região, povoado por quilombos e aldeias indígenas e disputado também por pequenos cultivadores e pela Coroa, interessada na madeira de construção naval. Retalharam-se também as propriedades, para vender parte delas a quem quisesse levantar novas fábricas, inclusive senhores de engenho da Mata Norte. Entre 1770 e 1820, as unidades produtivas aumentaram em dois terços. Foi, contudo, a Mata Norte a grande beneficiária da "euforia do fim da época colonial", graças ao surto algodoeiro iniciado ao redor de 1780 em decorrência da Revolução Industrial inglesa e da Guerra de Independência americana. Malgrado a inferioridade do solo quando comparado ao da Mata Sul, a Mata Seca dispunha de população mais densa e de um setor de subsistência mais importante, sendo ali que principalmente se manifestaram os signos precursores da transição do trabalho escravo para o livre, sob a forma dos condiceiros, homens livres a quem o senhor de engenho concedia terreno onde edificar moradia e plantar víveres, em troca da obrigação de certo número de dias de trabalho.[63]

Segundo o autor da "Ideia geral",

continuavam os rotineiros pernambucanos sem já mais se lembrarem de que fosse possível serem mais sábios nem mais ricos do que os seus décimos avós, senão quando uma nova planta, nova pelo apreço e estima que começou a merecer, veio acordá-los da sua longa letargia [canavieira]. Foi esta planta a árvore que produz o algodão, árvore admirável, à cultura da qual se entregaram avidamente os pernambucanos, logo que as primeiras experiências lhes mostraram o pouco trabalho, as módicas despesas e extraordinários lucros que deste ramo podiam e deviam esperar. Abandonaram-se, portanto, os engenhos e correu-se para o algodão e nele fizeram tais progressos que causam espanto.[64]

O produto integrou ao comércio internacional os pequenos cultivadores, que abandonaram a mandioca, causando crises periódicas de abastecimento contra as quais lutaram os governadores coloniais. Graças ao incentivo da Companhia Geral de Pernambuco e da Paraíba, os primeiros núcleos algodoeiros se haviam situado no planalto de Garanhuns e às margens do médio Capibaribe, em torno de Santo Antão, São Lourenço, Nossa Senhora da Luz, Tracunhaém e Limoeiro. Parte da matéria-prima era utilizada nos distritos produtores pela manufatura artesanal e doméstica, e do restante aprovisionavam-se comboios vindos do Sertão e até de Minas Gerais. Posteriormente, Goiana chegou a conhecer um tímido surto têxtil, com a produção de artigos grosseiros para a escravaria, mas em 1818 a concorrência inglesa já o havia aniquilado.[65] Da ribeira do Capibaribe, o cultivo expandiu-se pela Mata Norte, rumando daí em direção ao "mimoso", como era chamado o agreste da capitania, e também à Paraíba, Rio Grande e Ceará.

Numa segunda etapa, os senhores de engenho da Mata Norte converteram-se ao algodão, usando assalariados e mão de obra escrava e utilizando os terrenos que não se prestavam ou se prestavam mal à cana, como os tabuleiros e as encostas, embora as várzeas continuassem reservadas aos canaviais. Koster reparou em muitos engenhos que cultivavam algodão de boa qualidade, a apenas uma ou duas léguas do mar; e no caminho do Recife a Natal, topou com sítios onde convivia com a lavoura de subsistência. Na mesma época, Tollenare visitou pequena propriedade algodoeira dos arredores de Olinda. O algodão estimulou o parcelamento das terras de muitos engenhos, como aquele que Koster conheceu em Jaguaribe, pertencente a uma confraria de pretos livres de Olinda, que o arrendara a "um grande número de pessoas de baixa condição". Mas foram os senhores rurais do interior cristalino da Mata Seca que tiraram maiores vantagens. A poente de Paulista é que verdadeiramente começava o *"cotton country"* descrito pelo inglês. Testemunha dessa marcha para oeste é o deslocamento das máquinas de descaroçar, as quais, originalmente localizadas em torno do Recife, transferiram-se primeiro para Goiana e depois para Limoeiro e Bom Jardim.[66] Do surto algodoeiro, não podiam tirar partido os engenhos da Mata Sul, cuja ecologia lhe era desfavorável.

O algodão rompeu trezentos anos de hegemonia açucareira, dotando a economia regional de um setor dinâmico que, ao invés do açúcar, que seguia atado ao entreposto do Reino, respondia ao estímulo da indústria têxtil britânica e da francesa. Lisboa manteve até por volta de 1820 sua função de reexportador do açúcar brasileiro para o mercado europeu, em especial Hamburgo e Gênova, que atuavam como redistribuidores para o mar do Norte e para o Mediterrâneo. A Grã-Bretanha, que absorvera de 1796 a 1801 dois terços das reexportações portuguesas de algodão, passou a comprá-lo diretamente a partir de 1808. Em 1823, 66% das exportações do Recife seguiam para a Inglaterra, a França e outros países, enquanto Portugal contentava-se com 10%. Um terço do total das nossas importações procedia da Inglaterra, mais de um quarto correspondia ao tráfico negreiro e um quarto à entrada de produtos vindos de Portugal. Do ponto de vista do comércio britânico, a área do entreposto recifense era a mais importante região brasileira, observando Lord Strangford que, sendo geral no Rio e na Bahia o ódio contra os ingleses devido aos entraves ao comércio negreiro, a exceção era a lavoura dos portos do Norte, que lucrava com o comércio direto com seu país.[67]

O surto algodoeiro subverteu o equilíbrio no interior da Zona da Mata e, em decorrência do relevo adquirido pelas exportações da Paraíba, Rio Grande e Ceará, no âmbito do próprio entreposto recifense. Seu valor sobrepujou o das exportações de açúcar, passando de 37% do total (1796) para 48% (1806) e 83% (1816), enquanto o das exportações do produto tradicional declinava de 54% (1796) para 45% (1806) e 15% (1816). Se o brasão de Pernambuco imaginado outrora por Nassau representara uma jovem empunhando uma haste de cana, a bandeira da Confederação do Equador simbolizará a dualidade da economia regional, ornamentando-se também com um galho de algodão. O surto algodoeiro diferenciou assim os interesses da lavoura de exportação, nuançando a maneira pela qual encarou o processo da Independência. Enquanto para o algodão o objetivo maior era a preservação da liberdade de comércio, o açúcar, embora também desejasse mantê-la, tinha de levar em conta que a antiga metrópole continuava a ser seu principal entreposto e que os capitais lusitanos (quatro ou cinco grandes negociantes reinóis estabelecidos na praça) ainda financiavam e comercializavam a produção açucareira e garantiam o suprimento de mão de obra africana.[68]

Esta última consideração não era menos importante, na medida em que o Recife, ao contrário do Rio e de Salvador, não desenvolvera um núcleo autônomo de mercadores especializados no tráfico de escravos, com o que a província mantinha-se na dependência do comércio negreiro lisboeta e, subsidiariamente, dos mercadores baianos. Joseph C. Miller estima que o montante da participação pernambucana no tráfico africano não superava a marca de 10% do total do seu comércio marítimo, incluindo as peças que transitavam para as capitanias vizinhas.[69] Ao tempo da Independência, o Recife constituía a destinação do que restava de investimento português no tráfico de Angola e Benguela, sendo então o segundo porto importador de mão de obra angolana. A importação de escravos de Angola pelo Recife, ascendente de 1812 a 1817, quando chegou a 5932 peças, caiu em 1822 para 3203, em 1823 para 2108, em 1824 para 498, em 1825 cessou completamente, sendo retomada em 1826 (2515).[70]

No século XVIII, a Mata Norte já adquirira a fisionomia própria que lhe dava uma relativa diversificação econômica, baseada na pesca, na farinha, no fumo, na cal, nos cocos, utilizados na manufatura de cordagem, no sal, indispensável à salga da carne e ao tratamento dos couros do Sertão, na lenha de mangue, cujo tanino constituía matéria-prima dos curtumes recifenses. Em toda a costa entre Olinda e a foz do Goiana, habitava uma população livre cuja densidade surpreendia os viajantes, especialmente em Itamaracá, parte mais populosa da província, com exceção do Recife e cercanias. Quadro oposto aguardava a quem jornadeasse pela marinha do sul, que permanecia o quintal da economia canavieira, uma franja ininterrupta de sítios de coqueiros e de manguezais. Correlatamente, a Mata Seca era mais "urbanizada", nela se localizando os aglomerados populosos, com número mais elevado de casas de pedra e cal. Embora já se houvesse iniciado o êxodo da população da Mata para o Recife e para outros núcleos regionais, como assinalou Maria de Lourdes Viana Lyra, "o crescimento das vilas da Mata Úmida em termos globais era bem mais lento que o das vilas da Mata Seca", adensando assim na Mata Norte uma camada social que, vulnerável sobretudo às crises de subsistência provocadas pelo algodão, aguçará a instabilidade política do período.[71]

Ainda outra diferença relevante no conjunto da zona açucareira reportava-se às estreitas relações da Mata Norte com o Agreste e o Sertão. Goiana, segundo núcleo citadino da província, combinava a facilidade das comunicações fluviomarítimas para o Recife com a sua condição de porta do Sertão, o que lhe permitia competir vantajosamente com as capitais das províncias vizinhas.[72] Bom Jardim e Limoeiro serviam de entreposto para o algodão e os couros procedentes daquelas áreas e para os produtos que as demandavam. Rumo à feira de Goiana, as boiadas desciam desde o Piauí para o abastecimento do Recife e da Mata. Aos festejos populares de Nossa Senhora do Ó, no litoral, acorriam romeiros na distância de 150 léguas. Enquanto a partir da Mata Seca penetrava-se facilmente a oeste, os contatos regulares a poente da Mata Sul eram estorvados pelo cinturão de floresta atlântica, desde a ribeira do Ipojuca até Alagoas, onde sobrevivia uma população miserável de brancos pobres, índios e negros papa-méis, que serão mobilizados pelos senhores da Mata Úmida em Dezessete, Vinte e Quatro e no período regencial.[73]

Quanto ao centro da província, que era como se designavam o Agreste e o Sertão, levava uma existência marginal, devido à rarefação demográfica e à distância. Em termos do atual território do estado,[74] o centro correspondia a apenas 10% da população, possuindo somente cerca de quinze povoações, das quais apenas Cimbres contava com mais de mil habitantes. O Agreste era povoado em áreas da Borborema, como Garanhuns, e ao longo da ribeira superior do Ipojuca; e o Sertão, às margens do rio São Francisco e dos seus tributários importantes. Em todo o centro, predominava a lavoura de subsistência, a criação de gado e, mais recentemente, o algodão. Suas boiadas, contudo, não seguiam para o Recife, mas para Salvador, pois a Zona da Mata e seus núcleos urbanos dependiam sobretudo das fazendas paraibanas, rio-grandenses e cearenses, o que explica a importância regional da feira de Goiana.[75]

A população do centro, indígena ou mestiçada, era notória pelo fanatismo monárquico. Em 1817, os índios haviam massacrado quem quer que não se dispusesse a gritar "Viva el-rei"; e em 1821, Cimbres rebelou-se contra a revolução liberal portuguesa, opondo-se à realização de eleições às Cortes de Lisboa, persuadidos de que o regime constitucional iria escravizá-los e que o Recife achava-se sob o controle de um partido que negava obediência ao monarca, o que também se havia verificado em lugares da Paraíba. Quando do atentado contra o governador Luís do Rego, o batalhão de milícias de Limoeiro, outrora uma aldeia dos padres da Congregação do Oratório, pôs-se em marcha para unir-se às forças fiéis ao general, que se julgava, como ocorrera a seu predecessor em 1817, acuado numa fortaleza.[76] Ademais, o centro sentia-se ignorado pelo Recife. Em 1824, a um liberal de Cabrobó parecia que

> o excelentíssimo governo da capital ou não conta com os centros da província, ou considera os habitantes dos mesmos despidos de toda a representação nacional, pois é tal a indiferença que nem resposta têm suas petições. Esses desprezos da parte do governo, os desgostos dos habitantes pelo estado de orfandade em que se acham, podiam ter produzido efeitos funestos tanto aos centros como à capital se não fosse o zelo de alguns patriotas em moderar as influências dos partidos. Bastava o governo olhar para a nossa constante união e conformidade de sentimentos com a capital, mas não se deve fazer abuso do nosso silêncio e submissão, julgando-se que da nossa parte só está o obedecer e que no todo ignoramos a reciprocidade dos nossos direitos.[77]

2.
A junta de Gervásio
(outubro de 1820-setembro de 1822)

A notícia da Revolução Constitucionalista do Porto, em agosto de 1820, foi recebida no Recife dois meses depois. O governador Luís do Rego Barreto procurou controlar as repercussões locais, à espera de uma definição de d. João VI, cuja indecisão inata, submetida às pressões dos grupos que divergiam na corte sobre o rumo a tomar, só será vencida em fevereiro de 1821. Mas já em novembro Luís do Rego fazia abortar uma conspiração de oficiais e funcionários. Em começos de março de 1821, ao saber-se que a Bahia, à maneira do Pará, aderira ao movimento vintista, formando junta provisória, circularam os rumores de um levante projetado para a procissão das Cinzas.[1] Luís do Rego resolveu não mais esperar por el-rei e convocou um Grande Conselho. Assim designava-se uma Assembleia composta de autoridades civis, militares e eclesiásticas, dos membros das Câmaras de Olinda e do Recife e de outros notáveis locais, convidados a opinar sobre os negócios públicos em ocasiões de crise. Dependendo da premência do assunto, compareciam também representantes das Câmaras da Zona da Mata, embora, em face da distância, os das Câmaras do Agreste e do Sertão não assistissem jamais.

Ao Grande Conselho, Luís do Rego expôs a impossibilidade de "opor barreiras à torrente impetuosa da opinião", em face da acumulação secular dos problemas institucionais da monarquia, os quais, não havendo sido resolvidos em seu devido tempo, teriam de sê-lo agora, sob a égide da Coroa e preservada a integridade do Reino Unido. Adotando proposta do governador, decidiu-se por unanimidade que "os interesses dos povos do Brasil não serão separados dos da antiga metrópole"; que, "consequentemente, a Constituição do Brasil devia ser aquela que sua majestade concedesse aos povos de Portugal e mais possessões"; e que nesse ínterim a província se submeteria "à vontade soberana de sua majestade sobre quaisquer limitações ou reformas tendentes a manter o decoro e direitos incontestáveis de Sua Real Pessoa". Nesse sentido, Luís do Rego encaminhou representação ao monarca, reconhecendo, em proclamação à província, que "a opinião pública, as luzes do século, exigem novas instituições fundadas sobre princípios liberais que concorram igualmente à grandeza e à felicidade dos reis e dos povos", e assegurando que tais aspirações seriam certamente atendidas por d. João VI, embora frisasse que, enquanto isso, as autoridades manteriam a obediência às leis, punindo implacavelmente quem as transgredisse.[2]

Não se enganava Laîné, o cônsul da França, quando afirmava que tais medidas haviam sido adotadas sobretudo por prudência. E, com efeito, Luís do Rego justificou a iniciativa com o argumento de que, na sua "triste situação [...] foi o meio de que lancei mão o único possível para salvar esta província dos horrores da guerra civil e conservá-la a sua majestade intacta de inovações". Adiantava o cônsul que, dada a agitação política, Luís do Rego prometera ao Grande Conselho que, caso não recebesse novas do Rio até 2 de abril, proclamaria o regime liberal e estabeleceria um governo provisório. Salvou-o de dar o arriscado passo a corveta que, em fins de março, trouxe os despachos da corte informando que d. João VI jurara a futura Constituição (26.2.1821). O governador apressou-se em ler o decreto régio no recinto da Câmara do Recife, prestando com as demais autoridades idêntico juramento; e em promover as comemorações públicas pelo evento, nas quais ele e a família também entoaram o hino constitucional português. Sob sua presidência, Luís do Rego estabeleceu um Conselho Consultivo, escolhido a dedo entre personalidades do círculo que geria a província desde a repressão de 1817, o qual deveria, enquanto o novo regime não reformasse a monarquia, aprovar providências tendentes a corrigir os abusos da administração e organizar as eleições da deputação pernambucana às Cortes.[3]

Quando justificar-se posteriormente perante as Cortes, Luís do Rego pretenderá haver cogitado, de início, de proclamar a adesão de Pernambuco ao regime constitucional, só sendo impedido pela funda animosidade entre brasileiros e portugueses legada por Dezessete. Refratária a qualquer mudança, a comunidade lusitana do Recife, que dominava a Câmara Municipal, temia perder o controle da situação caso o governador adotasse uma política de reconciliação para os ex-revolucionários; e até jactava-se de que, com o regresso de d. João VI ao Reino, o monopólio colonial seria restaurado.[4] É certo que, a partir de março, Luís do Rego procurou liderar o processo constitucional na província, mas é verdade também que essa ambição estava condenada ao fracasso, em função do papel que lhe fora atribuído em Dezessete, muito embora durante sua gestão tivesse dado provas de certa moderação no trato dos vencidos de que haviam carecido conspicuamente os magistrados da Alçada, contra cujos excessos representara a el-rei.

O irrealismo de pretender conciliar o partido brasileiro tornou-se evidente a partir de abril, ao frustrar-se uma conjura para destituir o governador e estabelecer um governo provisório de eleição popular. A essa altura, a junta de Salvador libertara os prisioneiros de Dezessete, no entendimento de que promoveriam a queda de Luís do Rego, que, com Fidié, no Maranhão, e Lecor, na Cisplatina, eram reputados pelos liberais portugueses formarem o "cordão sanitário" de que disporia o Rio para esmagar o constitucionalismo reinol no Brasil, preliminar do projeto de derrocar o vintismo em Portugal. Em maio, com o regresso d'el-rei a Lisboa, a província jurou a Constituição a ser elaborada pelas Cortes, mas o retorno dos ex-revolucionários deu vigor redobrado à hostilidade entre brasileiros e lusitanos, com o que "os clubes, que até então havia com alguma cautela, tornaram-se frequentes e feitos às claras", embora a gazeta oficial, *Aurora Pernambucana*, congratulasse a junta da Bahia, que, inspirada pelos "princípios da humanidade", dera-lhes os meios de "aportarem às praias da sua recobrada pátria". Em junho, transcorreu normalmente a eleição dos deputados da província às Cortes de Lisboa, entre os quais se contavam dois retornados da Bahia e outros conhecidos pelo "seu extremo patriotismo". Pela mesma ocasião, a demissão do conde dos Arcos, principal ministro do regente d. Pedro, forçada pelos liberais portugueses do Rio, induziu Luís do Rego a propor a criação de governo que incluísse as duas facções da província, ideia rejeitada por outro Grande Conselho.[5]

Em Salvador, Francisco Pais Barreto, morgado do Cabo, e José de Barros Falcão de Lacerda haviam sido encarregados de depor Luís do Rego e promover a eleição popular de uma junta. A descoberta de complô, destinado a assassiná-lo à saída do Conselho e cercar o Batalhão dos Algarves no seu quartel, levou à prisão de vários conjurados. Dias depois (21.7.1821), verificou-se o atentado contra o governador, cometido por antigo revolucionário não por motivos políticos mas pessoais, como virá a reconhecer a *Aurora Pernambucana*. O episódio, que resultou na deportação para Lisboa de 42 indivíduos, inclusive Pais Barreto e Barros Falcão, levou Luís do Rego, para gáudio da comunidade lusitana, a renunciar em definitivo às suas intenções conciliadoras, afirmando à Câmara do Recife haver conhecido finalmente quem eram seus "verdadeiros amigos" e louvando-a por ter previsto "o objeto da facção que tentou com a minha queda extrema representar nesta povoação as mais horríveis cenas da discórdia e da anarquia". Convencido de ser inaceitável para o partido brasileiro, o governador, antes mesmo do atentado, tentara instaurar junta provisória contra a opinião do Grande Conselho, que preferia esperar pelas Cortes, e escrever ao regente defendendo a ideia, que d. Pedro aprovará quando já for tarde.[6]

Com a prisão de Pais Barreto e Barros Falcão, a tarefa de derrubar Luís do Rego recaiu sobre dois outros retornados, Felipe Mena Calado da Fonseca e Manuel Clemente Cavalcanti. Dado o papel da Mata Seca em Dezessete, ela passou a servir de base ao movimento. Instalados na sua fronteira ocidental, eles aliciaram as milícias de Paudalho, Tracunhaém e Nazaré, que marcharam sobre Goiana, onde proclamaram um governo provisório com o apoio dos grandes proprietários da comarca, que o sustentaram com dinheiro e víveres. Devido à sua composição brasileira e à presença de ex-revolucionários, a insurreição logo tornou-se suspeita no Recife de segundas intenções republicanas. Por sua vez, esboçava-se a reação da Mata Sul, cujo sentimento, maciçamente favorável a Luís do Rego, permitiu que as milícias do Cabo, Ipojuca, Rio Formoso e Água Preta reprimissem as veleidades de adesão a Goiana.

No Recife, o pânico causado pelo movimento de Goiana colocou o governador na posição de resistir militarmente, à espera de ordens de Lisboa, ao mesmo tempo que transformava o Conselho Consultivo em Governativo para incluir delegados das Câmaras, manobra a que se negou a junta de Goiana. Contando com tropas de infantaria que haviam abandonado Luís do Rego, os goianistas atacaram o Recife, sem conseguirem levá-lo à rendição. O impasse militar foi reconhecido pela Convenção do Beberibe (5.10.1821), que congelou a situação, sustando as hostilidades até recebimento de decisão do Reino. Nesse ínterim, as Cortes atendiam à reivindicação da deputação pernambucana, substituindo Luís do Rego por uma junta civil eleita e composta de sete vogais, mas sem controle sobre a tropa, posta sob as ordens de um comandante das armas diretamente subordinado ao Reino, sistema que virá a ser aplicado a todo o Brasil, onde será encarado como estratagema visando a prolongar, sob novas vestes, o regime colonial. Luís do Rego partiu a 26 de outubro, no mesmo dia em que o colégio eleitoral reunia-se para sufragar o primeiro governo constitucional da província.[7]

À exceção do comerciante português Bento José da Costa,[8] que recolhera o maior número de votos (157), a junta, presidida por Gervásio Pires Ferreira (1821-2), um dos negociadores da Convenção do Beberibe, mas que obtivera apenas 87 sufrágios, segundo escore mais baixo, compôs-se de ex-revolucionários, o que desagradou ao Rio. Três membros haviam tido mesmo atuação conspícua em Dezessete, a começar pelo presidente. Gervásio, que pertencia à primeira geração pernambucana de uma rica família de mercadores, era, em grau eminente, o representante daquele setor do comércio português já "nacionalizado" pela residência, pelo nascimento e pelos laços de família. Em vez da educação bacharelesca da elite coimbrã ou apenas local da elite brasiliense, a sua fora exclusivamente mercantil. Após comerciar muitos anos em Lisboa, Gervásio regressara em 1809 ao Recife, de onde passou a negociar, inclusive com a Índia. Ao governo de Dezessete, servira como conselheiro para assuntos fazendários, tornando-se tão influente junto ao padre João Ribeiro que integrara o chamado grupo dos quatro, que davam as cartas em tudo. Se uma amizade estreita pode dar pista segura sobre as tendências políticas de um indivíduo, ao deflagrar-se o movimento Gervásio estava muito ligado a Antônio Carlos, a quem hospedava em casa quando o ouvidor de Olinda vinha à praça. Por fim, quatro dos sete vogais eram homens de negócio, sem vínculos empregatícios com o Estado, verdadeira novidade em termos da Independência, via de regra conduzida, no Rio e nas províncias, por funcionários civis ou fardados.[9]

Malgrado a predominância eleitoral da Mata Açucareira, a junta de Gervásio era exclusivamente recifense, recrutando-se no comércio, no clero, na força armada e nas profissões liberais. Em face do dissídio entre a Mata Norte, constitucionalista, e a Mata Sul, que sustentara Luís do Rego, o colégio eleitoral marginalizara deliberadamente os grandes proprietários rurais. Embora se pretendesse que esses homens, quais outros Cincinatos, teriam preferido voltar desprendidamente ao amanho das suas terras, os cabeças do movimento sentiram-se frustrados, entre eles o presidente da extinta junta goianista, Francisco de Paula Gomes dos Santos. Eles continuavam a exercer influência sobre a força que haviam reunido, inclusive o contingente do Recife que desertara para Goiana e fora depois aquartelado em Olinda. Gervásio tratou de reincorporá-lo, disseminando-o pelas antigas unidades, para terror da comunidade lusitana, persuadida de que se ia materializar o "grande medo" colonial do massacre de portugueses e saque da praça. Muitos reinóis abastados, que pertenciam ao comércio português sem raízes na terra, refugiaram-se com suas famílias nas embarcações surtas no porto ou abandonaram Pernambuco, calculando-se em cerca de 1400 o número dos que se retiraram ou para outras províncias ou para as ilhas do Atlântico, Lisboa, Porto e até a Inglaterra.[10]

Como tentara sem êxito Dezessete, as primeiras proclamações de Gervásio também apelavam ao entendimento entre "portugueses europeus" e "portugueses americanos". A Frei Caneca coube propor um compromisso histórico. Num texto em que destrinçava as causas do antagonismo entre reinóis e mazombos, comum ao Novo Mundo, porém mais agudo em Pernambuco do que no resto da América portuguesa, ele argumentava que os lusitanos domiciliados entre nós deviam-se considerar e ser considerados tão pernambucanos quanto os naturais, contanto que tivessem Pernambuco por sua pátria, empenhando-se no seu progresso e cessando a preterição dos naturais nas atividades comerciais, nos cargos públicos e na carreira militar, prática que alimentava a hostilidade dos nascidos na terra. Frei Caneca buscava dissipar o mal-entendido examinando a ideia de pátria, que podia ser tanto o lugar de nascimento (pátria de natureza) quanto o lugar de estabelecimento (pátria de direito). Os lusitanos possuíam a pátria de lugar, a aldeia ou cidade em que nasceram, e a de adoção, no caso Pernambuco, onde tinham suas famílias e negócios. Mas em caso de conflito a opção devia ser feita pela pátria de adoção, que resultava de uma decisão individual, enquanto a naturalidade era obra do acaso.[11]

Os propósitos conciliadores de Gervásio não resistiram ao primeiro embate. A presença dos goianistas, já insatisfeitos com a Convenção do Beberibe, reavivou o antagonismo com as unidades que haviam apoiado Luís do Rego, sobretudo o execrado Batalhão dos Algarves, contra as quais eles contavam com a simpatia dos estratos populares de que procediam e a quem o triunfo do movimento abrira perspectivas de participação política frustradas em Dezessete. Já com motivo da eleição da junta, a gente de cor havia bradado contra a inclusão de Bento José da Costa. À noite, refere o cônsul da França, tropas de negros e de mulatos percorriam as ruas, cantando o hino patriótico e gritando "Viva a Constituição". Em novembro, começaram os distúrbios promovidos por grupos armados de facas e cacetes, egressos de plebe negra e mestiça livre, muitos deles recrutados com a promessa de pilhagem das lojas portuguesas. O nativismo popular dava largas a seus velhos ressentimentos. Testemunha ocular descrevia uma dessas manifestações.

Juntou-se esta noite uma chusma de trezentas a quatrocentas pessoas, mulatos, negros, brancos, abjetos e degenerados e com uma música infernal de chocalhos, matracas e outros que tais instrumentos, correram toda esta vila do Recife, gritando "fora puças" (nome de injúria à gente de Portugal), "fora corcundas", "morram os puças", e, de vez em quando, "viva a nossa liberdade". Servia de guarda avançada a este patife exército uma corja de molequetes pequenos, que corriam à pedra as pessoas que encontravam, fazendo uma algazarra e inferneira insuportáveis às portas de algumas pessoas não só da Europa mas até do país que não seguiam o partido de Gervásio [...] arrancaram rótulas, arrombaram portas, obrigando isto a gente a gritar "Aqui d'el-rei!", mas que rei lhe havia de acudir se quem domina agora é a canalha?

Descobriu-se "um conciliábulo", espécie de "tribunal, que enforcava 'marinheiros' em efígie"; e, não bastassem as fugas diárias para os quilombos das imediações do Recife, revelou-se um projeto de levante de escravos, articulado por confraria cujos membros identificavam-se por um caju tatuado no braço direito. A junta fez prender os cabeças, mandando açoitá-los publicamente. O cônsul francês julgava detectar, aliás, os primeiros sinais de preocupação dos brasileiros brancos, que temiam não poder conter a população de cor na sua posição subalterna, transformando-se o país num "segundo São Domingos". A reação lusitana não tardou. Armada de porretes, a marujada desembarcava em bandos de cinquenta ou sessenta, ameaçando indiscriminadamente pretos e mulatos.[12]

A comunidade reinol acusava a junta de haver recrutado um "batalhão ligeiro", destinado a intimidá-la. O padre Lopes Gama, que não era partidário de Gervásio, isentava-o, contudo, de responsabilidade. Ocorria apenas que, em face dos mais variados rumores,

os paisanos corriam armados aos quartéis e se incorporavam para ajudar os batalhões da terra, e como não tivessem corpo a que pertencessem e fossem prontíssimos em correr às armas, começaram de os denominar "batalhão ligeiro". Serenando pouco a pouco a tormenta, a gente da última classe abusou daquele título, saiu pelas ruas a espancar e em verdade devemos confessar que a Excelentíssima Junta foi um tanto descuidada em dar logo as providências antes que chegassem a tais extremos, mas é igualmente verdade que acudiu com energia, prendeu e fez processar os amotinadores e ficou restabelecida a tranquilidade pública.[13]

Tanto Gervásio quanto seu biógrafo negarão categoricamente que o governo tivesse recrutado

> este alcunhado "batalhão ligeiro" [que] não passa de uma charra denominação da plebe a este ou àquele conjunto dela, mais ou menos tumultuosos e anárquicos, que nas crises políticas prestes corriam e se apresentavam, cometendo então distúrbios e vinganças durante a febre política de 1821 a 1822, excessos que a nenhum governo do mundo é dado absolutamente poder prevenir em tempo convulsivo e de grave e profundo antagonismo político.

Na sua defesa em Lisboa, Gervásio reconhecerá somente a organização de quinze destacamentos que despachara para impedir as desordens nas vilas do interior, unidades dissolvidas dentro em pouco devido à tranquilidade reinante no campo.[14]

Mas o cônsul francês não poupava "a fraqueza do governo para com as pessoas de cor", alegando que às manifestações populares vinham agregar-se não só a tropa goianista mas o próprio filho de Gervásio, na companhia de outros jovens da sua classe, entoando o hino da Revolução Portuguesa, a que se haviam acrescentado coplas incendiárias, provavelmente aqueles "hinos à moda de Pernambuco" que, cantados no Rio, causarão o encarceramento de vários indivíduos.[15] Tal confraternização persuadia Laîné de que a divisa da junta (*Ex Unitate Robur*) era menos um convite à união das províncias do Brasil ou do Império Luso-Brasileiro do que à solidariedade inter-racial dos pernambucanos. Não exercendo controle sobre a força armada, que continuava sob as ordens de oficiais reinóis, Gervásio tinha de recorrer aos pretos e pardos contra o partido europeu. Para a comunidade reinol do Recife, não havia dúvida de que, à sombra do constitucionalismo vintista, Gervásio tramava a Independência, para cujo fim esperara atrair a Bahia, aonde enviara um filho seu de emissário, "porém saíram-se-lhe os seus planos errados por se acharem lá baionetas da Europa".[16]

Os distúrbios verificavam-se invariavelmente no bairro portuário e comercial, que, além de sede do comércio reinol, era a área urbana com maior concentração de escravos, perto de 50% dos residentes. Mas os portugueses eram também insultados, atacados e assassinados em Olinda e em vilas da Mata Norte, por bandos armados que, ao cair da tarde, ocupavam ruas e praças, desferindo cacetadas a torto e a direito. Graças ao saque do Arsenal de Guerra (25.1.1822), tolerado pela junta ao desistir de reaver o armamento roubado, os indivíduos de mais de catorze anos de idade estavam de posse de armas brancas e de fogo, razão pela qual, mesmo se quisesse, o governo não dispunha de meios para controlá-los. Por sua vez, a comunidade reinol provocava a gente de cor e os contingentes de goianistas, ameaçando-os de punição às mãos da tropa esperada do Reino, como ocorrera em 1817 quando mandara-se açoitar em público os negros e mestiços da tropa e do povo que se haviam entusiasmado pela propaganda libertária da revolução, e até demonstrado curiosidade pela "maneira [em] que vivem os rebeldes de São Domingos". Em Goiana, onde residia a segunda maior comunidade lusitana da província e onde o rancor nativista era secularmente agudo, ocorrera mesmo a pilhagem de casas e lojas. Não chegando ao ponto de acreditar como os reinóis que a junta detivesse "a torneira da desordem", abrindo-a e fechando-a a seu talante, o cônsul francês julgava que tudo se devia a sua fragilidade, prevendo que, em breve, o poder lhe escaparia.[17]

Gervásio providenciou o repatriamento do Batalhão dos Algarves, antes mesmo de recebida a competente ordem das Cortes. Mas em dezembro, a chegada do comandante das armas, José Maria de Moura, com contingente enviado do Reino para substituir os algarvios, foi o sinal para o reinício das alterações. O brigadeiro empossou-se, mas o grosso da tropa ficou retido nos navios-transporte ao largo da costa paraibana, impedido de desembarcar pelas manifestações populares, que se tornaram incontroláveis quando Moura substituiu por oficial lusitano o comandante brasileiro da fortaleza que controlava o acesso ao porto (25.1.1822). Um Grande Conselho, convocado pela junta, opinou contra o desembarque, em nome da tranquilidade pública (3.2.1822). A tropa regressou a Portugal, dando lugar a grande euforia pública, luminárias e festejos, mas em março surgiu a divisão que as Cortes despacharam para o Rio, comandada por Francisco Maximiliano de Souza, a qual, em face da renovação dos tumultos, prosseguiu viagem após deixar em terra novo comandante das armas, José Correia de Melo, mas não os efetivos trazidos para Pernambuco.[18]

Destarte, as relações entre a junta de Gervásio e as Cortes ficaram seriamente afetadas. A presença de revolucionários de Dezessete na bancada pernambucana recomendara-a inicialmente aos liberais portugueses. No

Soberano Congresso, a deputação provincial, primeira do Brasil a tomar assento,[19] foi recebida calorosamente, satisfazendo-se suas reivindicações quanto à demissão de Luís do Rego e às dívidas com a extinta Companhia Geral de Pernambuco e Paraíba. Sua atuação caracterizou-se pela prioridade conferida aos interesses locais, como a suspensão da remessa de rendas provinciais para o Rio, e por certa indiferença no tocante às questões gerais que diziam respeito à reconstrução do Império Luso-Brasileiro. Ela não objetou, por exemplo, à decisão das Cortes, de outubro de 1821, que mandava o regente d. Pedro regressar a Portugal. Mas a recusa de Pernambuco em aceitar tropas do Reino colocou os liberais portugueses sob forte pressão do comércio reinol, que responsabilizava Gervásio, embora no Rio se lhe atribuísse o desígnio oposto de tencionar valer-se dos contingentes lusitanos para manter a Regência à distância.[20]

Em março de 1822, Pernambuco achava-se emancipado de fato, mas a mobilização popular-castrense prejudicará a política da junta vis-à-vis do Rio. Com o Fico, a formação do ministério José Bonifácio e a evacuação da tropa portuguesa, consolidava-se a autoridade de d. Pedro, o que fazia passar as relações com a Regência ao primeiro plano das preocupações da província, onde fora grande a repercussão do 9 de janeiro. A facção unitária nasceu precisamente nesses dias. Já então observava o cônsul americano ser a maioria da população favorável ao príncipe, esperando vê-lo em breve proclamado "rei dos Brasis". O próprio Gervásio apoiou o Fico: aos cônsules estrangeiros, que eram apenas os da França, Inglaterra e Estados Unidos, ele acusou as Cortes de quererem repor o Brasil na "antiga servidão", aduzindo que, na hipótese de desembarque de tropa portuguesa, a junta seguiria "em tudo o exemplo que o Rio de Janeiro vinha de dar".[21]

O *Segarrega*, órgão gervasista, não destoava da retórica dos jornais fluminenses ao condenar a abolição da Regência, decisão do "mais sôfrego monopólio e [d]o mais negro maquiavelismo", que equiparava a "sorte de uma população maior que a de Portugal" à de "uma colônia de degredados". As relações luso-brasileiras eram do interesse precípuo da metrópole, que, caso não lograsse criar "um extenso império constitucional", ficaria reduzida à condição de província espanhola. Junto às Cortes, Gervásio justificou o Fico como "o único meio" de assegurar a preservação do Reino Unido, argumento idêntico ao usado no Rio. Mas, ao cumprimentar o regente pela decisão, exprimia a esperança de que as Cortes ainda se mostrassem capazes de distinguir "o governo político de uma nação [isto é, o Reino Unido] dos reinos que a compõem [isto é, Portugal e Brasil] *e do administrativo-econômico das suas respectivas províncias*".[22]

No Rio, Gervásio era considerado "nada afeto" seja a Portugal, seja ao Brasil, e suspeito de ter um projeto de "república pernambucana" ou de federação das províncias tributárias do entreposto recifense. A verdade é que, para ele como para os autonomistas, a questão da forma de governo tinha importância subsidiária quando comparada ao objetivo de dotar a província de "governo político", com "a competência de poder nomear, sem que ninguém possa impedir, a todos os empregos civis e militares", além de tribunais que julgassem em última instância. Calculava Gervásio que o autogoverno provincial seria mais bem preservado no âmbito de um império constitucional luso-brasileiro do que no contexto de uma monarquia puramente brasileira, de vez que tanto Portugal quanto o Brasil teriam todo o interesse em manter as franquias locais, de modo a impedir que o outro Reino as destruísse em seu favor. Caberia acentuar a esse respeito que, malgrado a sabedoria convencional, a monarquia não era necessariamente infensa à autonomia das suas partes; e que em 1821 o próprio d. Pedro teria pensado em termos de império descentralizado, talvez por influência do conde dos Arcos, a quem já em 1817 se atribuíra a ideia de organizar o Brasil em cinco reinos, concepção que será retomada no projeto de reforma de Silvestre Pinheiro Ferreira (1846).[23]

É inegável que o projeto federalista pernambucano, de Gervásio a Manuel de Carvalho Pais de Andrade, era mais abrangente que o de José Bonifácio, que, nas instruções à deputação paulista às Cortes, previra apenas, como ressaltou Barman, "uma confederação dos dois Reinos, com o Brasil gozando de um statu semelhante ao que será concedido pela Inglaterra ao Canadá em 1867". O plano do Andrada esgotava-se na autonomia administrativa do Reino do Brasil, não reivindicando sequer Assembleia Legislativa própria. Como muito bem observou Márcia Regina Berbel, "a ênfase da proposta recaía sobre a preservação do Reino do Brasil e sua unidade", sem mencionar "os governos provinciais, as relações entre eles e deles com as novas instituições propostas para o Reino e para a monarquia". Só em Lisboa, em vista das reivindicações da Bahia e de Pernambuco, é que os paulistas, que, aliás, não se identificavam todos com a concepção de José Bonifácio, deram-se conta da insuficiência do projeto.[24]

No segundo semestre de 1821, com a partida de d. João VI, o Rio, na fórmula de Barman, tinha a "perspectiva de ser pouco mais do que a capital de uma província importante na nação portuguesa". A falência do Banco do Brasil e a criação das juntas provinciais haviam limitado seriamente o poder da Regência. A decisão das Cortes de abolir a Regência atacava frontalmente dois grupos de interesse: a burocracia civil, militar e eclesiástica, cuja sorte estava ligada ao statu de Reino conferido ao Brasil em 1815; e o comércio da praça, que não poderia aceitar a mudança da situação criada em 1808. Gervásio compreendeu que o maior obstáculo ao autogoverno provincial não era Lisboa, mas o Rio, com seu "exército faustoso e inútil de empregados públicos", os quais, "para se perpetuarem na ociosidade, mando, privilégios e interesses de que gozam à custa da liberdade e fazenda dos cidadãos, não duvidam sacrificar a mesma Constituição e a nossa fraternal harmonia".[25]

A burocracia régia estava plenamente consciente dos imperativos fiscais do aparato estatal legado por d. João VI, e de que sua sorte dependia da manutenção de um sistema centralizado à escala da América portuguesa. Numa época em que a principal rubrica orçamentária consistia nos impostos sobre o comércio exterior, era imprescindível restaurar o controle da corte sobre as grandes províncias do Norte (Bahia, Pernambuco e Maranhão), geradoras das divisas estrangeiras e dos excedentes da receita, de vez que os rendimentos da Alfândega fluminense não bastavam para cobrir as despesas da corte, que o Mato Grosso, Goiás, Minas e Santa Catarina eram deficitários, e São Paulo e o Rio Grande do Sul apenas cobriam seus gastos. Como sustentou Maria de Lourdes Viana Lyra, as cifras "explicam por si mesmas a luta do governo do Rio de Janeiro a fim de reunir o Norte e Nordeste à causa da independência do Sudeste", mantendo "um sistema que transferisse ao centro os recursos de que ele tinha necessidade".[26]

Gervásio tornou-se objeto da ojeriza da historiografia da Independência, a qual, de Varnhagen até hoje, só fez repetir as acusações de dubiedade, hesitação e jesuitismo,[27] quando não de lusofilia ou de republicanismo, que se lhe faziam, à época, na corte. Mesmo um historiador do quilate de Oliveira Lima, que, no seu culto da monarquia unitária, podia compreender Dezessete, mas não o federalismo pernambucano, entreviu apenas nas táticas gervasistas uma questão de temperamento, o gosto de "suscitar problemas de casuística constitucional", ou a falta de vontade política a valer-se de subterfúgios para só ceder à pressão das circunstâncias. A crítica é injusta. Os gervasistas não foram retardatários da emancipação, de vez que o processo no Rio tampouco caracterizou-se pela clareza de objetivos. Como lembrava

Antônio Joaquim de Mello, nem d. Pedro nem José Bonifácio, "individual ou coletivamente [...], secretamente ou não, exibiram advertência, manifestação ou o que quer que fosse no sentido de que dirigiam-se a conquistar a independência total e absoluta". Pelo contrário, ainda no decreto de 1º de agosto de 1822 e no manifesto do dia 6, o regente reiterava o propósito de salvaguardar "a união política do Brasil com Portugal". Por outro lado, a revisão feita por Barbosa Lima Sobrinho não escapa à tendência oposta, igualmente equivocada, de atribuir a Gervásio um nacionalismo imaculado.[28]

A política da junta ou, antes, do seu presidente, cuja ascendência sobre os colegas era indisputada, resultou do objetivo prioritário de assegurar a autonomia pernambucana frente a Lisboa *e* frente ao Rio. A única avaliação objetiva a respeito do assunto deve-se curiosamente não a um historiador brasileiro ou pernambucano, mas a um historiador inglês, Brian Vale, ao acentuar que:

> Subjacente à política de Pires Ferreira e de seus partidários, fermentava a velha aspiração de autonomia dos pernambucanos. Eram eles hostis ao domínio português mas percebiam que a política das Cortes em favor da descentralização administrativa do Brasil era favorável a seus interesses separatistas. Analogamente, embora dessem apoio ao movimento que visava assegurar a independência do Brasil, não alimentavam o menor desejo de ver sua província dominada por um governo monárquico no Rio de Janeiro. Desse modo, a serviço dos interesses de Pernambuco, a junta seguiu um delicado rumo entre as duas alternativas. Mas seu raciocínio era demasiado sutil para ser entendido pelas massas. Aos olhos do povo, Pires Ferreira parecia vacilar, cheio de indecisões, entre o antigo regime monárquico português e o novo movimento de independência brasileira. Assim começou a desgastar-se o apoio de massas com que poderia contar.[29]

O problema residia em que, no caso de malogro, só restaria aos gervasistas a capitulação ou o salto no escuro, que dará a Confederação do Equador, da independência provincial ou regional, passo que Gervásio não pôde ou não quis dar. Em 1822, as Cortes e d. Pedro encarnavam opções excludentes. Enquanto a fórmula fluminense consolidaria a Independência e preservaria a liberdade de comércio, mas apresentando a fatura de um regime autoritário e centralista baseado no Sul, o Soberano Congresso oferecia uma monarquia constitucional, com o atrativo de conceder grau razoável de autogoverno provincial, na medida em que liquidaria o centro de poder criado no Rio, embora cobrando o preço, não da restauração do monopólio comercial, impossível de ressuscitar, mas de um sistema preferencial para o comércio e a navegação do Reino. Aderir a d. Pedro em troca da liberdade de comércio era fácil para o Sul, mas não para as províncias que haviam feito Dezessete.

A simpatia experimentada em Pernambuco pelo liberalismo lusitano tinha a ver igualmente com as "Bases da Constituição portuguesa", que, antes mesmo de estabelecer a divisão dos poderes, haviam consagrado os princípios da igualdade perante a lei, da segurança individual, da propriedade e da liberdade de expressão, conquistas que poderiam ficar comprometidas pelo empenho do ministério José Bonifácio em rever a legislação do Soberano Congresso para adaptá-la às circunstâncias do Brasil e em promover a subordinação das províncias ao Rio. Os gervasistas tampouco acreditavam no constitucionalismo de d. Pedro, que, antes do regresso de d. João VI, atiçara o setor da comunidade reinol do Rio que aderira à Revolução do Porto para, logo depois, dar marcha atrás, promovendo o massacre da praça do Comércio (22.4.1821). Alcançado o objetivo de ver o pai pelas costas, o regente nomeara um gabinete cuja principal figura fora seu mentor político, o conde dos Arcos, odiado em Pernambuco devido à repressão de Dezessete, sem que, contudo, sua queda (5.6.1821) houvesse alterado "o espírito de dominação" predominante na corte.[30]

Esta, por seu lado, nutria desconfianças naturais acerca de uma província que, ademais da sua crônica contestação antilusitana, ainda lambia as feridas de Dezessete, a ponto de vislumbrar-se motivação política por trás da sedição milenarista do Bonito, esmagada durante o governo de Luís do Rego.[31] É certo que o movimento de Goiana mantivera-se nos quadros do constitucionalismo lusitano, protestando desejar apenas garantir a adesão de Pernambuco ao regime implantado na metrópole, mas, como vimos, o papel desempenhado pelos antigos revolucionários de 1817 alimentava a suspeita de que se aproveitariam da conjuntura para estabelecer o regime republicano. Era difícil aceitar que, após quatro anos de cárcere, em que os melhores se haviam aproveitado para se endoutrinarem politicamente, eles se contentassem agora com a metamorfose liberal da monarquia.[32] Na realidade, eles haviam saído da masmorra como haviam entrado, isto é, divididos nas preferências políticas, embora muitos radicais houvessem transitado para posições moderadas. Quando do Fico, José Clemente Pereira, presidente da Câmara do Rio, exprimira as inquietações que, nesse particular, os liberais fluminenses partilhavam com os corcundas.

> Pernambuco, guardando as matérias-primas da independência que proclamou um dia, malograda por imatura mas não extinta, quem duvida que a levantará de novo, se um centro próximo de união política a não prender? [...] Acaso os cabeças que intervieram na explosão de 1817 expiraram já? E se existem e são espíritos fortes e poderosos, como se crê que tenham mudado de opinião?[33]

A composição da junta de Gervásio tinha de preocupar a corte acerca dos rumos que, sob o comando de "homem tão perigoso", poderia tomar "uma província, cujos recursos a colocavam fora da dependência do resto do Brasil", donde as "historietas e novidades estudadas" visando intrigar Pernambuco com as demais províncias.[34]

As reservas da junta viram-se confirmadas pelo decreto do regente, de 16 de fevereiro, que criava o Conselho de Procuradores provinciais, ressuscitando o plano de Palmela, de começos de 1821, o qual, visando imunizar a América portuguesa do liberalismo vintista, propusera dotá-lo de Constituição própria, a ser elaborada por assembleia de delegados das Câmaras Municipais, projeto de que d. João VI desistira em vista do motim de 26 de fevereiro daquele ano. O gervasista Antônio Joaquim de Mello descreveu a recepção do decreto no Recife:

> Não faltavam em Pernambuco boatos de que se projetava por meio desse Conselho de Procuradores das províncias o aparecimento e adoção de uma Constituição política especial do Reino do Brasil, guardada a integridade da monarquia portuguesa. A cláusula exótica e retrógrada do referido decreto — "sistema constitucional que jurei dar-lhe" —, que tanta estranheza produziu mesmo no Rio de Janeiro, se não o prova cabalmente, ajusta-se bem com a notícia, havendo-a também de que o influxo da Santa Aliança já se começava a estender sobre a corte do Rio de Janeiro, sendo um dos principais agentes Antônio Teles [da Silva], filho do marquês de Penalva. E que tal poderia ser a constituição de um tal parto? Nunca tão liberal como a estatuída pelas Cortes de Lisboa (abstração feita da administração e negócios do Brasil) mas sem dúvida

reforçando e perpetuando com as novas cadeias de uma especial Constituição política do Brasil a união deste a Portugal, embora [com] algumas concessões ao mesmo Brasil. E nesta hipótese, quando e como depois romperíamos essa renovada, tão solene e espontânea união e sujeição política? Quando assumiríamos a independência absoluta, alvo a que tanto os nossos corações miravam e a que nos dava indisputável direito a nossa varonilidade? [...] Cartas do Rio de Janeiro e pessoas de lá vindas depunham que o ministério [José Bonifácio] era corcunda, isto é, antiliberal, e tendia a fazer o príncipe absoluto, pelo que desconceituado ficava a cair.[35]

A junta reputou ilegal a criação do Conselho, de vez que tal decisão só cabia ao poder constituinte, isto é, as Cortes, criticando também o direito dos ministros de Estado de terem assento e voto. A suspicácia gervasista era também reforçada pela publicação da memória de Bernardo José da Gama, impressa de ordem do regente, particularmente quando propunha que a futura Constituição brasileira evitasse os excessos das Cortes, que haviam concedido ao monarca apenas o veto suspensivo, e que, pelo contrário, estabelecesse "a preponderância do príncipe, que é o maior interessado na conservação do Estado do que os deputados temporários".[36]

De Londres, Caldeira Brant não escondia a José Bonifácio sua preocupação com a atitude da junta, que confirmaria os temores do governo inglês de que "os democratas do Brasil" viessem desestabilizar o processo de Independência em sentido prejudicial aos interesses britânicos. A seu ver, "se tivéssemos a combater meramente as Cortes, fácil seria a vitória, mas temos a vencer dificuldades assustadoras para o Norte do Brasil". Quanto a Hipólito José da Costa, embora admitisse que o Conselho de Procuradores poderia produzir "o mal maior" de estimular d. Pedro a "introduzir um governo despótico", tratava-se de eventualidade que "poderiam os deputados pernambucanos remediar a todo o tempo", ao passo que sua falta de solidariedade com o Rio podia ser fatal à Independência.[37]

Nesse ínterim, conhecia-se no Recife o parecer de 18 de março, da comissão das Cortes para os negócios do Brasil, que confirmava Gervásio na convicção de que o autogoverno provincial seria mais facilmente obtido de Lisboa do que do Rio. Além de propor a subordinação da força armada e da administração fazendária aos governos locais, o documento previa que as relações entre Portugal e o Brasil seriam objeto de artigos adicionais à

Constituição, os quais inclusive reconheceriam às províncias a gestão de seus orçamentos. Uma vez salvaguardado o princípio da unidade da monarquia luso-brasileira, contemplava-se também conceder ao Brasil "um ou dois centros de delegação do Poder Executivo", que remediassem a lentidão das comunicações com o Reino, ficando cada província vinculada a um ou outro. Por conseguinte, Gervásio sugeriu a José Bonifácio que o Conselho de Procuradores se ocupasse apenas de assessorar o regente no cotidiano administrativo ou que fosse adiado para a ocasião em que as Cortes houvessem criado os centros de poder executivo, de modo que cada província já enviasse seus delegados àquele que lhe fosse mais conveniente.[38]

Sua procrastinação também resultava dos riscos de uma iminente expedição punitiva que o comércio português oferecia-se para custear, a fim de repetir em Pernambuco a experiência realizada na Bahia, acabando com "esse odioso governo de Gervásio", que se dera ao desplante de repatriar os batalhões lusitanos a pretexto de assegurar a tranquilidade pública. Por outra, amiudavam-se no Reino as opiniões em favor de uma demonstração de força que isolasse o Rio, abandonando-se provisoriamente as províncias do Sul ao regente. Hipólito José da Costa acreditava que a expedição não se destinaria a reforçar o exército de Madeira em Salvador, de vez que "esta cidade é a que menos rancor tem atraído a si do partido inimigo do Brasil em Lisboa, porque os baianos são os que mais submissos se têm mostrado às Cortes". A Bahia serviria apenas de "ponto de apoio donde saíam depois a atacar os lugares que se supõem mais obnóxios", podendo "estar seguros os pernambucanos que eles não deixam de lembrar na cabeceira do rol". O ataque, a ser chefiado por Luís do Rego Barreto, seria acoplado a uma insurreição de escravos, cuja organização teria sido confiada a dois naturalistas europeus, um dos quais dera com a língua nos dentes.[39]

Na perspectiva gervasista, Mena Calado analisava a posição da província no *Segarrega*. Em face do desapontamento provocado pelas Cortes, a aliança do regente com as províncias meridionais calara fundo em Pernambuco. Contudo, o parecer de 18 de março, buscando remediar as decisões errôneas tomadas em Lisboa bem como a convocação do Conselho de Procuradores, haviam mudado as circunstâncias e sustado "a corrente que ia transbordando a favor do Rio de Janeiro".

Mudando pois de opinião, tanto pelas medidas do projeto como pela análise do espírito de que aquele decreto estava recheado, foi o povo desta província sossegando sobre o partido que devia seguir, pois que julgava não lhe convir soltar os interesses imediatos e certos que de uma parte se lhe ofereciam, por uma sorte arriscada e onde apareciam como protagonistas os corifeus do antigo sistema. Zelosos de sua liberdade e sempre tímidos ao menor aceno de perigo, preferem a união a Portugal com alguns sacrifícios do que todas as promessas pomposas que lhe faça o Rio, tendo o príncipe em torno de si quem o ensina a assinar decretos que de uma vez anulam a representação nacional, a constituição da monarquia e a liberdade de nossos direitos.[40]

Ao otimismo do *Segarrega* objetava Lopes Gama, porta-voz da facção unitária, que o parecer de 18 de março não tinha futuro, por não ser crível que as Cortes viessem a mudar de procedimento para com o Brasil.[41]

A oposição à política de Gervásio não partiu originalmente da grande lavoura, que até meados de 1823 tateará na definição dos objetivos, mas de uma facção unitária de base urbana, reunida num "clube secreto composto da maior parte da oficialidade da tropa, particularmente os de Goiana, e de que são membros natos todos os expressos da Bahia", não se tratando, portanto, nem da Sociedade Patriótica, que se compunha de gervasistas, nem da Jardineira, filial da sociedade fundada em Coimbra no fito de reformar a maçonaria. Os unitários contavam com a simpatia das autoridades da Coroa enquistadas na magistratura, nas repartições e no cabido, não escondiam seu descontentamento com as reformas administrativas de Gervásio, como o controle do governo sobre a junta da fazenda, a reorganização da Alfândega do Algodão e a criação da superintendência das obras públicas.[42]

Os unitários cooptaram a aliança castrense-popular de dezembro e janeiro contra a tropa portuguesa, especialmente receptiva ao que, no projeto do Rio, satisfazia tanto o rancor antilusitano quanto o reflexo colonial que via na Coroa o contrapoder às dominações oligárquicas. Após a Revolução de 1817, os regimentos locais haviam sido dissolvidos ou, como o de artilharia, mais politizado, transferidos para o Rio e Montevidéu. Reorganizada a força armada por Luís do Rego, a tensão entre os efetivos da terra e a tropa portuguesa mantivera-se latente. Como vimos, o movimento de Goiana atraíra boa parte deles, incorporando-os em contingente à parte, autointitulado dos Beneméritos, segundo a expressão cunhada pelas Cortes, mas Gervásio os disseminara pelas antigas unidades, sem que se dissipassem seus temores de serem punidos por deserção em caso de revanche lusitana. Quanto aos oficiais envolvidos em Dezessete, haviam sido anistiados pelo Soberano Congresso, que mandara pagar-lhes os soldos atrasados, mas sua reintegração aos postos ficara condicionada à opinião da junta, que desejava atendê-los, mas enfrentava a resistência dos atuais ocupantes.[43]

Sobretudo a questão das promoções e do aumento de soldos foi manipulada pelos unitários. Quer o movimento de Goiana, quer Luís do Rego haviam premiado generosamente seus adeptos, mas as Cortes confirmaram apenas as ascensões feitas pelo ex-governador, devido às irregularidades cometidas entre os goianistas, muitos dos quais haviam subido dois ou três escalões de uma só vez ou passado de milicianos a oficiais. Gervásio instou em vão o Soberano Congresso a que as relevasse, de maneira a eliminar a causa mais poderosa de indisciplina militar; e os oficiais goianistas bandearam-se para os unitários, mediante promessa de que o Rio daria o que Lisboa o negava. A junta também endossou junto às Cortes a reivindicação atinente à equiparação dos soldos aos do Exército no Reino e na Bahia, a qual serviu de pretexto ao frustrado levante de 31 de março, acontecimento obscuro em que oficiais portugueses, instigados do Pará e do Maranhão, teriam projetado derrubar ou assassinar Gervásio, a fim de garantir a adesão de Pernambuco a um Norte lusitano, de Belém a Salvador. O episódio convenceu-o a conceder o aumento, na dependência de confirmação de Lisboa, mas ele excluiu a oficialidade, já bem remunerada. Em maio, era visível o desgaste de Gervásio junto à tropa goianista, que, segundo a versão unitária, ele teria passado a hostilizar.[44]

O problema com a política gervasista é que demandava tempo; e que o golpismo fluminense era naturalmente avesso a deixá-lo escoar-se. Alegando urgência, d. Pedro e José Bonifácio buscavam impor sua concepção da Independência com uma inflexibilidade que nada ficava a dever à dos seus adversários, os integracionistas das Cortes. Após o Fico, o Rio necessitava ampliar o raio do movimento, limitado a São Paulo e a Minas; e Pernambuco tornara-se o alvo prioritário, mercê da ocupação de Salvador pelas forças portuguesas e da posição geográfica da província, que a colocava a cavaleiro da expedição recolonizadora e lhe conferia o poder de arrastar a adesão das províncias clientes do entreposto recifense. Malgrado a advertência de Hipólito José da Costa de que, no tocante aos pernambucanos, o Rio empregasse a persuasão, em vez da coação, evitando os equívocos cometidos pelo Soberano Congresso com o Brasil, a Regência viria a repeti-los, atropelando a junta de Gervásio, contra quem, como dirá *A Malagueta*, despachou "doidos que lhe fizeram bernardas".[45]

Desde fevereiro, encontrava-se no Recife o enviado de José Bonifácio, Antônio de Menezes Vasconcelos de Drummond, filho de um administrador da Alfândega do Rio e amigo íntimo do principal ministro de d. João VI, Tomás Antônio Vilanova Portugal. A casa do velho Drummond, uma das de maior brilho social na corte, fora frequentada pela cúpula do antigo regime. Servindo no gabinete de Tomás Antônio, Menezes obtivera a propriedade de dois ofícios e uma tença da Ordem de Cristo, além de herdar o cargo de contador da Chancelaria, acumulado por seu pai. Ninguém mais representativo, portanto, da elite burocrática de criação joanina que empreitou a emancipação. Em começos de 1822, como membro do Clube da Resistência, de José Joaquim da Rocha, Menezes foi enviado a Pernambuco (onde tinha um irmão oficial de Estado-Maior), com a tarefa não de conquistar a junta, mas de coagi-la. Uma circular de Chamberlain, cônsul britânico no Rio, recomendando-o à proteção da esquadra e dos agentes consulares ingleses, foi-lhe extremamente útil, prestando-lhe "importantes serviços" o cônsul no Recife.[46]

Menezes foi coadjuvado por dois outros emissários, Manuel Pedro de Morais Mayer e Manuel Inácio Cavalcanti de Lacerda, futuro barão de Pirapama, ambos naturais de Pernambuco e cuja atuação será recompensada com a concessão da Ordem do Cruzeiro. Daí que um gervasista descrevesse o motim de 1º de junho de 1822 como o movimento de "dois ou três vagabundos vindos do Rio de Janeiro", que só cogitavam de alavancar suas carreiras na magistratura, aliciando gente da terra. Abstendo-se de contatos com a junta, os enviados procuraram isolá-la, dizendo a cada interlocutor o que ele queria ouvir. Aos senhores de engenho, asseguravam que o regente faria respeitar a propriedade rural caso atacada pela gente de cor; aos nostálgicos do antigo regime, que ele restabeleceria a sociedade de ordens abolida pelas Cortes; aos nativistas, que os portugueses seriam escorraçados do país; aos republicanos, que, firmada a Independência, o príncipe seria descartado; aos timoratos, que sua alteza permaneceria obediente a d. João VI, só ambicionando a Regência; e aos oficiais goianistas, que d. Pedro confirmaria suas patentes.[47]

O propósito de Menezes era compelir a junta a proclamar o regente chefe do Poder Executivo no Brasil, isento do Poder Executivo de Portugal. A 1º de junho, a cavalaria postou-se na praça do Erário, enquanto a tropa mantinha-se de prontidão nos quartéis. Cerca de trezentas pessoas, tendo à frente autodenominados juízes do povo, representantes do Exército, do clero e da nobreza e até pretensos procuradores de d. Pedro, marcharam para a Câmara do Recife, que, cúmplice da manobra, convidara as congêneres da comarca a fazerem causa comum com ela. Após declararem ser vontade da província conferir novos poderes ao regente, todos dirigiram-se ao palácio. Entre os membros da junta, ao menos Felipe Néri Ferreira havia sido seduzido. Gervásio opôs-se categoricamente à proposta, sustentando que, antes de optar se pelo Rio ou por Lisboa, urgia evitar que uma ação precipitada atraísse novamente sobre Pernambuco os males de Dezessete, pois nem sequer na corte se havia tomado decisão semelhante à que se instava a junta a adotar.[48]

Esta sempre obedecera ao regente na sua qualidade de delegado de sua majestade, mas não podia proclamá-lo titular de um Executivo independente sob a pressão de "um motim", só devendo fazê-lo por "um ato regular do povo" não apenas do Recife mas de toda a província. A argumentação de Gervásio já prevalecia, quando Menezes, pressionado pelos amigos que viam o negócio malparado, surgiu na reunião para insistir na anuência da junta, de vez que d. Pedro deixara de ser delegado de d. João VI a partir do Fico, quando passara a exercer o poder conferido pelo Rio, São Paulo e Minas. Os unitários propuseram que a sessão se tornasse permanente e ameaçaram com um ataque do povo e do corpo de artilharia. O impasse só foi superado mediante fórmula que, escamoteando o desacordo de princípio, permitia a ambos os lados cantar vitória, ao reconhecer "em sua alteza real a delegação do Poder Executivo do modo que o mesmo senhor se reconhece", rejeitando-se a adição "hoje, porque os povos do Sul lho conferiram sem restrição e assim o está exercendo no Rio de Janeiro".[49]

Mas Gervásio não entregou os pontos e no dia 2 anulou o acerto da véspera. A intimação que fora dirigida à junta extrapolara a decisão registrada na ata da Câmara de 1º de junho, a qual continha a contradição palpável de proclamar d. Pedro

independente do Executivo de Portugal, mas em tudo o mais sujeito às Cortes Extraordinárias e Constituintes do Reino Unido, com adesão ao sr. d. João VI, rei constitucional do dito Reino, e união aos nossos irmãos de Portugal e Algarves, em tudo o que se não encontrar com os nossos direitos.

O articulado era inepto, inclusive porque inexistia em Portugal Poder Executivo independente do Soberano Congresso, mas a linguagem tortuosa habilitou Gervásio a promover um "juramento de fidelidade e obediência" às Cortes, a d. João VI e ao regente, que repunha as coisas na situação anterior. Por fim, ele declarou que os membros da junta "jamais se sujeitariam ao despotismo ministerial, qualquer que ele fosse e pudesse reviver", nem sacrificariam "os interesses desta província", que defenderiam "à força de armas contra qualquer que os pretendesse invadir". Advertência antes dirigida ao Rio do que a Lisboa, como perceberam os unitários, que a taxaram de "protesto indecentíssimo" ao supor que a obediência ao regente encaminhava-se a "fins despóticos". Gervásio concluiu sob aplausos e vivas, pois sua declaração foi compreendida não em sentido antifluminense, mas antilusitano. A Câmara de Olinda e o cabido da Sé endossaram a resolução.[50]

Na correspondência oficial com Lisboa, a junta denunciou "alguns espíritos inquietos e ambiciosos", que, na esperança de se elegerem procuradores da província e de obterem cargos e honrarias, julgavam agradar o regente com iniciativas ilegais. A d. Pedro, Gervásio informou só não haver agido contra eles porque diziam atuar em seu nome. Destarte, Gervásio pensava colocá-lo na posição de desautorizar o precedente de "irem dois ou três paisanos aos quartéis militares induzir a tropa e aliciá-la para tomar deliberações, ou obrigarem o governo a tomá-las", embora a corte não venha a desaprová-los, louvando, pelo contrário, sua atuação. Gervásio informava ainda que um dos membros da junta, Felipe Néri Ferreira, viajaria ao Rio para expor em detalhe a conjuntura provincial, missão que os unitários pretendiam que se destinava a ratificar a almejada adesão.[51] Desde então, a administração municipal do Recife alinhar-se-á com a causa unitária.

Os unitários fingiram reputar a ata de 1º de junho como constitutiva da adesão de Pernambuco, como se nada tivesse ocorrido no dia seguinte, ao passo que a historiografia da Independência continua a repetir ingenuamente a mentira. A Câmara do Recife prestou-se mesmo a escrever ao regente que ela e a junta haviam proclamado d. Pedro regente constitucional com a delegação irrestrita do Poder Executivo. Para transmitir a nova, a Câmara despachou Morais Mayer, que em breve retornará premiado com a Ouvidoria de Olinda. As gazetas do Rio noticiaram que o regente fora reconhecido no Recife "com o Poder Executivo nele, sem restrição nenhuma", mas o cônsul-geral da França, Mayer, não se deixou enganar: ao contrário do que se noticiara acerca da chegada de deputação da província, "a verdade é que só chegou uma única pessoa, mulato, procurador da Câmara do Recife, encarregado unicamente por esta municipalidade de apresentar a sua alteza real os sentimentos de amor e de fidelidade dos seus colegas". Mayer foi recebido em audiência pública por d. Pedro, na presença da Câmara do Rio e de pernambucanos domiciliados na corte. A impostura repercutiu em Lisboa e em Londres, onde foi acolhida por Hipólito José da Costa. Mas em breve conheceu-se na corte que a junta anulara os efeitos do pronunciamento militar, nem transmitira ao regente qualquer ato de adesão.[52]

Mas os unitários, sem poder admiti-lo publicamente, sabiam muito bem que Gervásio tinha logrado prolongar, nas palavras de um dos chefes do partido, "aquela saborosa dubiedade que tanta vantagem oferecia para todo e qualquer novo sistema". No século XIX, um gervasista, Antônio Joaquim de Mello, foi o único historiador a sustentar que "o açodamento dos dias 1º e 2 de junho não podia estabelecer nem estabeleceu pela província de Pernambuco o príncipe regente em chefe do Poder Executivo no Brasil, independente do Executivo de Portugal". Na síntese de Barbosa Lima Sobrinho, "o mês de junho não foi um divisor de águas", como pretendiam "os partidários dos Andradas" e os historiadores do Império, "tão somente um obstáculo, que a junta provisória conseguiu transpor, com o termo de juramento do dia 2 de junho, para anulação da efêmera vitória dos asseclas de Menezes Drummond".[53]

Poucos dias decorridos dos acontecimentos de 1º e 2 de junho, recebia-se a notícia da aclamação de d. Pedro como defensor perpétuo do Brasil. Ao representante inglês, explicou José Bonifácio equivaler o título ao de "generalíssimo dos exércitos", o que fazia o regente "virtualmente imperador", dotando-o de legitimidade popular, de modo a justificar o exercício de poderes adicionais aos contidos na delegação paterna. Apesar de haver resistido à concessão, como resistirá à convocação da Constituinte, iniciativas ambas dos liberais fluminenses, José Bonifácio logo percebeu a vantagem de instrumentalizá-las no fito de cortar as asas aos adversários. O ato causou "viva sensação" no Recife. Embora ciente de suas conotações autoritárias, Gervásio absteve-se de criticá-lo; e os unitários, de reclamarem novo juramento. Mas a inquietação persistia devido a que, por algum tempo, não aportavam navios procedentes do Reino, o que levava a crer que se aprestava a expedição recolonizadora. Apreensão só dissipada em inícios de julho, altura em que partia a delegação encarregada de cumprimentar d. Pedro pelo Fico. Além de Felipe Néri Ferreira, compunham-na um representante da tropa e outro do povo, escolhidos a dedo para indignação dos unitários.[54]

A junta, que cogitara de tomar providências drásticas contra os adversários, terminou por convidá-los, na proclamação de 22 de junho, a exporem seus pontos de vista, ao mesmo tempo que alertava a população contra os "homens de fora" e os "vagabundos, que nenhum interesse podem ter no vosso bem ser", incitando-a a renovar o apoio que, juntamente com a tropa, havia dado ao governo na expulsão dos contingentes lusitanos. O manifesto também formulava a concepção gervasista de Império Luso-Brasileiro, indispensável à segurança de suas partes, e associada, de um lado, à união das províncias brasileiras, penhor de preservação dos seus direitos, cujo corolário seria o estabelecimento de Poder Executivo na ex-colônia; e, de outro, a um sistema de autogoverno pelo qual cada província arcaria com suas próprias despesas, concorrendo apenas para o orçamento brasileiro e imperial consoante o que Gervásio descrevia como "um rateio de avaria grossa mercantil". As relações comerciais entre os dois Reinos e entre as províncias deveriam fundar-se na reciprocidade mais estrita; e, em matéria fiscal, só subsistiriam tributos equitativos, cuja receita não deveria ultrapassar o mínimo requerido pelo custeio da administração. Gervásio pensava igualmente em impostos interprovinciais.[55]

Em Londres, constatava Hipólito José da Costa que, malgrado seu espírito conciliador, a junta perdera a boa vontade das Cortes, onde Gervásio era visto como um hipócrita que, malgrado só referir-se a elas com unção religiosa, repatriava a tropa do Reino, causando a perseguição, o assassinato e a fuga de muitos reinóis. E previa que "se puderem colher às mãos o Gervásio, fá-lo-ão pagar bem caro o arrojo de ter expulso o batalhão do Algarve e não ter recebido os novos algozes que para lá mandaram", o que ocorrerá após a deposição da junta em setembro de 1822, quando Gervásio for preso na Bahia e enviado a Lisboa. O deputado Borges Carneiro, por exemplo, julgava que "muito tempo há que merecia [a junta] ter sido enforcada toda", embora ainda fosse tempo de "prender todos os seus membros, processá-los e enforcá-los", pois as Cortes tinham a obrigação moral de acudir a comunidade reinol do Recife, cuja importância e riqueza eram notórias. Outro indício de hostilidade era a reabilitação de Luís do Rego, que tivera anulada a devassa contra sua administração, fora nomeado governador das armas do Minho e será convidado a comandar a expedição contra o Brasil. Lisboa tampouco demonstrava o menor interesse pelas reformas administrativas propostas pela junta. Malgrado as reservas de Gervásio relativamente a José Bonifácio e Martim Francisco, ele carteava-se com o amigo de Dezessete, Antônio Carlos, e mantinha-se informado através do sobrinho, o deputado Domingos Malaquias de Aguiar Pires Ferreira, que em 1817 secretariara o Cabugá na missão aos Estados Unidos.[56]

José Bonifácio tentou, sem êxito, desfazer as prevenções de Gervásio no tocante ao Conselho de Procuradores, que, a seu ver, não era incompatível com as Cortes, pois limitar-se-ia a decidir se a legislação aprovada na metrópole adaptava-se às circunstâncias do Brasil. Quanto à preocupação de que a presença dos ministros pudesse reviver "o antigo despotismo", tratava-se, pelo contrário, de meio destinado a habilitar os representantes provinciais a melhor fiscalizá-los. O Conselho tampouco seria anulado pelo poder conferido ao ministério de convocar as sessões, o decreto de 16 de fevereiro prevendo que ele também pudesse reunir-se por iniciativa própria. Mas que um órgão definido como meramente administrativo pudesse ser competente para modificar a legislação do Soberano Congresso parecia a Gervásio um contrassenso constitucional que só visaria a justificar as arbitrariedades do Rio. Suspeita, aliás, em breve confirmada ao baixar o regente o decreto de 18 de junho sobre a censura à imprensa, o qual permanecerá letra morta em Pernambuco até maio de 1823, por constituir interferência discricionária em assunto da alçada do Poder Legislativo, em violação de direito expressamente garantido nas "Bases da Constituição portuguesa". Pernambuco não se fará representar no Conselho.[57]

Outro motivo de atrito com o Rio eram as exigências do Erário fluminense. Uma das primeiras providências tomadas pela junta fora a de sustar a transferência da receita dos tributos destinados a gastos específicos da corte, inclusive a odiada taxa para sua iluminação. Menos simbólica, porém mais importante, havia a cobrança dos atrasados da contribuição provincial (cuja transferência fora suspensa em 1821 por Luís do Rego), que Gervásio se negava a satisfazer em vista das críticas circunstâncias da província. Consistindo nos impostos de exportação sobre o açúcar e o algodão, o grosso da receita havia sofrido perda substancial devido à queda dos preços daqueles gêneros, reduzindo-se a nível bem inferior ao de 1816. Ademais, a dívida pública achava-se gravemente onerada pelas despesas assumidas pelo governo de Dezessete, pela esquadra de Rodrigo Lobo, pela restituição dos bens confiscados aos revolucionários (cujo produto fora parar no Tesouro do Rio após a revolução), pela manutenção dos contingentes portugueses, pelo aumento dos soldos e dos vencimentos do funcionalismo e finalmente pelos investimentos em instrução e obras públicas.[58]

Na esteira do decreto de 3 de junho de 1822, que arrancara ao regente a convocação de Constituinte brasileira, a luta da maçonaria fluminense contra José Bonifácio estendeu-se a Pernambuco. O presidente da Câmara do Rio, José Clemente Pereira, confiou ao desembargador Bernardo José da Gama, nomeado para a recém-criada Relação do Recife, a tarefa de obter a adesão das Câmaras Provinciais, a quem competiria organizar as eleições. Gama pertencia a uma ávida família recifense que, em Dezessete, envolvera-se nas intrigas maçônicas do Rio em favor da monarquia constitucional e que depois associara-se à causa do regente.[59] Formado em Coimbra, Gama começara a carreira como juiz de fora do Maranhão, de onde, expulso pelo governador, passara a ouvidor no Sabará. A corte não lhe tinha boa vontade, como indica a recusa em nomeá-lo para a Casa de Suplicação ou para a Relação da Bahia. Os gervasistas suspeitavam-no de haver inspirado a representação dos pernambucanos residentes na corte congratulando o regente pelo Fico; e sabiam que ele fora o autor do panfleto anônimo que recomendava à junta aderir ao regente e concorrer com um quarto da receita provincial para o Rio.[60]

Ao desembarcar no Recife a 2 de julho, trazendo a notícia da convocação da Constituinte, Gama planejava depor a junta para se eleger presidente da que lhe sucedesse, dando aos liberais fluminenses uma base de apoio contra José Bonifácio. No mesmo navio, viajava o corpo de artilharia que, tendo participado da Revolução de 1817, fora deslocado para Montevidéu. Seu regresso fora solicitado por Gervásio, pedido a que José Bonifácio atendera com a segunda intenção de que coadjuvasse o movimento de adesão ao Rio, o que lhe mereceu os parabéns de Caldeira Brant, que vira a medida como de "superior política". Quando Gama partiu da corte, ainda não eram conhecidos ali os acontecimentos de 1º e de 2 de junho, dos quais ele só soube ao desembarcar. Gama abriu imediatamente as baterias contra Gervásio, assinalando, em circular às Câmaras, que a reunião da Assembleia Geral era a prova definitiva do ânimo liberal de d. Pedro, já não havendo, por conseguinte, pretextos para as "supostas desconfianças e quiméricos temores" a que recorriam "os divisores do Brasil" a fim de "coonestar imundos fins de seus interesses particulares". Gama também acusou José Bonifácio de corcunda e de tencionar conferir ao regente o poder absoluto, prevendo para breve sua queda. A Menezes, de saída para a Bahia, revelou o propósito de derrubar a junta, criticando-o por não havê-lo feito e afirmando que só a maçonaria poderia realizar a união das províncias. Menezes, surpreso com a missão de Gama, que lhe parecia escusada, manifestou-lhe seu desacordo com a destituição pela força de um governo legítimo e o aconselhou a não agir sem autorização do regente.[61]

A reação da junta à convocação da Constituinte pautou-se pela proposta de Gervásio: embora as Cortes se tivessem desviado do princípio da reciprocidade de direitos entre Portugal e Brasil, precondição do Reino Unido, ainda se podia esperar que atendessem às reivindicações brasileiras em tudo que não comprometesse a união da monarquia. Não era a junta, a quem faltava competência para tanto, mas a população de Pernambuco que deveria resolver se desejava fazer-se representar quer no Conselho dos Procuradores, quer na Assembleia Geral. Ademais, havendo o governo, pelo seu presidente, jurado o regime constitucional lusitano, só o colégio eleitoral que os escolhera poderia desligá-los do compromisso. A ata da reunião da junta de 5 de julho obteve o endosso da Câmara de Olinda, que lançou a ideia de uma Constituinte pernambucana composta das Câmaras, pois "como este negócio é da província, à província é que compete decidir", embora o clero, reunido na Sé, fosse favorável à eleição dos constituintes, com a reserva de que não poderiam agir contra a unidade e a integridade do Reino Unido.[62]

A aposta de Gervásio explica que ele nunca se tenha proposto a negociar com o regente a adesão de Pernambuco em troca de concessões autonomistas. Gervásio não tinha ilusões acerca da receptividade da Constituinte, deliberando sob a compressão do príncipe, do ministério e da alta burocracia, às reivindicações de autogoverno provincial, tanto mais que as instruções eleitorais expedidas por José Bonifácio, prejulgando matreiramente a natureza do mandato dos deputados às Cortes, deram-lhe o caráter de delegação, não o de procuração. A Gervásio só restava ganhar tempo na expectativa, que entreteve até finais de agosto, de que a aprovação de Lisboa ao parecer de 18 de março ou um imprevisto qualquer viessem alterar o curso dos acontecimentos. Neutralizando os integracionistas, uma transação dos representantes brasileiros com a facção moderada das Cortes poderia, em lugar do Legislativo brasileiro, inaceitável para a maioria dela, acoplar ao(s) centro(s) de poder executivo no Brasil Assembleias provinciais com atribuições amplas para regularem os assuntos locais, como propusera Hipólito José da Costa.[63] Tal fórmula teria a vantagem de contentar as províncias e de dar a Portugal os meios de cercear o Executivo a ser instalado no Rio. Gervásio tampouco defendeu a reivindicação de Legislativo brasileiro, que causará a ruptura final em Lisboa.

Os unitários atacaram a posição de Gervásio com o argumento de que a província não poderia continuar esperando a decisão de Lisboa; e que o juramento prestado pela junta ao regime português caducara em função das violações praticadas contra os direitos do Brasil. Mesmo se concessões substanciais fossem feitas pelas Cortes, nada impediria que viessem a ser anuladas mediante emenda constitucional das legislaturas subsequentes. A consulta aos pernambucanos era desnecessária, não tendo sido feita em 1821 quando do juramento das bases da Constituição lusitana, como também perigosa, pois causaria um conflito entre o Recife e o interior, caso os corcundas incutissem "o terror e a desconfiança" na população rural, ainda ignorante de "quais são os direitos do homem". A essa altura, quando a grande lavoura ainda não se definira, o temor dos unitários ao tradicionalismo dos matutos não era menor que o dos gervasistas. A Constituinte provincial pressupunha a existência de uma "pátria pernambucana" e o direito de separação das províncias como detentoras últimas da soberania, constituindo assim, nas palavras de Gama, o "sutil estratagema dos oligarcas" para se libertarem dos freios da Coroa e estabelecerem o regime republicano. Sendo a monarquia constitucional o sistema "mais brilhante das luzes humanas e o que mais convém ao estado de fraqueza em que nos deixaram as sanguessugas europeias", Pernambuco só seria livre se reunido às províncias do Sul sob uma Constituinte brasileira, que fundasse "uma sólida liberdade constitucional, não uma liberdade platônica", incompatível com as condições locais.[64]

Gervásio era também pressionado de fora da província. De Londres, escrevia-lhe Caldeira Brant para alertá-lo de que a primeira operação da Armada portuguesa seria um ataque a Pernambuco, "e a cabeça que mais se deseja cortar é a de vossa excelência". Cumpria que a junta dissipasse mal-entendidos.

> Terminada a guerra civil que os portugueses nos querem fazer e garantida a integridade do Brasil, que todos desejavam ver dividido, não pode haver a menor dúvida que cada uma das províncias há de ter sua particular administração [...]. Neste momento de crise, o que sobretudo convém é a estreita união com o Rio. A Revolução de 1817 fez persuadir a

toda a gente que os pernambucanos desejam fazer de sua província uma república independente, e supondo isso provável, que consideração política teria no mundo? Aos ignorantes, não há razão que baste, mas vossa excelência decerto conhece as vantagens de um Estado que abrange do Prata ao Amazonas, e por isso espero em Deus que por todos os meios a seu alcance se esforçará para conservar a integridade do Brasil.

Brant, que escrevera também aos deputados baianos às Cortes de Lisboa para aconselharem o governo de Pernambuco a mudar de rumo, queixar-se-á de que Gervásio deixara suas exortações sem resposta.[65]

A Câmara do Recife prestou-se novamente a fazer o jogo unitário, ofendida pela ordem da junta proibindo que as festividades municipais organizadas para comemorar o título de defensor perpétuo celebrassem também a futura Constituinte. Os vereadores resolveram solicitar a opinião de alguns notáveis que se opunham a Gervásio. O coronel José de Barros Falcão de Lacerda, conhecido por Barros Vulcão devido a seu caráter estouvado, acusou Gervásio de republicanismo. Já não sentindo atração, como em 1817, pelos "aéreos e subversivos direitos do homem natural", ele optara pela monarquia temperada que se projetava no Rio, único regime capaz de prevenir a instabilidade institucional, a volta aos abusos do sistema colonial e o esfacelamento do Brasil às mãos das potências europeias. Gama, verdadeiro autor do parecer, que repetia vários dos tópicos da "Memória" que publicara no começo do ano, escolhera bem seu homem. Barros Falcão purgara no cárcere da Bahia sua participação em Dezessete, e depois, no de Lisboa, sua oposição a Luís do Rego. Anistiado pelas Cortes, fizera-se adversário acérrimo da junta, aliara-se a Menezes, reunindo em casa a fina flor dos unitários, como Gama, o juiz de fora do Recife, Tomás Xavier Garcia de Almeida, e o dr. Manuel Inácio Cavalcanti de Lacerda, que viam nele a espada do movimento.[66]

Ignorando os demais pareceres encomendados pela Câmara, Gervásio respondeu num impresso mordaz. Em vista da censura imposta à imprensa, recusava-se a discutir as vantagens respectivas dos sistemas políticos, mas não podia deixar passar as proposições que nasciam da vivacidade de Barros Falcão, da "cega confiança" que votava em "seu amanuense", ou das noções incutidas por "palavreadores e atrabiliários" que abusavam da sua "boa-fé e patriotismo". A junta jamais exprimira preferência por qualquer regime, limitando-se a sustentar que a adesão ao Rio dependia de consulta prévia à província. Tampouco podia aceitar o argumento de que a Constituição, pelo fato de estar sendo preparada em Lisboa, resultaria incompatível com as condições brasileiras, pois tudo dependeria da relação de forças entre as tendências dominantes no Soberano Congresso. Não se podia esperar que os deputados brasileiros traíssem seus compromissos, mas mesmo tal eventualidade poderia ser remediada anulando-se suas procurações. A verdade é que o povo brasileiro não fora ouvido nem cheirado a respeito da convocação da Constituinte. Quanto aos proclamados perigos da divisão do Brasil, não passavam de contos da carochinha.[67]

Barros Falcão voltou à liça para negar que competisse a Pernambuco decidir o que fora resolvido pelo decreto da Constituinte, não se podendo admitir que ela exercesse um direito ao qual as províncias do Sul não haviam recorrido. Tão espontâneo parecia-lhe o consenso brasileiro que, à mesma altura em que d. Pedro convocava a Assembleia, os pernambucanos se haviam manifestado em seu favor. Reiterando sua hostilidade ao "vertiginoso e efêmero republicanismo", Barros Falcão increpava Gervásio de quixotismo político, intranquilizando a população ao invocar "o Deus dos Exércitos" (expressão muito do gosto do presidente) "contra Portugal e contra o sul do Brasil, fazendo reviver em Pernambuco as cavalheirescas ideias da ilha Barataria". Gervásio só sobrevivia politicamente devido a um mal-entendido: o sentimento em prol da monarquia constitucional achava-se tão disseminado que mesmo a gente rústica presumia equivocadamente que a junta compartilhava dele. A tréplica concluía com uma nota ameaçadora: "mais solitário do que talvez imagine", Gervásio, caso persistisse, não teria final feliz.[68]

A tensão escalou na segunda quinzena de julho. Os êxitos do general Madeira na Bahia e o falso rumor acerca da presença de esquadra lusitana no litoral prenunciavam um ataque iminente à província. A 19 de julho, a junta publicou manifesto em que alertava para o risco de que a guerra civil na Bahia se alastrasse a Pernambuco e punha os conterrâneos em guarda contra as manobras diversionistas, concitando-os a se alistarem. No documento, que batizaram de "proclamação dos dois bicos", expressão com que José Bonifácio caracterizou a política gervasista, os unitários enxergaram uma manobra destinada a reprimi-los e a promover a ruptura com o Rio. Por sua vez, os gervasistas propagandeavam seu plano de Assembleia provincial, e Gervásio ordenava a realização de um censo demográfico, a fim de protelar a eleição à Constituinte. Nessas circunstâncias, os unitários passaram novamente aos atos. Enquanto a Câmara de Goiana intimava o governo a realizar imediatamente o pleito, Gama, que subsidiava uma malta de desordeiros, tratava de persuadir o comando militar da nocividade da ideia de Constituinte provincial e de "nação pernambucana", e estimulava a ambição dos oficiais brasileiros que desejavam a expulsão dos seus colegas portugueses, suspeitos de apoiarem a junta.[69]

Na noite de 2 de agosto, a tropa de primeira linha incorporou-se no Campo do Erário, ao passo que Gervásio mandava reunir, na Boa Vista, a milícia negra e mestiça, que logo, contudo, aderiu aos sublevados. Na madrugada de 3, prenderam-se mais de cinquenta reinóis, militares, comerciantes e funcionários públicos, inclusive o ouvidor do Recife. Pela manhã, relata o cônsul francês, "o povo levantou-se em massa, a tropa em armas, a artilharia pronta, com as mechas acesas [...] toda a cidade em rumor". A junta cedeu, concordando com a eleição no prazo de quarenta dias e com a repatriação dos oficiais detidos. Mas seu oferecimento de demissão foi recusado pelos chefes dos corpos, que se declararam prontos a defendê-la. Ainda segundo Laîné, o 3 de agosto foi "o dia em que a desordem foi levada mais longe", embora sem derramamento de sangue. A salvação da junta devera-se à hesitação dos cabeças e ao desapontamento da populaça, impedida de pilhar o Recife. A tropa recolheu-se aos quartéis, ao que se disse subornada, ou graças ao que Gervásio estimava "um feliz resto de respeito".[70] Como o triunfo de Menezes, o de Gama ficara pela metade.

Mas Gervásio ainda dispunha de apoio. De outra maneira, não se poderia compreender que o Grande Conselho de 8 de agosto aprovasse medidas enérgicas contra os unitários. Devido à renúncia do governador das armas português, o comando foi subordinado ao governo civil, soltando-se os presos civis e abrindo-se devassa sobre o ocorrido. Barros Falcão foi despachado a serviço para Goiana. A junta ainda tentou atrair as camadas populares, criando companhias de pretos (os Monta-brechas) e de pardos (os Bravos da Pátria), mas, havendo concluído que perdera a parada, solicitou demissão a d. Pedro, por não poder contar com a tropa para controlar a agitação estimulada por agentes do Rio, decisão que, aliás, não se compaginava com a tese unitária de que Gervásio preparava-se para proclamar o regime republicano. Nos seus últimos dias, a junta caminhava aos trancos e barrancos; e, por isso mesmo, muitos dos seus partidários mostravam-se mais radicais do que nunca, fazendo praça de republicanismo ou atacando o regente e a Constituinte, a qual, na definição de um pregador exaltado, não passava de "um alçapão para apanhar os pernambucanos".[71]

No Rio, os emissários da junta haviam sido acolhidos com festejos comemorativos do que se pretendia ser a adesão de Pernambuco. Terminada a audiência com d. Pedro, este assomara a uma das janelas do paço da cidade gritando à multidão "Pernambuco é nosso", o que estava longe de corresponder à alocução que Felipe Néri Ferreira acabara de proferir, na qual limitara-se a ressaltar a circunstância de que, devido ao conflito de opiniões na província, a junta, absorvida na conservação da ordem pública, tivera de retardar o cumprimento do dever de *reiterar* seus "protestos de obediência", os quais, entenda-se, já havendo sido feitos quando da ascensão de d. Pedro à Regência, dirigiam-se agora a cumprimentá-lo pelo Fico. Menezes queixar-se-á de que a missão fora anulada pelo discurso "pálido, irresoluto e sem vigor" de Felipe Néri, o qual felizmente passara despercebido em meio ao júbilo popular. Outra fonte reconhece a decepção do regente e de José Bonifácio, que, porém, nada deixaram transparecer. Comunicando o acontecimento a d. João VI, afirmava o príncipe que Pernambuco o reconhecera "sem restrição alguma no Poder Executivo", o que era patentemente falso. Não se dando por achada, a corte armara uma farsa destinada a enganar a população fluminense.[72]

Nos contatos mantidos no Rio, Felipe Néri obteve do ministro da Guerra, Luís Pereira da Nóbrega, autorização para que a junta resolvesse o assunto da promoção dos goianistas, o que equivalia a dar-lhe poderes para retaliar contra os oficiais unitários. Menezes perceberá a armadilha, conseguindo anular a decisão, altura em que Felipe Néri já retornara ao Recife. Ademais, Nóbrega, único liberal fluminense no ministério, de que será em breve demitido, atraiu Felipe Néri para seu grupo, associando-o ao Grande Oriente, que o nomeou delegado em Pernambuco. Em face dos protestos de sinceridade constitucional do projeto em curso no Rio, Felipe Néri prometeu conseguir o apoio da junta; e o regente o premiará em breve com a Ordem de Cristo. De regresso, Felipe Néri trazia os manifestos de 1º e 5 de agosto, aos brasileiros e às potências estrangeiras, bem como o decreto proibindo o desembarque de contingentes portugueses.[73]

Na segunda quinzena de agosto, Gervásio entregou os pontos. O regresso de Felipe Néri coincidiu com a notícia da rejeição pelas Cortes do parecer de 18 de março. Como assinalou Valentim Alexandre, os integracionistas, "embora impotente[s] para impor no Congresso as suas teses, detinha[m] ainda nos bastidores da Assembleia e, em geral, nos centros de poder do sistema, a influência suficiente para travar a aplicação de uma política alternativa". Ao contrário de Manuel de Carvalho em 1824, Gervásio não podia ou não queria jogar a carta republicana, o que facilitou a missão de que Felipe Néri se encarregara no Rio. A 26 de agosto, a junta aderiu finalmente à separação do Brasil sob um regime monárquico-constitucional, proclamando que o "sistema continental é só o que nos convém". Perdida a esperança de que o liberalismo lusitano abrisse "áurea porta" à "apetecida liberdade", eis que se definiam enfim "os nossos venturosos destinos" mediante a Constituinte oferecida pelo "herói brasiliense", d. Pedro. Se a junta não se expressara até então com mais clareza, fora por acreditar que "o grande gênio tutelar do Brasil" ainda conseguiria abrir os olhos das Cortes.[74]

A junta informou d. João VI da reação do povo e tropa do Recife à intransigência do Soberano Congresso, mas ao romper com as Cortes preservava a relação com o monarca, solicitando que doravante suas ordens fossem transmitidas através do regente. A este, Gervásio justificou sua política em termos dignos.

Desvanecidas pelas sugestões de um partido ambicioso, as lisonjeiras esperanças de formar com seus irmãos de Portugal uma só família política, ainda que pelo Atlântico 2 mil léguas separada, este povo brioso conhecia bem os deveres da honra e os seus interesses para deixar de fazer, à vista de tal procedimento, causa comum com seus irmãos do Sul. Se na nossa prudência, senhor, havíamos notado o estilo acrimonioso dos nossos irmãos paulistas e o prematuro da marcha da Câmara dessa [cidade do Rio], entretanto que os nossos deputados discutiam as bases em que devia firmar-se a nossa união com Portugal; se na nossa franqueza estranhamos a marcha da mesma Câmara e dos ministros de vossa alteza real quando se dirigiram por outras veredas aos povos desta província, sem intervenção deste governo, que só lhes podia dar o impulso necessário ao bom andamento e harmonia dos negócios públicos; se no cioso zelo pela nossa liberdade e sobretudo na confiança dos sentimentos liberais de vossa alteza real dirigimos a vossa alteza real nossas respeitosas reflexões sobre os decretos de 16 de fevereiro e 3 de junho, direito aliás de que jamais nos despojaremos, não receávamos, contudo, que homem algum pudesse duvidar dos nossos sentimentos de amor e fidelidade para com vossa alteza real e de adesão à causa da liberdade do Brasil, como alguns desgraçados para se fazerem valer procuraram inculcar. Assaz cara tinha sido para este povo a lição de 1817 e de longo tempo conhecíamos a necessidade da união das províncias do Brasil entre si para melhor sustentarem os seus direitos e de termos a vossa alteza real entre nós como único centro desta união para que fosse preciso tão graciosas e terminantes ordens de vossa alteza real para nossa cooperação, logo que as circunstâncias o exigissem à grande obra da independência do Brasil.[75]

Mas o ressentimento gervasista continuou vivo. O *Segarrega*, por exemplo, frisava que só a partir da proclamação de 26 a província podia considerar-se associada ao Rio. A recomendação do regente no sentido de auxiliar-se a expedição do general Labatut em defesa da Bahia só foi implementada com a audiência de um Grande Conselho, que acatou a proposta de Gervásio de limitar a ajuda ao envio de víveres e de modesto contingente de soldados. A junta achara-se em posição delicada, pois, se desse apoio substancial, exporia a província ao ataque lusitano, e se negasse, seria acusada de falta de solidariedade com a causa da Independência. Por outro lado, Gervásio recusou-se a executar a decisão do ministro da Fazenda para que os estoques de pau-brasil fossem doravante mandados para o Rio, a fim de servir à amortização da dívida do Banco do Brasil, o que equivalia a fazer recair sobre Pernambuco, como grande exportador da madeira, os ônus de uma dívida para a qual não concorrera.[76]

A delegação concedida à junta para resolver a questão das promoções fazia pairar uma ameaça sobre os oficiais que se haviam distinguido pelo ardor unitário, ao mesmo tempo que sinalizava a aproximação do gervasismo com o Rio. Gama e seus aliados trataram, portanto, de atalhar a possibilidade de que Gervásio continuasse no poder, sustentando que a anunciada adesão não representara uma conversão sincera, mas apenas a tentativa de prosseguir, por outros meios, na política de obstruir a autoridade de d. Pedro. Era perigoso, por conseguinte, esperar pela resposta da corte ao pedido de demissão que lhe encaminhara Gervásio, pedido que poderia ser recusado. No Rio, o Grande Oriente fizera mea-culpa sobre a coação empregada para conseguir o apoio de Pernambuco, insistindo por que, doravante, ele fosse alcançado pelo consentimento espontâneo; e como ainda duvidasse ou da sinceridade de Felipe Néri ou da sua capacidade de persuasão, resolveu despachar como emissário o capitão João Mendes Viana, que devia também comunicar o plano de aclamação imperial, esclarecendo as dúvidas que surgissem. Mas dessa vez Mendes Viana não completou a viagem.[77]

A queda de braço prolongou-se até meados de setembro, envenenada por uma querela doutrinária. Havendo *O Maribondo* investido contra o republicanismo, o padre Venâncio Henriques de Rezende, um próximo de Gervásio, publicou uma réplica que definia o sistema republicano na acepção lata de regime baseado na lei e no bem comum, em contraposição aos sistemas fundados na força e no interesse particular. Destarte, ele se coadunaria tanto com a república estrito senso quanto com a monarquia representativa. Mas no empolgamento da polêmica, Venâncio derrapou na afirmação de que "mais ignorante e brutal" que os brasileiros eram os romanos ao abolirem a monarquia e estabelecerem a república; e de que o regime norte-americano provara superioridade sobre todos os outros. Venâncio atacara igualmente a tese favorável à preponderância do Executivo na elaboração legislativa, o que faria da Constituinte "uma oficina de serralheiros onde se fabriquem ferros para o Brasil". Segundo os unitários, tratava-se de um sofisma: republicano era apenas quem preferia o governo democrático existente nos Estados Unidos. Utilizar o vocábulo em diferente sentido só visaria a enganar o povo, no propósito de "formar-se da nossa província um estado independente, governado por uma república".[78]

Observou Frei Caneca que "uma das maiores dificuldades que jamais intriguistas têm encontrado foi a deposição da primeira junta". O autor de um necrológio de Gama pretenderá que o irmão, Joaquim Fernandes Gama, que era também seu sogro, fornecera-lhe os recursos para subornar a tropa; e Gama se queixará de que seus parentes haviam ficado endividados a ponto de ser "preciso vender engenhos, casas, chácaras e tudo quanto havia de valor, para satisfazerem as despesas", sem receberem qualquer recompensa de d. Pedro. Ele estimava esses gastos em doze contos. Para acicatar os oficiais goianistas, indignados com a autorização obtida por Felipe Néri, divulgou-se matéria de gazeta do Rio com críticas de Gervásio, em ofícios a d. João VI e ao regente, aos corpos que haviam promovido o 1º de junho.[79] Gama contou sobretudo com Pedro da Silva Pedroso, recém-chegado do Reino e que em 1817 chefiara o levante do regimento de artilharia.

Naquela ocasião, posando de republicano puro e duro, Pedroso intimidara os partidários de negociações com o Rio e ordenara a execução sumária de soldados, sem conhecimento do governo civil. Não se podendo valer da anistia de 1821, pois o seu fora crime de sangue, a junta baiana enviara-o a Lisboa. As Cortes indultaram-no, reintegrando-o ao serviço militar com uma rapidez suspeita. De volta ao Recife, Pedroso declarara não querer "saber do Rio de Janeiro", chamara o regente de "moço tresloucado" e de "traidor a seu pai", afirmando existirem em Portugal "muito boas intenções sobre o Brasil", o que gerou a desconfiança de que se comprometera no Reino a impedir a adesão de Pernambuco a d. Pedro e a facilitar o desembarque da expedição portuguesa. Ressentido com a recusa de Gervásio em dar-lhe o comando das armas, Pedroso foi aliciado por Gama. Coincidência favorável, ele viera encontrar seus antigos subordinados do corpo de artilharia, que, como vimos, haviam regressado na mesma embarcação que trouxera o desembargador.[80]

Desgastada, a junta desistiu de esperar a resposta do regente, oficiando ao colégio de eleitores reunido em Olinda para escolher os deputados à Constituinte, composto de duas Assembleias, uma para a Mata Norte, e outra para a Mata Sul, ao passo que os delegados das comarcas do Sertão (Pajeú e Rio de São Francisco) reuniram-se in loco. Escusando-se o colégio, por julgar-se incompetente, o desfecho sobreveio tão logo zarparam os barcos com o auxílio a Labatut. A 16 de setembro, Pedroso fez-se aclamar governador das armas e, à frente de uma deputação da tropa e povo, dissolveu a junta, enviando emissários a Olinda a fim de expor as razões da medida, que seria da vontade do regente, e de solicitar a formação de outra junta. O colégio eleitoral e a Câmara de Olinda recusaram-se a endossá-la, mas a Câmara do Recife acedeu em organizar governo temporário, embora declarasse depois haver sido coagida. O goianista Paula Gomes foi escolhido presidente com cinco outros unitários, além de Felipe Néri, que não aceitou. Enquanto Gervásio refugiava-se em navio inglês,[81] Felipe Néri e colegas deslocaram-se a Olinda, no fito de articular a resistência armada. Mas, à frente da cavalaria, Pedroso surpreendeu a cidade pela retaguarda e prendeu os cabeças gervasistas. Embora Frei Caneca alegue que os Gama haviam pretendido aclamar uma junta permanente, não temporária, como veio a ocorrer, o desembargador, consciente da ilegalidade ou na expectativa de ocupar a presidência na subsequente eleição, reivindicará o mérito de haver feito pender a balança em favor da segunda solução.[82]

O colégio de eleitores dispôs-se finalmente (22.9.1822) a eleger junta permanente, mas para os Gama o tiro saiu pela culatra. A maioria, senhores rurais da Mata ou seus lavradores, embora não tivessem demonstrado entusiasmo pela política de Gervásio, temiam Pedroso mais que tudo. Os Gama tampouco haviam logrado somar o espectro unitário, ao hostilizarem abertamente o ministério José Bonifácio. Um primo, o padre Lopes

Gama, foi dos que consideraram a deposição de Gervásio um erro político, embora criticasse sua atitude de excessiva reserva para com o Rio. Outro unitário, Manuel Clemente Cavalcanti, acusará Gama de haver semeado intencionalmente a discórdia.

> O ódio que se tinha aos procedimentos do Congresso português e a ambição em que estávamos por aderir à causa das províncias do Sul, fez que pessoas de juízo pouco seguro cressem de leve quanto ele dizia. Nós mesmo tivemos por muitas vezes ocasião de o ouvirmos e protestamos que a sua linguagem era sanguinária e criminosa quando versava sobre o governo da província, insinuava que o governo devia ser deposto e que qualquer podia assassinar a Gervásio Pires, que devia ser considerado como banido. A mocidade inexperta lhe dava ouvidos e breve estava a chegar o momento de consumar o seu plano.

Para tais unitários, o desembargador fora um verdadeiro estorvo ao progresso da causa.[83]

Gama foi eleito para a Constituinte, com número reduzido de votos, e seus parentes e aderentes foram alijados do que ficará conhecido como o "governo dos matutos". Mas ele ainda marcaria um último tento contra os gervasistas. Quando ainda ignorava-se no Rio a deposição de Gervásio, o regente atendera à sugestão de Gama para que agradecesse publicamente à tropa, em especial aos batalhões de pardos e pretos (a gente "a mais humilde e a mais fiel que havia em Pernambuco"), pelo movimento de 3 de agosto, que fizera executar o decreto de convocação da Assembleia Geral. D. Pedro ia mais longe, prometendo sustentá-los em tudo quanto tendesse a consolidar a união das províncias e a Independência.[84] O 16 de setembro ficara assim automaticamente endossado pela carta branca dada à indisciplina militar, que doravante justificar-se-á com as palavras do príncipe.

Tendo perdido o governo provincial e carecendo de apoio na Zona da Mata, os gervasistas não conseguiram maioria nas eleições à Constituinte. Em treze deputados, dos quais dez sacerdotes e magistrados, apenas quatro haviam participado de Dezessete, sendo na maioria indivíduos de posições indefinidas e até corcundas. Mesmo revolucionários de 1817, como Muniz Tavares e Venâncio Henriques de Rezende, estavam abandonando ou revendo suas convicções. Os que não haviam mudado, como Francisco de Carvalho Pais de Andrade, preferiram não assumir, antevendo a impossibilidade de fazer vingar suas ideias.[85] No âmbito provincial como no nacional, os gervasistas sofriam as consequências da cisão que o processo emancipador aprofundara a partir de 1822, ao oferecer a alternativa monárquico-constitucional inexistente cinco anos antes. Quando a centralização imperial se impuser no Segundo Reinado, far-se-á justiça póstuma à política de Gervásio. Em 1865, o *Diário de Pernambuco*, porta-voz da praça do Recife, após lamentar que ao emancipacionismo fluminense houvesse faltado prévio "concerto geral" e que a província se tivesse deixado levar por "um nobre mas ingênuo entusiasmo", relembrava que

no meio do geral assentimento dos corações brasileiros, um houve, nesta província, que suscitou dúvidas: foi Gervásio Pires Ferreira. Conhecedor profundo dos nossos instintos e apreciador das nossas circunstâncias locais, ele aceitava a ideia da independência nacional, mas, enquanto à nossa união com o Rio, ele opunha sisudas ponderações, demonstrando que nos cumpria estabelecer condições. Por fim, cedeu ao voto geral e anuiu ao pensamento da independência pura e simplesmente. Pernambuco aderiu ao brado do Ipiranga e fez causa comum com as suas irmãs do Sul e do Norte. Quando hoje refletimos sobre a ideia de Gervásio Pires, que então pareceu uma excentricidade, se não falta de patriotismo, reconhecemos que o patriota pernambucano via longe. Ele calculava que o Rio de Janeiro, assumindo todo o poder, não nos daria aquela importância a que temos jus.[86]

A obra do artista pernambucano Cícero Dias (1907-2003), em homenagem a Frei Caneca, representa as diversas fases da vida do revolucionário. O painel detalha a participação na Revolução de 1817 e na Confederação do Equador em 1824. O respeito da população pernambucana por Frei Caneca também aparece na

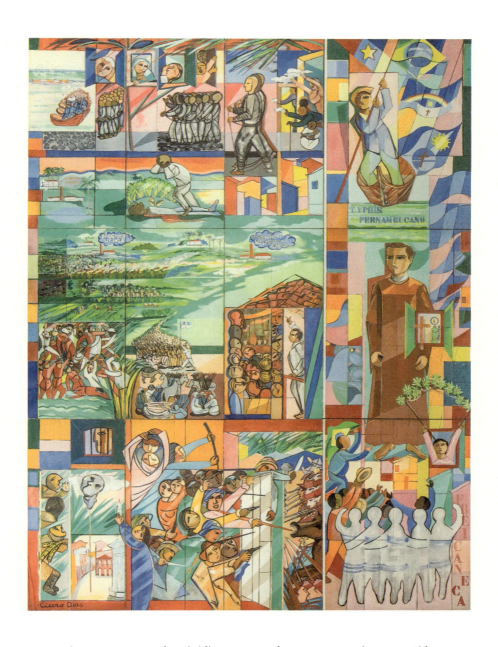

obra, como no caso do episódio em que nenhum carrasco aceitou executá-lo. Encontra-se ainda nos detalhes do painel a batalha do engenho Utinga e a imagem do canoeiro — uma espécie de embarcação comum no período e que inspirou o título do jornal *Typhis* [o piloto] *Pernambucano*. Na página ao lado ainda é possível ver Frei Caneca menino, brincando com a água dos rios e do mar, sobre o Recife.

Embarque da família real e da corte portuguesa para o Brasil em 1807 — a presença da Coroa no Rio de Janeiro contribuiu para a diminuição da autonomia e influência das elites locais. Na página ao lado, desenho retratando Frei Caneca (acima) e detalhe de obra do artista pernambucano Murillo la Greca (1899-1985), com destaque para a postura do revolucionário no momento de sua execução.

De autoria do pintor Antônio Parreiras (1860-1937), a cena do julgamento de Frei Caneca, acusado, entre outros crimes, de ser "declamador" e "capitão de guerrilhas".

O líder revolucionário Domingos José Martins.
Entusiasta de ideias republicanas, entrou para a história e
foi incluído, em 2011, no *Livro dos heróis da pátria*.

PRECISO dos sucessos, que tiveraõ lugar em PERNAMBUCO, desde a faustissima e gloriozissima Revoluçaõ operada felismente na Praça do Recife, aos seis do corrente Mez de Março, em que o generozo exforço de nossos bravos PATRIOTAS exterminou daquella parte do BRAZIL o monstro infernal da tirania real.

DEPOIS de tanto abuzar da nossa paciencia por hum sistema de administração combinado acinte para sustentar as vaidades de huma Corte insolente sobre toda a sorte de oppressaõ de nossos legitimos direitos, restava calumniar agora a nossa honra com o negro labéo de traidores aos nossos mesmos Amigos, Parentes, e Compatriotas naturaes de Portugal; e era por ventura a derradeira peça, que faltava de se por a machina da politica do insidioso Governo extincto de Pernambuco.

Começou o perfido por illaquiar a nossa singeleza, proclamando publicamente a cinco deste mez, que era amigo sincero dos Pernambucanos, que tinha repartido o seu coraçaõ com elles, escrevendo estes enganos com a mesma penna, com que acabava de encher no segredo do seu gabinete listas de proscriptos, que tinha de entregar nas maõs do algoz, Brazileiros de todas as classes, a mocidade de mais espirito do paiz, os officiaes mais bravos das tropas pagas, em huma palavra os filhos da Patria de maior esperança, e mais distincto merecimento pessoal.

AMANHECEO em fim o dia seis, em que as enchovias haviaõ de ser atulhadas de tantos Patriotas honrados, e suas familias alagadas de dôr, e de lagrimas: convoca o maldito hum conselho de officiaes de guerra, todos invejosos da nossa gloria, e depois de ter assignado com elles a atroz condemnaçaõ das quellas innocentes victimas, despacha dali mesmo os que lhe pareceraõ mais capazes de lhe dar execução. Huns correm aos quarteis militares, outros a cazas particulares; fervem prizoens por toda a parte, e ja as cadeas começaõ de se abrir para hir engolindo hum por hum dos nossos bons Compatriotas.

Aqui porem mostraraõ os nossos, como tinhaõ capacidade para saber conhecer, que a disobediencia tem todo o preço de heroismo em certos cazos, e he quando com ella se salva a cauza da Patria. Hum bravo Capitaõ deo o sinal do dever de todos, fazendo descer aos Infernos o principal agente da injustissima execuçaõ; correo-se as armas, e poucas horas daquelle mesmo dia foraõ todo o tempo de começar, e acabar taõ ditoza revoluçaõ, que paraõ pareceo festejo de paz, que tumulto de guerra, sinal evidente de ter sido toda obra da Providencia, e beneficio da bençaõ do todo Poderoso.

O Ex General tinha-se recolhido a fortaleza do Brum, e como vio suppunha achar huma praça de defeza, achou a prizaõ de sua pessoa, e dos seus. Recorreo a proposiçoens pacificas, que acabaraõ n'hum conclusum, com que foi obrigado a conformar-se no dia sete, pellas seis horas da manhan.

Desde logo foi restabelecida toda a ordem publica, naõ se ouviraõ mais outras vozes, que de acclamaçoens geraes dignas do dia, em que hum immenso povo entrava na posse de seus legitimos direitos sociaes. Foi consequencia disto naõ ter havido até agora se quer hum só disturbio, nem motivo qualquer de queixa.

A orto se installou o Governo Provizorio composto de cinco Patriotas, tirados das differentes classes; o qual Governo tem sido sempre permanente em suas sessoens. O seu primeiro cuidado foi disabusar os nossos Compatriotas de Portugal dos medos, e desconfianças, com que os tinhaõ inquietado os partidistas da tyrannia, recebendo a todos com abraços, e osculos, segurando as suas familias, pessoas, e propriedades de toda a sorte de injurias, fazendo-os continuar em seu commercio, trafegos, e occupaçoens com maior liberdade, que d'antes, proclamando em fim por hum bando os sentimentos do Governo, e do Povo, e naõ haver mais daqui por diante differença entre nós Brazileiros e Europeos, mas de verem todos ser tidos em conta de huma só, e unica familia com igual direito a huma herança, que he a prosperidade geral de toda esta Provincia.

A nove, tudo se achava no mesmo espirito de concordia, e pacificaçaõ geral, sem o povo se ressentir de outra novidade, que das bondades do Governo todo applicado a promover a segurança interior, e exterior por medidas acertadas buscando esclarecer a sua marcha com dividir as materias de maior importancia por comités compostos das pessoas de maior capacidade conhecida para cada huma dellas, com que tem obtido ao mesmo tempo popularizar as suas deliberaçoens o mais possivel.

NAQUELLE mesmo dia o Governo foi permanente até a meia noite para continuar diversos despachos, que hoje appareceraõ, sendo dos mais importantes fazer entrar os Funccionarios publicos nas suas occupaçoens como d'antes, sem obrigar ninguem do seu officio, proscrever as formulas de tratamento até agora uzadas, sem admittir nenhuma outra, que a de -VOS-mesmo com elle Governo, abolir certos impostos modernos de manifesta injustiça, e oppressaõ para o Povo sem vantagem nenhuma da Naçaõ, &c. E tal he o nosso estado politico, e civil até hoje 10 de Março de 1817.

VIVA A PATRIA.
Vivaõ os **PATRIOTAS**, e acabe para sempre a tirania real.

O "Preciso" foi o primeiro documento impresso na província de Pernambuco, em 10 de março de 1817, a mando do governo provisório formado pelo comerciante Domingos José Martins, pelo advogado José Luís de Mendonça, pelo capitão Domingos Teotônio Jorge, pelo padre João Ribeiro e pelo fazendeiro Manoel Correia de Araújo, signatários da versão manuscrita (página ao lado).

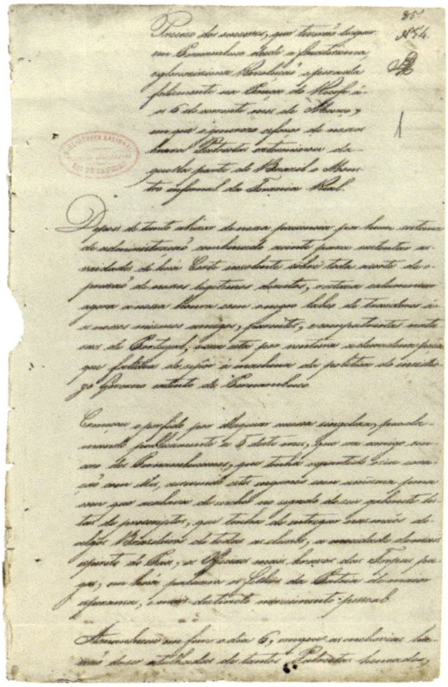

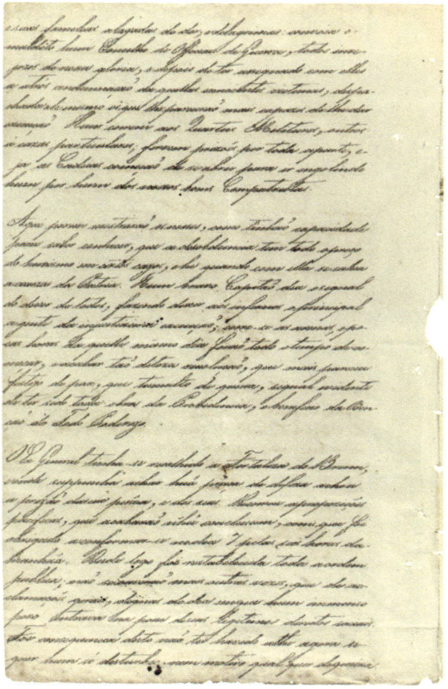

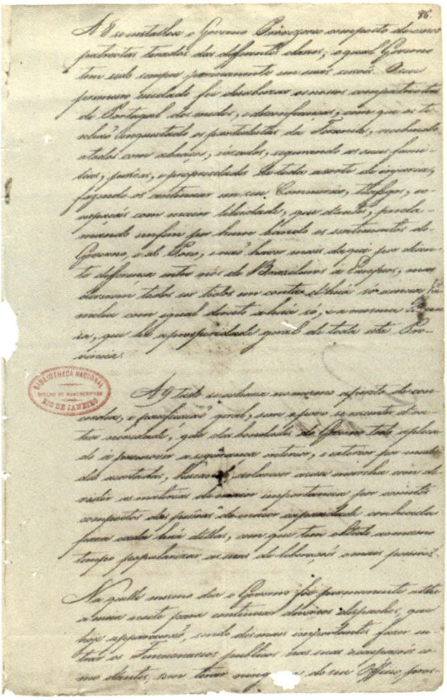

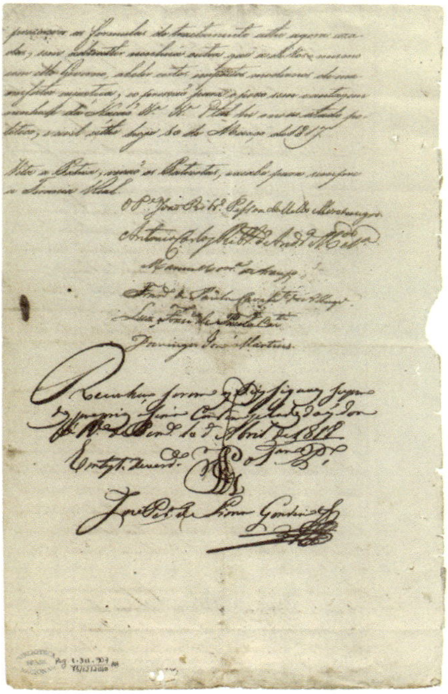

Acima, a bandeira da Revolução de 1817, desenhada pelo padre João Ribeiro com auxílio do pintor fluminense Antônio Alves. Abaixo, o quartel do regimento de artilharia, onde o capitão José de Barros Lima — conhecido como Leão Coroado — não acatou a voz de prisão, assassinou seu superior e, junto dos demais rebeldes, tomou o quartel para dar início à Revolução de 1817.

A tela *Bênção das bandeiras da Revolução de 1817*, de Antônio Parreiras, retrata o momento em que a bandeira da revolução foi apresentada e abençoada publicamente pelo cônego Bernardo Luís Ferreira Portugal (de vestes brancas, ao centro), da diocese de Olinda.

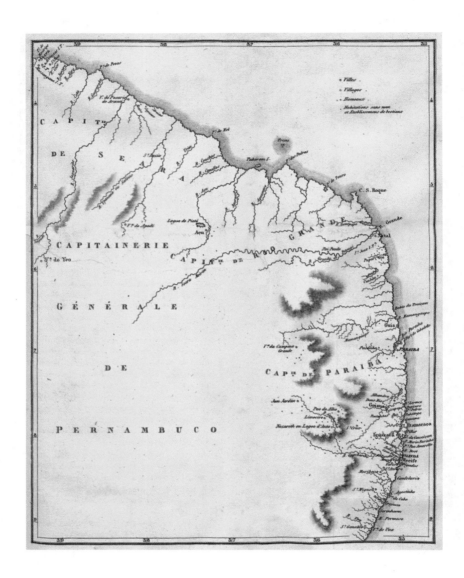

Desenhado pelo inglês Henry Koster, entre 1809 e 1815, durante viagem pelas chamadas "Províncias do Norte", o mapa mostra a extensão territorial da província de Pernambuco, bem como suas ligações com o Rio Grande do Norte e a Paraíba — que aderiram à Revolução poucos anos após 1817.

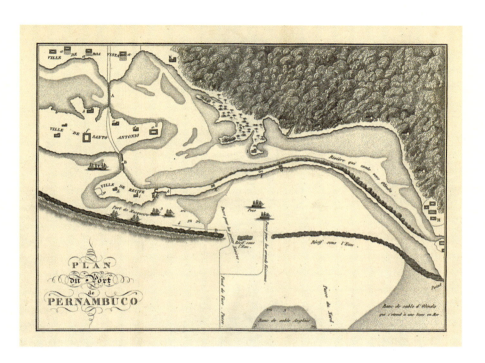

Entre os mapas desenhados por Henry Koster, encontram-se registros da cidade de Recife à época da revolução. Nesta página, o mapa do porto de Pernambuco, com explicações detalhadas para ingresso na província.

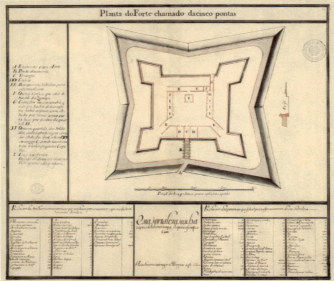

Acima, o mapa do plano do porto e praça de Pernambuco mostra os detalhes do Recife no período pré-revolucionário e a importância da cidade para o Império. Abaixo, a planta do forte das Cinco Pontas, local em que, no dia 13 de janeiro de 1825, Frei Caneca foi fuzilado a tiros de arcabuz.

Datada de 1846, a cartografia de Conrado Jacob de Niemeyer (1788-1862) apresenta a divisão territorial do Império do Brasil. Um dos destaques fica com a província de Pernambuco e o detalhe da planta da cidade do Recife.

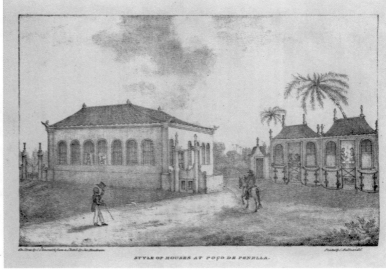

Caetano Pinto era o governador da capitania de Pernambuco à época da Revolução de 1817. Abaixo, a Casa do Poço da Panela, onde os líderes revolucionários se reuniam durante o governo provisório.

Revolução documentada: primeiro decreto do governo provisório (acima, à esq.); decreto que dispunha sobre a liberdade de ir e vir dos habitantes da província e instaurava o bloqueio de bens dos vassalos do governo português (acima, à dir.); documento com a lista dos revolucionários presos e conduzidos em direção à Bahia (abaixo, à esq.); primeira página da defesa de Frei Caneca e José Maria Braine (abaixo, à dir.).

Aurora pernambucana, primeiro jornal da província de Pernambuco. Abaixo, a junta de Goiana — formada por membros da elite, militares e o clero —, cujo objetivo era aderir à política das Cortes Constitucionais Portuguesas e expulsar o governador monarquista Luís do Rego Barreto.

Gervásio Pires Ferreira, um dos líderes políticos da província de Pernambuco, foi eleito presidente do governo em 18 de setembro de 1821, inaugurando o período daquela que ficaria conhecida como junta de Gervásio. Abaixo, edições de novembro de 1822 do *Segarrega*, segundo jornal a circular na cidade do Recife e que defendia a autonomia política da província.

O panorama da cidade do Recife, por Friedrich Salathé (1793-1860).
Abaixo, mapa com detalhes sobre as regiões da Mata Norte
e da Mata Sul, onde ocorreram diversos conflitos.

A viajante inglesa Maria Graham durante uma de suas passagens pela província de Pernambuco, retratada em frente à Casa Pequena. Os registros contidos em seu diário de viagem (*Journal of a Voyage to Brazil, 1824*) tornaram-se fonte histórica sobre o período revolucionário em Pernambuco.

Acima, registros de ofícios do governo da junta provisória, de 1821. Abaixo, trechos da carta de um morador da província de Pernambuco, relatando o momento da insurreição comandada pelo capitão Pedro da Silva Pedroso. O levante sob sua liderança ficou conhecido como Pedrosada.

O jornal *Sentinela da Liberdade* foi um dos principais periódicos que circularam, à época, na província de Pernambuco e arredores. Abaixo, fac-símile da primeira edição do *Typhis Pernambucano*, periódico redigido por Frei Caneca.

Manuel de Carvalho (acima) participou da Revolução de 1817 e refugiou-se nos Estados Unidos. De volta a Pernambuco, tornou-se o principal líder da Confederação do Equador, em 1824. Abaixo, Natividade Saldanha, homem negro e erudito, foi eleito secretário do governo da Confederação do Equador.

Esta he a ocaziaõ o Pernambucanos.
De mostrar que somos livres, somos fortes
Milhor he pella Patria sofrer mil mortes
Que ser escravos de Despotas Tiranos

Basta de ferros sofrer basta de enganos
Vinguemos a Patria unemos as sortes
Porca se fazendas, vidas e consortes
Morrão os Despotas fiquemos ufanos

Temos Bahia, Ceará e Maranhão
Que podemos dispor a nossa vontade
Quebre, se do Soberano o cruel grilhão

Estingua-se do Brazil a Megestade
Basta de Cervelismo, basta de opressão
Viva a Republica, viva a liberdade

Panfletos distribuídos aos envolvidos na Confederação do Equador: melhor "sofrer mil mortes" do que ser "escravos de déspotas tiranos".

Ata da reunião de 7 de abril de 1824, feita pelo Grande Conselho que ocupava a província de Pernambuco. Quase dois meses mais tarde, no dia 2 de julho de 1824, irrompeu a Confederação do Equador.

Sob ordens expressas de d. Pedro I para reprimir a Confederação do Equador, tropas imperiais atacaram as forças confederadas baseadas no Recife. A cena (*Passagem da ponte dos afogados*) retrata um dos momentos do ataque realizado pelo exército imperial.

QUERIDAS COMPATRIOTAS CACHOEIRENSES.

Remettendo-vos hum exemplar de cada impresso que tem apparecido nesta Villa, chamamos sua particularmente a vossa attenção a Proclamação assignada por —. Hum amigo imparcial da Justiça, e inimigo implacavel de Tiranos —; pois que ella discorre ao vivo a sorte que nos espera, se deixando de fazer um digno uso do ascendente, que a natureza, e a vibrar nos dia sobre o coração dos homens, na qualidade de Mâys, d'Espozas, e de amantes, não inflamar-mos seus animos no santo amor da Patria, e da Liberdade, infundindo-os para energias, e desandudamente os defenderemos, e repellirem com as Armas, se tanto for preciso, os ataques da opressão, e do despotismo.

O Imperador que soube de tal arte iludir-nos, que chegamos a adoralo como Fundador, e Defensor da liberdade, e independencia do Brazil, traindo nosso confiansa, e ingrata e toda quanto em seu favor temos feito, tirou finalmente a mascara hypocrita com que se disfarçava, e fez ver em toda a claridade, que se nos embahia com a Independencia, hera para mais facilmente nos adormecer sobre as suas verdadeiras intensões de nos escravisar, disfamandonos por aquella palavra magica, que de tão grande fanatismo enchero nossas cabeças. A dissolução da Augusta Assemblêa Nacional a força de artilheria, e baionetas, e a prizão do nosso immortal Compatriota o Snr. Barata, são attentados de tal ordem, que nenhuma duvida deixão que, aquelle que se atreveo a cometelos, nenhum outro constará. Todos os seus actos posteriores o confirmão, e tendem ao mesmo fim, o de escravizar-nos.

Os Homens que tem escolhido para Presidentes das Provincias taes como por exemplo nessa Francisco Vicente Viana, o desta o Morgado de Cabo, são publicamente reconhecidos por servis estupidos, perdidos de reputação, e de divida, ou Aristocratas ambiciosos, e egoistas mercenarios, que só aspirão pela sua cega submissão as ordens da Corte, a restabelecer suas estragadas fortunas, e obter titulos tóros, e Comendas. Queridas Compatriotas; poderamos acrescentar um sem numero de reflexões sobre os projectos do Imperador, e sobre a situação de nossa Patria; mas além de receiarmos abusar da vossa paciencia, estamos certas de que ellas vos não escaparão. Alguma poderá tachar-nos do nos entremetermos em politica, por ser materia alheia do nosso sexo; a isto respondemos, que o amor à Patria tem nelle produzido actos de heroismo tars, que os homens o não pod-rão nunca ignorar as nossas cabidoncs. Demais não somos nós mais e espozas? E queremos sexolo nós mais e cozinhas de escravos? Mostremos, queridas Compatriotas, que as Brazileiras discrepando de objetos frivolos, e ridiculos, em que em geral occupão a attenção do nosso sexo, não são sensiveis senão á honra, e virtude, e que glorios de concorreram para a liberdade, e salvação da Patria, pelas quais não duvidão arriscar as proprias vidas, preferindo a morte á escravidão. Goyana 10 de Fevereiro de 1824.

Ao Patriota Goyanense.

Na Typografia particular do Gabinete Patriotico de Goyana.

PROCLAMAÇÃO.

Habitantes das Provincias do Norte do Brasil! A Providencia, que vela constantemente sobre a nossa felicidade, cōntinúa a encaminhar tudo, para que mais facilmente possamos consegui-la. Não satisfeito S. M. I. C. de ter despotica, e atrevidamente dissolvido a Soberana Assembléa Constituinte e Legislativa do Brazil; de ter atacado desta sorte a Soberania Nacional em as Augustas Pesoas de seus Representantes, procurando assim dividir-nos, e animando o Rei de Portugal para vir attacar os nossos lares; depois de nos aver exposto a uma guerra injusta, e iniqua, bem que estejamos certos da vitoria; agora, Brazileiros! Quem tal pensara! Agora que nos ve expostos as baionetas, e canhoens Portuguezes, S. M. I. C. manda reunir todas as suas forças a Capital, a fim de defender somente a sua Pesoa, e dezempara aqueles mesmos, que o elevarão ao Trono, e que lhe puzerão na cabeça a Crôa Imperial. Brazileiros! O Imperador dezemparou-nos; e que nos resta agora! Unamo-nos para salvação nossa, estabelecamos um Governo Supremo, verdadeiramente Constitucional, que se encarregue de nossa mutua defeza, e salvação. Brazileiros! Unamonos, e seremos invenciveis. Palacio do Governo de Pernambuco 2 de Julho de 1824.

Manoel de Carvalho Paes d'Andrade,
PRESIDENTE.

Na Typ. Nacional.

Na página ao lado, o manifesto político "Queridas compatriotas cachoeirenses" redigido por mulheres do grupo que se denominava parte do "gabinete patriótico de Goyana". O documento expressa a revolta contra o imperador e convoca as mulheres da Bahia a lutar pela liberdade. Abaixo, a "Proclamação" feita por Manuel de Carvalho, convocando as províncias do Norte do Brasil a se unirem à Confederação do Equador.

Nesta página, fragmento de um dos manifestos de Carvalho para as províncias do Norte: "Só nos restam dois meios", escreve Carvalho, "a liberdade constitucional e honrosa, escravidão ou morte vergonhosa e vil. Escolhei".

3.
O governo dos matutos

(setembro de 1822-dezembro de 1823)

A junta de Gervásio fora exclusivamente recifense, mas a sucessora, "o governo dos matutos", compunha-se apenas de senhores de engenho, descomprometidos com os gervasistas ou com os unitários, exceção de Paula Gomes e do secretário José Mariano, que haviam participado da derrubada do gervasismo. A par de três representantes da Mata Norte (Manuel Inácio Bezerra de Melo, João Nepomuceno Carneiro da Cunha e Francisco de Paula Gomes dos Santos), elegeram-se outros três da Mata Sul, o presidente Afonso de Albuquerque Maranhão, Francisco Pais Barreto, morgado do Cabo e futuro marquês do Recife, e Francisco de Paula Cavalcanti de Albuquerque, futuro visconde de Suassuna.[1] Gomes dos Santos e Bezerra de Melo haviam sido figuras de relevo no movimento de Goiana. Suassuna era o primogênito do coronel Suassuna, tendo participado de Dezessete com o pai e um irmão. Pais Barreto, já o sabemos, era também um ex-revolucionário que, após haver conhecido as masmorras baianas, fora escolhido para chefiar o levante constitucionalista em Pernambuco, sendo preso pelo governador Luís do Rego e remetido a Lisboa. De Dezessete, haviam participado também João Nepomuceno Carneiro da Cunha e o secretário da junta, José Mariano de Albuquerque Cavalcanti, que já servira nesse cargo à junta temporária que substituíra a de Gervásio.[2]

Até então, federalistas e unitários haviam sido facções predominantemente urbanas. A composição rural da junta fazia dela uma incógnita, o que a tornava aceitável aos gervasistas, que a apoiaram inicialmente não só no fito de barrar o caminho à facção unitária como também na expectativa de que "o duro martelo da experiência abrisse aquelas cabeças de pedra e cal".[3] Inclinação que a junta reciprocava, julgando os gervasistas preferíveis a Gama, Pedroso e seus amigos. Será no decurso do governo dos matutos que a açucarocracia definir-se-á em favor do projeto fluminense.

A monarquia constitucional de um príncipe da Casa de Bragança preservava tanto os interesses açucareiros, ainda dependentes do entreposto reinol, quanto os interesses algodoeiros, ligados ao comércio direto com a Inglaterra. A diferença que subsistia no âmbito da grande lavoura cifrava-se em que seu domínio na Mata Úmida era mais firme que na Mata Seca, onde não logrará exercer, até a liquidação do movimento praieiro em meados do século XIX, o mesmo grau de controle sobre as vilas, a pequena lavoura e a densa população litorânea. Quanto ao centro da província, seu conservadorismo extremado colocava-a à direita da mata canavieira. Nessas condições, ao passo que o Império ganhará adesões por todo o interior (na Mata sobretudo após a Pedrosada, em fevereiro de 1823), os federalistas ver-se-ão limitados ao Recife, Olinda e núcleos urbanos da Mata Norte.

O governo dos matutos nasceu e morreu sob a descrença citadina acerca da sua capacidade para gerir os negócios públicos, decorrente da falta de experiência política, descrença compartilhada pela própria junta, que, com esse argumento, solicitará reiteradamente demissão ao imperador. A palavra "matuto" já adquirira a conotação de atrasado, de modo que mesmo um sapateiro do Recife dava-se ao desplante de gritar, nas barbas dos vogais, que "fosse[m] pregar no mato porque cá tinha gente mais capaz de governar". Ousadia atribuída ao fato de que os artesãos, que outrora só conheciam "o nome das suas ferramentas" e só opinavam "sobre os méritos dos pregadores", agora arrotavam "política como um Montesquieu ou um Burke; e por dá cá aquela palha atira[m] com as Bases [da Constituição portuguesa] à cara de um homem, que faz pasmar". Em defesa da junta, Frei Caneca assinalava a fragilidade de uma administração de que não participassem os "ricos proprietários", representantes da "numerosa nobreza da província", além de "verdadeiro órgão da opinião pública". Eles deviam exercer "infalivelmente sua justa preponderância"; e, embora menos versados nas intrigas do poder do que os pracianos, eram via de regra indivíduos probos, que, chegando à cidade com as melhores intenções, viam-se hostilizados pelas "panelinhas".[4]

Atendendo ao colégio eleitoral e às Câmaras, a primeira medida da junta consistiu em soltar os gervasistas presos em Olinda, recusando-se, por outro lado, a atender a reivindicações de militares associados à deposição de Gervásio. A 12 de outubro de 1822, a junta festejou o aniversário do regente, numa cerimônia em que inaugurou seu retrato e em que discursou o padre Lopes Gama; e, a 17, prestou juramento de adesão à causa do Brasil, quando ainda se desconhecia a aclamação, cinco dias antes no Rio, de d. Pedro como imperador constitucional, o que só se soube no Recife em meados de novembro. A correspondente cerimônia terá lugar a 8 de dezembro, com pregação de Frei Caneca, que fez o elogio do Império constitucional, o qual, "colocado entre a monarquia e o governo democrático, reúne em si as vantagens de uma e outra forma e repulsa para longe os males de ambas". Os federalistas lograram registrar na ata de 8 de dezembro o direito de separação da província, documento que um deles reputará "nossa profissão de fé política, primeiro e imprescritível fundamento do nosso direito público constitucional". Proclamava o documento que a

> medida tomada pelos povos do Rio de Janeiro e por eles transmitida às mais províncias do Brasil, não só era necessária como indispensável à segurança do reino do Brasil, por *competir só ao rei constitucional os atributos do Poder Executivo*, e que por isso manifestavam [os presentes] ser a sua livre vontade e a de todo o povo em geral desta província, desligar-se para sempre de Portugal, por ter sido por ele sempre cruelmente ofendido nos seus direitos, e por *ser livre a qualquer parte integrante de alguma nação, que muda o seu pacto social e forma de governo, separar-se, se as condições do novo pacto não forem recíprocas, ou lhe não agradarem.*[5]

É sintomático que apenas 45 pessoas tenham assinado o compromisso de dezembro, ao passo que cerca de 1600 haviam firmado o de outubro. O cônsul francês, que, representante de Luís XVIII, não tinha simpatia pelos gervasistas, tinha de reconhecer que, na última ocasião, houvera "menos entusiasmo que o esperado", o que atribuía à cobrança pelo Rio dos atrasados provinciais e à contribuição cívica solicitada por d. Pedro ao Império para arcar com os ônus da guerra com Portugal. Exigências a seu ver "bem intempestivas", pois se o imperador "conhecesse o estado desta província e o verdadeiro espírito que nela reina, não se arriscaria a uma recusa. 'Nossos cofres estão vazios. Nossos deputados consentirão o imposto que nós teremos doravante de pagar', são as respostas que o regente seguramente receberá".[6]

Já nas primeiras semanas do novo governo, o ar carregava-se com a notícia de que a expedição portuguesa deitaria parte da força em Alagoas, atacando Pernambuco pela Mata Sul, onde teria grande partido a seu favor. Pais Barreto encarregou-se de convencer os pró-homens da região a cooperarem com os aprestos militares. Mas embora fortificasse o litoral e executasse a decisão de Gervásio de criar companhias de pardos e pretos, a junta não confiava na tropa e temia que a população rural se deixasse levar pelo reflexo colonial de meter-se terra adentro. A iminência do ataque obrigava-a também a atender ao clamor público contra os portugueses, vários dos quais se haviam refugiado na Mata Sul. No Recife, procedeu-se a visitas domiciliares e ao sequestro de armas em mãos de reinóis, que não tinham intenção de partir, mas desejavam esgotar o prazo concedido pelo Rio antes de declarar sua adesão ao Brasil, na expectativa, que divulgavam impoliticamente, de que a armada lusitana apontasse no horizonte. Em Goiana, haviam-se feito prisões sem culpa formada, sob o temor da trama recolonizadora, de que os mascates seriam sua vanguarda, ao saírem pelo interior vociferando contra a Independência e difundindo imposturas, como a de que o laço verde com a divisa "Independência ou morte", criado por d. Pedro, ou a bandeira imperial, que substituíra as quinas do pavilhão lusitano, representativas das cinco chagas de Cristo, por símbolos maçônicos, eram invenções destinadas a renovar Dezessete, implantar a república e destruir a religião católica.[7]

Uma das primeiras iniciativas da junta foi a preparação das instruções aos deputados à Constituinte. "Para não sermos bigodeados como já fomos pelas Cortes de Lisboa", Lopes Gama propusera aos cidadãos que apresentassem suas reivindicações ao governo, que as selecionaria para que servissem de bases e condições para o pacto que se ia celebrar no Rio. A junta, que optara por convocar as Câmaras em assembleia, teve de desistir da iniciativa ao constatar que o regimento eleitoral, numa manobra pela qual José Bonifácio tratara de limitar o debate constitucional, só permitia às municipalidades fazerem suas recomendações separadamente, e, ainda assim, restringindo-as às "necessidades e melhoramentos das suas províncias". No mesmo propósito, o regimento prejulgara a natureza do mandato popular, definindo-o como delegação, não podendo ser revogado pelos eleitores, solução oposta à do decreto de 16 de fevereiro de 1822, segundo o qual os procuradores das províncias podiam ser destituídos por iniciativa das Câmaras, de acordo com o critério que fora adotado para a eleição dos deputados às Cortes de Lisboa.[8]

Destarte, as Câmaras de Olinda e do Recife aprovaram cada uma suas instruções.[9] Desconsiderando o regimento eleitoral, elas incorporavam um elenco de princípios constitucionais que se chocavam frontalmente com a

Constituição que José Bonifácio tinha em vista, salvo quanto ao reconhecimento do catolicismo como religião do Estado, acoplado à tolerância das demais confissões quando praticadas por estrangeiros. A noção de soberania provincial subjazia, entre outras, nas cláusulas que, atribuindo caráter imperativo àqueles princípios, proibiam os constituintes de votar a contrapelo delas, prevendo que, caso o fizessem, não engajariam a província e teriam seus mandatos cassados. Tampouco poderiam votar em sentido contrário às diretrizes liberais consagradas nas "Bases da Constituição portuguesa", em especial a divisão dos poderes, o unicameralismo, o caráter meramente suspensivo do veto do monarca e a sua exclusão da iniciativa e da elaboração das leis, embora as instruções se desvencilhassem do elemento centralizador presente nas "Bases".

A província seria governada por colegiado de cinco membros, escolhidos a cada quatro anos, por ocasião dos prélios à Assembleia nacional, tendo direito à reeleição, não se mencionando, contudo, a criação de Assembleia provincial. O Conselho de Estado no Rio seria indicado pelo colégio eleitoral de cada província, como no decreto que criara o Conselho de Procuradores. À junta provincial caberia a faculdade exclusiva de nomeação dos funcionários civis. As indicações na força armada seriam feitas pelo governador das armas, mas sujeitas à aprovação do imperador. Descentralizar-se-ia também o sistema judiciário mediante a criação de tribunal de última instância em Pernambuco, com poder de revisão das decisões da sua Relação. Por fim, a bancada provincial, a ser composta de dezenove deputados, seria eleita segundo critério de proporcionalidade destinado a impedir que a maioria de interioranos impusesse sua vontade aos pracianos, reputados mais aptos a decidir dos negócios públicos.[10]

As instruções, vivamente contestadas, representavam, segundo o cônsul da França, a prova das ambições de independência dos que designava por "Sólons pernambucanos". A Câmara de Olinda, deblaterava gazeta unitária, "invade o território alheio, usurpa a liberdade aos povos desta província e se constitui em seu supremo legislador". Alguns deputados trataram de desqualificá-las, solicitando a opinião das Câmaras do interior. No Rio, o ministro da Áustria alarmou-se com as cláusulas que julgava inadmissíveis. O cunho imperativo atribuído aos mandatos era próprio dos regimes confederais, "mas [indagava Manuel Caetano de Almeida e Albuquerque, revolucionário de Dezessete e constituinte pernambucano] são as nossas províncias estados confederados? Formam elas porventura repúblicas coligadas?".

E, endossando o pressuposto básico do ideário unitário, oposto à premissa federalista segundo a qual a soberania residia nas províncias:

> Não formando pois as nossas províncias estados separados mas sim fazendo um só todo, como convém à dignidade do grande Império brasiliense, e é próprio das nossas circunstâncias políticas, que efeitos poderão ter quaisquer instruções dadas pelas províncias a seus deputados? Quando os representantes da maior parte não quiserem estar pelo que os outros exigirem, o que farão estes? Retirar-se-ão do Congresso, irão fazer com os de sua província governos separados? (que fatal absurdo!), ou antes receberão humildemente as leis que lhes quiserem dar, sem ao menos poderem modificá-las a bem da sua província, por se não poderem afastar das instruções?[11]

Manuel Caetano lembrava que o caráter de mera procuração conferido aos deputados às Cortes de Lisboa visara a impedir que a minoria brasileira não se visse obrigada a capitular perante a maioria lusitana. A situação era bem diversa agora, pois "nós não vamos tratar com uma nação diferente: as províncias do Brasil fazem todas juntas um só todo". A *Gazeta Pernambucana* exprimia-se de modo mais contundente:

> Quem jamais viu que uma Câmara tivesse a atribuição de comandar aos representantes de um povo, aplicando a sanção penal em caso de desobediência a um tal mandado, quando eles lhe são superiores por qualquer lado que se lhes olhem? Quem autorizou a Câmara de Olinda para em nome da província publicar à frente de um povo ilustrado e que bem conhece quais são as suas prerrogativas, que ela haverá como retirada a procuração de seus deputados, eles responsáveis, seus atos nulos, uma vez que eles não observem e cumpram à risca as asnáticas e loucas instruções forjadas nas trevas de Olinda, por quem nem vislumbre mostra ter do mais rançoso direito público! Desobrigar a província do cumprimento do pacto que há contraído, sem que ela nenhuma faculdade ou procuração lhe desse para um tal pacto.[12]

Para os unitários, a natureza imperativa do mandato era uma armadilha federalista destinada a levar Pernambuco, na primeira divergência séria que surgisse, a anular sua adesão ao Império. Eles tampouco concordavam em que a Constituinte se devesse fundar nas "Bases" portuguesas, sustentando que elas não haviam sido juradas pela província, onde se procedera apenas ao juramento do regime constitucional. Tampouco podiam ser consideradas intocáveis, pois nessa hipótese a independência do Brasil se tornaria uma rebelião, dando a Portugal o direito de intervir militarmente. A obrigatoriedade das "Bases" prejulgaria o direito das outras províncias, imitando-se no Brasil a arbitrariedade das Cortes. Os unitários assinalavam por fim que as instruções, ao mesmo tempo que defendiam o caráter pétreo das "Bases", violavam flagrantemente um dos seus princípios fundamentais, a igualdade dos cidadãos, ao reivindicar um sistema eleitoral que discriminava o eleitorado rural.[13]

Não se conclua, porém, que os unitários pernambucanos estivessem animados da ortodoxia dos correligionários da corte, pois muitos deles cogitavam de certo grau de descentralização, como era o caso do próprio Bernardo José da Gama, para quem as leis gerais do Império teriam de ser modificadas por estatutos adaptados às peculiaridades das províncias e que conferissem a seus governos competências tanto mais amplas quanto se encontrassem mais distantes do Rio, desde que não afetassem as relações de subordinação ao governo central. Também havia unitários que não se opunham ao Legislativo unicameral nem objetavam a que o chefe do Estado ficasse privado de intervir na elaboração das leis, ao contrário dos que, como Gama, pregavam a preponderância do Executivo. As concepções unitárias em Pernambuco tampouco se achavam cristalizadas no tocante à organização provincial, pois não excluíam a prerrogativa provincial de propor ao chefe de Estado a designação dos empregados civis e militares, julgando apenas que os deputados pernambucanos não deveriam fazer cavalo de batalha deste ou de outros temas, para evitar ficarem isolados na Constituinte. E em matéria de liberdade religiosa, unitário havia que se podia mostrar até mais tolerante que os federalistas, admitindo a prática de confissões diferentes pelos súditos do Império e não somente pelos estrangeiros domiciliados.

Mas a posição dos unitários ficara prejudicada pela aliança dos Gama com Pedroso, cuja aclamação como governador das armas não desagradara apenas à junta e aos federalistas. Dois dos vogais eleitos haviam-se recusado a assumir, João Nepomuceno Carneiro da Cunha alegando seu estado de saúde, mas Suassuna (que só tomará assento após a Pedrosada) por prever o conflito entre o governo civil e o militar.[14] A junta não se sentia suficientemente forte para enquadrar Pedroso, preferindo esperar pelo substituto de nomeação imperial, ao passo que ele se aproveitava da demora para consolidar sua autoridade às custas do governo. Entre os dois, logo surgira uma disputa em torno da competência de nomeação dos comandos de milícia, assunto que interessava de perto à junta, devido a sua composição rural. Após a destituição de Pedroso, ela protestará nunca havê-lo reconhecido, só o tolerando pelo receio de que sublevasse a tropa. Destituída de experiência política e havendo assumido em circunstâncias caóticas, não pudera prever a Pedrosada (argumento insincero em vista da advertência de Suassuna), tanto mais que o governador das armas desfrutava da fama de patriota abnegado. Se não representara contra ele ao imperador, devera-se ao desejo de poupar sua majestade ao relato de fatos corriqueiros a que ela não conferira maior importância, esperando para fazê-lo a partida dos constituintes ou do emissário, o qual veio a ser João Xavier Carneiro da Cunha, encarregado pela Câmara do Recife de congratular d. Pedro pela aclamação imperial, de solicitar distintivo que a honrasse pelo apoio prestado à adesão da província e de discretamente defender o plano de Luís do Rego relativo à fusão de Olinda e do Recife sob o nome de Cidade de Pernambuco, o que permitiria aos vereadores recifenses controlar a vultosa receita dos foros cobrados pela Câmara olindense.[15]

Instigada por Pedroso, a tropa de cor tornou-se agressivamente reivindicativa, queixando-se de que seus oficiais eram preteridos nas promoções em favor dos "caiados", alusão irônica à condição mestiça de muitos desses brancos oficiais. Pedroso promoveu pardos e pretos e mudou o comando dos corpos; e como em Dezessete, quando fizera executar soldados sem processo, passando por cima da autoridade do governo civil, quis repetir a proeza, ignorando os apelos de clemência, inclusive da parte do presidente da junta. Escrevia um anônimo que

o procônsul ora se fazia mulato, ora preto, procurando alistar-se em suas confrarias, banqueteando-os e dando-lhes toda a ousadia, soltando das prisões alguns sentenciados, outros sem lhes formar culpas mandava abrir devassas, despedia carcereiros, criava outros, numa palavra era um ditador romano no meio destes e de outros desvarios em que toda a gentalha e a maior parte de pretos e pardos principalmente fardados, olhavam para um branco como objeto desprezível, apelidando-os caiados e republicanos, etc., e outros dichotes.[16]

Já se farejava nova bernarda, na falta de mão forte que restaurasse a disciplina dos quartéis e garantisse a praça contra planos de pilhagem e de massacre de lusitanos. Sucediam-se homicídios, desacatos e outros incidentes; e Pedroso, cuja ferocidade aterrorizava todo mundo, prendia a torto e a direito sob pretextos ínfimos.

Previa o cônsul da França que a desordem continuaria até a chegada do novo governador das armas, contanto que trouxesse tropa do Rio e que afastasse a da terra, como a junta fizera com a ajuda enviada à Bahia, quando descartara-se de inúmeros agitadores. Como afirmavam os federalistas, os sectários de Gama estavam por trás dos manejos de Pedroso, embora se tendesse a atribuir ao desembargador influência desmedida na corte ou a culpar o ministério de recorrer à tática colonial de acirrar os antagonismos entre soldados brancos e de cor, cuja insubordinação aumentara a olhos vistos desde que o imperador louvara-lhes o patriotismo de depor Gervásio. Para Frei Caneca, os pretos e os pardos não tinham do que reclamar: as unidades de Monta- brechas e Bravos da Pátria haviam sido incorporadas ao exército de primeira linha, promovendo-se seus oficiais de mérito. Outra prova de apreço à gente de cor fora a nomeação de José da Natividade Saldanha para auditor de guerra, que acabava de regressar à província após estudos em Coimbra.[17]

Em dezembro, agravou-se o conflito entre a junta e Pedroso. Alguns deputados às Cortes de Lisboa (Lino Coutinho, Cipriano Barata, Francisco Agostinho Gomes, Diogo Antônio Feijó e Silva Bueno), que aportaram ao Recife de regresso a suas províncias, lançaram manifesto confirmando que a expedição portuguesa dirigia-se contra Pernambuco. No que parecia preludiar o ataque, o litoral era submetido ao bloqueio dos navios de Madeira, incitando rumores de represálias contra os reinóis. A junta acelerou o recrutamento e deu aos portugueses a opção entre aderir ao Brasil ou manterem-se neutros, com penas rigorosas, inclusive de morte, para os que tomassem armas. Por outro lado, Joaquim José de Almeida, o recém-nomeado governador das armas, tivera de desembarcar em Ilhéus, para evitar os cruzadores lusitanos, viajando por terra a Pernambuco. No último dia do ano, Pedroso fez encarcerar 180 reinóis, dando foros de veracidade ao boato de que planejava tomar o poder a 6 de março, aniversário de Dezessete. A junta, coadjuvada por um Grande Conselho, mandou soltar os presos, mas não logrou demitir Pedroso, pois Paula Gomes amotinou seus partidários. Entoando hinos de louvor a Cristóvão, "o imortal haitiano", e aos gritos de "Morram os marinheiros e os caiados", tropa e populaça puseram o Recife e Olinda em pânico. A agitação assumia feitio insurrecional, provocando os temores de uma revolução racial, "na qual já descaradamente falavam a cada esquina e canto os cabras e os negros", não apenas os "mais abalizados dentre eles, mas até os mais ridículos moleques e até cativos".[18]

A fim de permanecer no comando, Pedroso tencionava substituir a junta por outra que, de sua confiança, se recusasse a empossar seu substituto. Para esse fim, plantou-se o boato de que Pais Barreto e Bezerra de Melo iam proclamar a República. Uma disputa em torno da prisão de um oficial acusado de fazer propaganda deu pretexto a Pedroso para assestar artilharia contra palácio e denunciar o governo como republicano e ateu. Na noite de 21 de fevereiro, a junta despachou um contingente para prendê-lo, mas ele fugiu para os Afogados, arrabalde eminentemente plebeu, onde reuniu a população e a milícia. Embora se enviasse força armada contra ele, as manifestações no Recife tornaram insustentável a posição do governo, que, salvo Paula Gomes, se retirou para o campo. Pedroso teve um regresso triunfal, "cavalgando [a descrição é de Alfredo de Carvalho] um canhão todo engrinaldado de folhas de mangue, puxado pelos seus mais ardentes sectários". Enquanto, no Cabo, Afonso de Albuquerque e Pais Barreto arregimentavam os milicianos locais e as guarnições litorâneas, Paula Gomes e Pedroso tentaram reunir o colégio eleitoral para formar nova junta, mas a Câmara de Olinda recusou-se a convocá-lo, apoiada pela do Recife, que conclamou a resistência. "Se Pedroso puder criar um governo, não veremos pessoas brancas participarem dele", escrevia o cônsul francês, que enxergava no levante a confirmação das suas previsões de um ano antes sobre o conflito entre os brasileiros brancos e a gente de cor, com consequências deploráveis em todo o Norte.[19]

Em face das conotações raciais da Pedrosada, a maioria da oficialidade retirou-se para o Cabo, arrastando os regimentos de caçadores e as guardas cívicas, muitos deles pretos e pardos temerosos de serem identificados com os insurretos. Reduzidos a quatrocentos ou quinhentos desesperados, Paula Gomes e Pedroso resolveram negociar, mas o comandante das armas já não controlava sua gente, que se apossara do Arsenal de Guerra. Quando a Câmara do Recife o convenceu a renunciar, os pedrosistas, encurralados no Campo do Erário e na Fortaleza do Brum, recusaram-se a obedecer, oferecendo ao contingente que entrava na praça uma resistência feroz pelas ruas do bairro portuário. Só a notícia da prisão do seu chefe fê-los desistir (1.3.1823). A junta pôde regressar ao Recife; e sem esperar pela conclusão da devassa, embarcou para o Rio quatro dos cabeças, inclusive Pedroso e José Fernandes Gama, reputado o mentor civil da sedição, mas poupando o colega Paula Gomes.[20] Quarenta e quatro pessoas serão pronunciadas. A junta anistiou a soldadesca insurreta e ordenou a devolução das armas tomadas no Arsenal, providência, como das vezes passadas, descumprida.[21]

A junta, que vinha pagando regularmente o soldo dos goianistas, fez uma promoção geral de oficiais à patente imediatamente superior, solicitando a confirmação imperial da medida, que reputava crucial para a tranquilidade pública. A José Bonifácio, ela reiterou o pedido de demissão apresentado em janeiro, ponderando que a sua autoridade ficara irremediavelmente comprometida pelas falsas imputações de republicanismo com que os pedrosistas haviam procurado desacreditá-la, concluindo que lhe restaria "o prazer de deixar ao menos a província em paz, já que não a poderemos conservar por muito tempo neste estado". Como a resposta do Rio tardasse, a junta, contra a opinião de Pais Barreto, decidiu solicitar à Câmara de Olinda que reunisse o colégio eleitoral, mas a iniciativa gorou em vista dos temores de que o prélio servisse de pretexto para outra revolta racial. O cônsul francês formulava, aliás, o voto, que se cumprirá, de que o trauma da Pedrosada servisse de lição às elites locais para que se identificassem de uma vez por todas com o regime imperial.[22]

Ao tempo da revolta, a disputa entre unitários e federalistas já se instalara na corte com a chegada dos constituintes e de Felipe Néri Ferreira, que fora protestar contra a deposição da junta de Gervásio. Apesar de se haver aliado, quando da sua anterior viagem, à oposição maçônica a José Bonifácio, entrementes ostracizada, Felipe Néri logrou entrar nas boas graças do ministro. Por sua vez, Gama, apresentando-se como o único monárquico-constitucional sincero que havia em Pernambuco, desdobrava-se em intrigas contra os conterrâneos, espionando os colegas de bancada e entregando ao imperador uma lista de pessoas que deveriam ficar retidas no Rio ou ser retiradas da província. José Bonifácio tratou de arbitrar a querela em reunião (1.2.1823) a que d. Pedro assistiu escondido atrás de um reposteiro e a que compareceram representantes de ambas as facções, além de Antônio Carlos e deputados de Pernambuco, Paraíba e Alagoas. Entre desaforos e insultos, que por pouco não chegaram às vias de fato, Gama denunciou um plano dos federalistas para se reabilitarem na corte e voltarem ao poder a fim de agirem "segunda vez se a nova Constituição não correspondesse ao seu protótipo libérrimo". A José Bonifácio, contudo, não sensibilizou nem o prognóstico do desembargador, que aliás se materializará um ano depois, nem sua defesa de Pedroso e proposta de eleição de nova junta.[23] A posição de Gama, já afetada pelo eclipse da maçonaria fluminense, ficará definitivamente prejudicada pelo envolvimento do seu grupo na Pedrosada.

O problema era que José Bonifácio tampouco confiava na junta. Quando da repressão em outubro contra os liberais fluminenses, "facção oculta e tenebrosa de furiosos demagogos e anarquistas", cujo atrevimento chegara ao ponto de caluniar o constitucionalismo do imperador e dos seus ministros, "incutindo nos cidadãos incautos mal fundados receios do velho despotismo", José Bonifácio procurara estendê-la às províncias e a Pernambuco em particular, decretando rigorosa devassa. Em finais de 1822, ele despachara José Alexandre Ferreira, irmão de Felipe Néri, em missão ao Ceará e ao Maranhão, com instruções de desembarcar no Recife para informar-se da situação. Relatara-lhe o emissário ser o governo formado de gente "inerte, indolente e estúpida", além de grandemente desunida, de modo que cada membro atuava por sua conta, sendo o presidente Afonso de Albuquerque o mais arbitrário de todos, pelo que Ferreira sugeria sua destituição.[24]

Pela mesma ocasião, o emissário enviado ao imperador pela Câmara do Recife regressava ao Recife alegadamente com uma carta branca de José Bonifácio dirigida à junta para que prendesse, desterrasse ou mesmo assassinasse Pedroso e o secretário José Mariano, mas como o segredo transpirasse o governo se havia apressado em desmenti-lo.[25] A notícia intrigou os federalistas, que também se sentiram visados. Mas como sua aproximação com a junta colocava-a na posição embaraçosa de ter de persegui-los, o que faria o jogo dos Gama, ela optou por não abrir a devassa ordenada por José Bonifácio, e, escudando-se no Grande Conselho de 2 de janeiro, informara-o não haver o que devassar em Pernambuco, onde inexistia qualquer "facção contrária ao sistema atual do Império brasílico". José Bonifácio repreenderá a junta, cuja atitude atribuía ao receio de alguns dos membros de se verem compreendidos na investigação.[26]

Era um prato feito para os adversários da situação. Da Fortaleza da Lage, aonde fora recolhido, Pedroso denunciou ao imperador que sua prisão visara impedi-lo de revelar a conivência da junta com os planos federalistas, a cujo respeito trouxera provas que haviam sido confiscadas com a sua bagagem. Fortalecido pela imunidade parlamentar, seu amigo Gama podia dar-se ao luxo de propalá-las, alegando inclusive que o governo se teria abstido de hastear a bandeira imperial, até que Pedroso fora buscá-la à força no Arsenal de Marinha, dirigido pelo gervasista Manuel de Carvalho, a fim de arvorá-la nas fortalezas.[27] Gama fazia suspeita a demissão do padre Manuel Paulo Quintela, redator do *Diário do Governo*, ferozmente atacado por Frei Caneca como dono de "uma corcunda maior do que a de Atlas", por advogar o veto absoluto; argumentar que, no Norte, a causa do Brasil devia tanto a Gama quanto no Sul a José Bonifácio; atacar o republicanismo de Venâncio Henriques de Rezende; e increpar os federalistas de disseminarem sobre as intenções do Rio notícias ainda mais sinistras que as atribuídas às Cortes de Lisboa.[28]

A José Bonifácio irritava também a não execução pela junta do decreto imperial fechando os portos ao comércio português e confiscando os navios de bandeira lusitana que se encontrassem ancorados, providência que ela só tomou em maio, em vista da insistência do Rio e do protesto unitário. De Londres, Caldeira Brant informava ao Rio que a junta se teria envolvido com um plano do Soberano Congresso visando à formação de repúblicas federadas a Portugal. Emissários de Lisboa teriam aberto entendimentos no Recife, com a participação de Lino Coutinho, Cipriano Barata, Padre Feijó e Silva Bueno, que, como se recorda, haviam desembarcado ali em dezembro. Na realidade, a displicência da junta só denotava o zelo de senhores de engenho pelos seus interesses de classe, de vez que proibir a navegação portuguesa os privaria do principal entreposto para seu produto. Interesses que eles tampouco descuraram ao antecipar-se às Cortes, desejosas de pôr as mãos nos fundos da extinta Companhia de Comércio de Pernambuco e da Paraíba. A junta sequestrou as somas recolhidas pelos comissários encarregados da liquidação, um cartel de comerciantes reinóis que vinha recebendo, sob a forma de açúcar arrecadado a preços ínfimos, a amortização e os juros dos empréstimos outrora concedidos pela empresa.[29]

Outro motivo do agastamento de José Bonifácio com a junta eram as consignações ao Erário imperial. Gervásio, como se recorda, havia rejeitado a exigência de Martim Francisco, o ministro da Fazenda, no tocante à regularização das transferências e pagamento dos atrasados. A fazenda provincial, que fora diretamente subordinada ao Rio, expusera o déficit existente e as medidas extremas a que recorrera, inclusive tomando dinheiro emprestado ao cofre de confiscos, cativos e ausentes. Na impossibilidade de atender à solicitação enquanto as rendas da província não se recuperassem, o governo dos matutos propusera transferir ao Banco do Brasil 1200 quintais de pau-brasil estocados, mas teve de recuar diante da oposição federalista à entrega de recursos provinciais a uma instituição falida, mas sempre pronta a servir de cofre ao despotismo: um único ceitil não devia ser mandado para o Rio antes de fixada pela Constituinte a cota-parte pernambucana nas despesas gerais. A requisição de contingente de artilharia naval era encarada como outra treta ministerial para enfraquecer a província. Os federalistas também se negavam a aceitar o magistrado fluminense, nomeado para a presidência da Relação, bem como a designação de um reinol, frei Tomás de Noronha, para o bispado de Olinda, cujo cabido, ao fim de um conflito mais que secular com seus prelados lusitanos, esperava que a nomeação recaísse em sacerdote da terra.[30]

Por fim, a José Bonifácio exasperava a complacência da junta com as atividades de Cipriano Barata, que ela tolerava quando não protegia, grata pela ajuda que ele dispensara na Bahia aos presos de Dezessete, mas sobretudo temerosa da reação federalista. O deputado baiano ficara residindo no Recife, ao regressar das Cortes, todo ocupado na publicação do seu jornal *Sentinela da Liberdade*, que teve enorme êxito. Seus exemplares, informa Alfredo de Carvalho, "eram disputados com ânsia e lidos às portas das boticas, às esquinas, a numerosos grupos, que saíam repetindo as frases de Barata", a ponto de ser necessário "reimprimir várias vezes os primeiros números". A ordem de José Bonifácio para a sua prisão foi ignorada pela junta, e, quando o procurador da Coroa abriu processo contra ele, o júri o absolveu. O ministro recomendara então fosse Barata coagido a seguir para o Rio a fim de exercer o mandato de constituinte que lhe concedera a Bahia. Novamente, o governo cruzou os braços, o mesmo fazendo a respeito de João Mendes Viana, o qual, tendo-se refugiado em Pernambuco para escapar à repressão contra a maçonaria fluminense, era também objeto da ira de José Bonifácio.[31]

Embora a linha da *Sentinela* fosse federalista, não republicana, ela indignava a corte, onde o *Correio*, de João Soares Lisboa, e a *Sentinela da Praia Grande*, de Grondona, transcreviam-lhe os artigos. Segundo o cônsul-geral Maler, a atuação de Barata era "uma das causas principais" da dissidência pernambucana, "sua doutrina e sua influência" já ameaçando "propagar-se em outras províncias". Embora seu colega norte-americano, Condy

Raguet, visse em Barata "o pai da liberdade de imprensa no Brasil", ele não passava de um "botafogo" para José da Silva Lisboa, "pior que o antigo incendiário Erostrato, que queimou o templo de Diana, só para obter fama com infâmia". No Recife, era pensando certamente na *Sentinela* que o cônsul francês deplorava o "mal incalculável produzido pelas gazetas incendiárias", que, atravessando "as florestas e os sertões do Brasil, são as primeiras que recebe o ignorante habitante destas regiões".[32]

Mas, a despeito de toda a sua irritação com a junta, José Bonifácio estava consciente de que não dispunha de alternativa em Pernambuco. Federalistas e partidários de Gama sendo-lhe igualmente inaceitáveis, só lhe restava cooptá-la. A tarefa foi confiada ao Apostolado, sociedade secreta criada pelos Andradas em junho de 1822 para se contrapor à maçonaria. O governador das armas designado, Joaquim José de Almeida, foi o encarregado de fundar a filial pernambucana; e José Bonifácio enviou Felipe Néri Ferreira, com a missão de convencer a junta a tomar as medidas necessárias à consolidação do sistema imperial no Norte. Segundo as "instruções secretíssimas" que lhe deu o ministro, Felipe Néri também observaria as tendências da opinião e o comportamento das autoridades, procuraria pôr termo às rivalidades pessoais e de família entre os unitários, investigaria os clubes secretos, em especial a Jardineira, que teria fins análogos aos dos carbonários, e identificaria os responsáveis pela recusa da junta em abrir devassa contra os federalistas.[33]

José Bonifácio também rejeitou o pedido de demissão da junta, mandando-a intimar os membros ausentes a assumirem seus postos. E, inaugurada a Constituinte, reuniu um grupo de deputados para discutir a situação pernambucana, o que o confirmou na opção por deixar as coisas como estavam, à espera da decisão da Assembleia Geral acerca da forma a ser dada aos governos provinciais. Segundo explicava, o imperador havia cogitado de pôr cobro à instabilidade da província, mas concluíra que sua intervenção só faria aumentá-la, pois, além de descontentar o grupo no poder, irritaria "as cabeças esquentadas e vulcânicas que ali davam a lei", isto é, os federalistas. Calculava o ministro que, uma vez aniquilada a resistência portuguesa na Bahia, d. Pedro disporia dos meios com que impor sua autoridade em Pernambuco, onde, como acentuava Mareschal, as facções reconheciam o imperador, mas não lhe obedeciam.[34]

Inaugurada a Constituinte, Gama prosseguiu sua ofensiva contra os federalistas. Quando da eleição dos deputados, a Câmara de Olinda negara-se a diplomar Venâncio Henriques de Rezende, alegando que seu republicanismo era incompatível com as instruções eleitorais, que exigiam dos parlamentares serem adeptos notórios da causa do Brasil. O padre reagira, fazendo profissão de fé pública no regime monárquico-representativo como mais conveniente ao país, sendo sustentado até mesmo por personalidades unitárias. Mas alegando que Venâncio, por ocasião da polêmica com *O Maribondo*, manifestara preferências republicanas mesmo após a adesão da província ao Rio, Gama empenhou-se na sua cassação pela Assembleia Geral, a qual, contudo, reconheceu o mandato do padre, de vez que as instruções não discriminavam os indivíduos de convicções republicanas. Episódio que, aliás, serviu de pretexto para os ataques de Silva Lisboa contra o "foco de jacobinismo" em que Pernambuco se havia transformado a partir de Dezessete, movimento que a seu ver maculara a história da província, o que lhe valeu uma chamada à ordem pelo presidente da Constituinte. Contra a criação em Olinda de uma das universidades projetadas, o futuro Cairu citará o mau exemplo que seria dado aos estudantes pelo "espetáculo" de crônica "desordem e insubordinação" de uma terra que trazia a corte em sobressalto com a perspectiva da "infausta notícia da quebra da união do Império".[35]

A campanha de Gama culminou na publicação da "Memória sobre as principais causas por que deve o Rio de Janeiro conservar a união com Pernambuco". Graças à posição geográfica e à função de entreposto comercial, a província pesava decisivamente sobre o destino de seis outras, motivo suficiente para que o governo imperial tomasse providências drásticas contra os federalistas, impedindo-os de levar a cabo a insurreição que o autor previa. A junta, admitia, já não alimentava veleidades republicanas em face da opinião dos habitantes do interior e da pressão de companheiros de Dezessete convertidos à monarquia constitucional, mas ainda assim ela não podia proporcionar garantias ao regime. Como se não bastasse ignorar a ordem de devassar os federalistas, a junta fora ao extremo de incriminar os mesmos que, como ele, Gama, sustentavam o imperador; e não podendo acusá-lo de participação na Pedrosada, procurara comprometê-lo na deposição de Gervásio. Mas o verdadeiro alvo da "Memória" era José Bonifácio, acusado de ignorar a situação local e de sobre-estimar a força dos federalistas, tratando-os com uma moderação que os habilitava a oprimir os unitários, desobedecer a d. Pedro e pregar a separação das províncias. Convencidas de que os federalistas tinham costas quentes na corte, as gazetas recifenses atacavam a união do Império e a Constituinte, o que fazia prever um desfecho terrível em Pernambuco.[36]

Julgamento em que concorria o cônsul da França, ao assinalar que os federalistas fomentavam a desconfiança contra o imperador e o ministério, pintando em cores sombrias o que se passava no Rio, como o episódio da rejeição da exigência do juramento prévio e sem condições da futura Constituição.

> Um dia, põe-se em circulação o rumor que ele [d. Pedro] dissolveu a Constituinte; noutro, que enviou cartas brancas para entregar a praça à arbitrariedade de certo depositário de sua confiança; numa terceira ocasião, atemoriza-se o povo apresentando-lhe um governo de três poderes como um monstro político e dizendo-lhe que uma única Câmara é que o fará feliz; hoje, estranha-se que o imperador assuma o título de comandante do Exército de terra e mar e procura-se impingir a ideia de que a Constituição estará perdida caso se lhe dê a chefia da tropa.[37]

Eram receios que tinham amplas razões de ser. A cerimônia de coroação de 12 de outubro visara passar a mensagem de que a legitimidade da dinastia imperial não derivava apenas da soberania popular, mas também do que certo panfleto atribuído a Cipriano Barata chamava "a irrisória, insulsa ideia de que o poder do imperador vem de Deus". Não fora outro o propósito da unção e do "pantomimo de cerimonial chamado sagração". Natividade Saldanha protestará contra a natureza dúplice do poder atribuído a d. Pedro:

> Se sua majestade é imperador por Graça de Deus, para o que vem a unânime aclamação dos povos? Se sua majestade é imperador pela unânime aclamação dos povos, para o que vem aqui a Graça de Deus? Ora, suponhamos que a Graça de Deus tenha feito a sua majestade imperador e que os povos o não queiram; de que lhe servia essa Graça de Deus?

Particularmente chocante, d. Pedro prometera só jurar a Constituição caso ela fosse digna do Brasil e de si, arrogando-se o direito de aceitá-la ou não. Por fim, a criação da Ordem do Cruzeiro propunha-se improvisar uma nobreza titular no Brasil, que gozaria de privilégios, foros e isenções contrárias ao princípio da igualdade perante a lei.[38]

Reclamava Frei Caneca que a província continuava sendo mantida a reboque pela política de fatos consumados do Rio:

> Os pernambucanos, sem o esperar, viram sua alteza real ficar no Brasil contra o decreto das Cortes lusitanas e aparecer o de sua alteza real de 16 de fevereiro de 1822, convocando o Conselho de Procuradores gerais das províncias; e ainda quando não se havia organizado este Conselho, aparece, remetido às Câmaras e não ao governo da província, o outro decreto de 3 de junho do mesmo ano, convocando as Cortes Constituintes Legislativas do Brasil. Ainda se não principiava a dar execução a este novo decreto, eis senão quando o Senado [isto é, a Câmara Municipal] do Rio de Janeiro, por uma virtude hoje desconhecida, previa a vontade de todo o Brasil de aclamarem a sua alteza real em imperador constitucional. Imediatamente é sua alteza real aclamado em 12 de outubro e coroado em 1º de dezembro. Nos interstícios destes diversos sucessos, nenhumas embarcações apareciam que noticiassem os fatos intermédios, que deveriam unir naturalmente os anéis desta cadeia, e quando se recebiam participações particulares, por via de regra foram tais, que se não podia fazer ideia alguma clara das pretensões e da marcha rápida que levava aquela corte em tão novas mudanças.[39]

Reconhecia o cônsul francês que, embora a maioria da província não estivesse pelos autos de comprometer-se numa aventura republicana e os homens prudentes preferissem uma forma de governo aparentada à da Carta outorgada por Luís XVIII, "existe ao menos um grande número que aspiraria a uma mudança, e um grande número destes à *independência parcial* da província".[40]

Constatação que não era incompatível com os desmentidos da junta acerca da existência de partido hostil à monarquia constitucional. A José Bonifácio, ela assegurava que já se desvanecera "o espírito de vertigem", entenda-se, o republicanismo, e que as divergências políticas cifravam-se em que "uns mais que outros pendem para um sistema constitucional o mais liberal possível, mas, segundo nos parece, desejam e concordam unanimemente nesses dois pontos, Independência e Império constitucional liberal". Com a "ralé" à espera da ressurreição de Pedroso, a junta vinha tratando de contemporizar, mas sem "largar-lhe as rédeas nem deixar impunes seus desvarios maiores", dela nada havendo a recear desde que a tropa estivesse satisfeita, pois sem os corpos de linha a populaça não se atreveria a agir.[41]

Pais Barreto pensava o mesmo. A monarquia não estava sendo posta em causa na província, onde já não se descortinavam "assomos de republicanismo", pois as alegações a tal respeito não passavam de ecos de Dezessete. As diferenças de opinião resumiam-se em "quererem uns ser mais constitucionais do que outros e dever a Constituição brasileira ser mais ou menos liberal". Não havia perigo de os antigos revolucionários sucumbirem de novo a "obliteradas ideias", mercê da "proveitosa lição" adquirida seis anos antes pelos "homens sensatos", que só haviam figurado nos acontecimentos devido ao "império das circunstâncias", como era inclusive o caso dele, morgado do Cabo. Eles tinham repudiado qualquer veleidade daquela natureza, não só "convencidos por funesta experiência da impossibilidade de se ela realizar", como em face do "horror e decidida aversão" da gente do campo a "tão absurdo sistema". O grande problema, o qual o imperador deveria remediar energicamente, consistia na "desenvolta licenciosidade" da massa, que se aproveitava da Independência para colocar-se em "perfeita e absoluta insubordinação".[42]

Frei Caneca batia na mesma tecla na sua polêmica com José Fernandes Gama.[43] Pernambuco estava coeso em torno da monarquia representativa e as alegações de republicanismo eram apenas intriga unitária. Em vista da mudança na relação de forças pós-Dezessete, "se nós quiséssemos república, quem nos impediria de o fazer?". "Se em 1817 fomos tão arrojados que não tememos todo o Brasil e todo Portugal reunidos e proclamamos uma república, como agora o deixaríamos de fazer por medo de menos de um terço desse inimigo de outrora?" O Rio estava dividido entre os Andradas e os liberais; São Paulo e Minas suspeitavam do ministério; e a Cisplatina oscilava indecisa entre Portugal e o Brasil. Se Pernambuco resolvesse adotar novamente o regime republicano, contaria com as províncias do Norte, de modo que a corte e o Sul "haviam de ver-se com água pela barba para se conservarem constitucionais, pois que dentro em si nutrem infinitos republicanos e carbonários", a dar-se crédito à devassa promovida por José Bonifácio. Embora a situação militar da província não fosse a melhor, era muito superior à de seis anos antes. Ao contrário do Rio (e Frei Caneca recorria a um argumento clássico do republicanismo), Pernambuco não se apoiava em tropas mercenárias, mas em efetivos locais que, lutando em defesa de suas famílias, de seus bens e da liberdade da sua pátria, resistiriam até o último homem a qualquer tentativa de lhes reimporem grilhões.[44]

Por conseguinte, se Pernambuco não desejava a república, era por entender que sua felicidade estaria garantida num império constitucional. "Este é o cordial e verdadeiro sentimento de toda a província, desde o mais iluminado cidadão praciano até o mais simples matuto." Contudo, não esquecesse a corte que

a massa da província aborrece e detesta todo governo arbitrário, iliberal, despótico e tirânico, tenha o nome que tiver, venha revestido da força que vier. A massa da província só se há de pacificar quando vir que as Cortes soberanas [isto é, a Constituinte do Rio] não estabelecem duas Câmaras; que não dão ao supremo chefe do Poder Executivo veto absoluto; e que ele não tem a iniciativa das leis no Congresso; quando vir a imprensa livre; estabelecido o jurado; o imperador sem o comando da força armada; e outras instituições que sustentem a liberdade do cidadão e sua propriedade e promovam a felicidade da pátria. Fora disto, a massa da província, à semelhança de sua majestade imperial e constitucional, gritará [como d. Pedro em relação a Portugal]: "Do Rio, nada, nada; não queremos nada".

Na hipótese de o Rio fazer com Pernambuco "o mesmo que Portugal, fez com o Brasil", os pernambucanos permaneceriam fiéis ao juramento proferido por Gervásio, a 2 de junho 1822, de que, "não tendo nascido para escravos, jamais nos sujeitaríamos ao despotismo ministerial, qualquer que ele fosse e pudesse reviver", e de que não sacrificariam "os interesses desta província", sustentando-os "à força de armas contra qualquer que os pretendesse invadir".[45] Numa demonstração de flexibilidade ideológica, os federalistas declaravam-se prontos a uma transação, pela qual, em troca da aceitação da monarquia constitucional, ela reconheceria amplas franquias provinciais. Se doutrinariamente o autogoverno era reputado mais compatível com a república, pragmaticamente não havia por que descartar o sistema monárquico, desde que, autenticamente representativo, ele satisfizesse as aspirações da província. Foi essa a linha seguida pelos federalistas ao tempo da junta dos matutos.

O divórcio entre os dois começou com a missão de Antônio Teles da Silva em fins de abril, consumando-se em julho. De partida para Viena, como representante do Brasil, ele fora encarregado por José Bonifácio de fazer escala no Recife e, munido de cartas de Antônio Carlos, atrair membros do governo e personalidades locais para o Apostolado em troca de cargos públicos e honrarias. O presidente Afonso de Albuquerque, assim como Pais Barreto, concordaram, mas não Cipriano Barata, que, imprudentemente sondado, denunciou a trama[46] e divulgou a informação de que o esperado governador das armas, Joaquim José de Almeida, vinha incumbido de fundar a filial da entidade. Parecia suspeita, aliás, a demora do oficial no Recôncavo, onde confabularia com Labatut sobre o emprego da força imperial contra Pernambuco logo que concluída a campanha na Bahia. Almeida assumiu finalmente o comando nos primeiros dias de junho, acertando-se tão bem com Afonso de Albuquerque e com Pais Barreto que chegou a jurar obediência à junta, ato ilegal que repercutiu negativamente no Rio, que viu no episódio um triunfo da junta.[47]

Desde então, Almeida começou a fazer proclamações virulentas contra o "punhado de demagogos" e de "incendiários" que "ousam pregar por todos os lugares públicos da capital o desprezo às autoridades constituídas", embora inculcando-se "amigos da nossa Santa Constituição". O governador das armas era, aliás, acusado de blasonar haver trazido carta branca para executar agitadores e pôr termo às tendências anárquicas, ou de ameaçar com a vinda do imperador e de seus batalhões para "alimpar na forca de Pernambuco o resto dos demagogos do ano de 1817". Além de perseguir oficiais de inclinação liberal, prometeu embarcar para a corte o cabido de Olinda, caso não aceitasse o bispo de nomeação imperial. Sua atuação aprofundou a divisão da junta, onde pouco faltou para que certos membros se engalfinhassem. Os federalistas exprobavam a Afonso de Albuquerque e a Pais Barreto se haverem feito "apóstolos", assumindo posições anticonstitucionais, recrutando adeptos, protegendo os portugueses e suprimindo contingentes da guarda cívica. De imediato, contudo, eles não romperam com a junta, devido à iminência de uma quartelada a pretexto de que a junta tramava a proclamação da República.[48]

Observava Boileau, para quem a imposição da autoridade imperial era indispensável aos interesses comerciais da França, que ainda mais que no Brasil, que tampouco as produzira, apenas se aproveitando delas, as circunstâncias ditavam os rumos da província. Consumada a Independência, o imperador passara a ser olhado como um déspota. Ninguém alimentava ilusões acerca dos enormes percalços que aguardavam a Constituinte e só a guerra na Bahia conferia certo consenso nacional, motivo pelo qual d. Pedro deixaria arrastar-se o sítio de Salvador. Nessas condições,

Pernambuco, afastado do centro, quase imune a qualquer influência da corte, que não tratou seriamente de fazê-la sentir, Pernambuco, com o seu povo novo e essencialmente agitado, devia sobretudo oferecer o espetáculo de opiniões manifestadas com menor inibição e do conflito destas opiniões entre elas. Também as ambições de toda espécie, sob a máscara do interesse público, aproveitando-se de tal estado de coisas, se agitam, abusam e se abusam, elas mesmas formam partidos, buscam a fazê-los prevalecer para dominar, e daí todos os movimentos da província. Porém o mais numeroso talvez dos que se formaram até hoje e o mais perigoso, devido ao objetivo a que tendem, é o dos mações, que visam, ao que parece, à independência absoluta e à república.

A República fora sempre a "menina dos olhos" do Recife, mas a partir de Dezessete as condições haviam-se tornado bem mais favoráveis. A seus partidários, repugnava "não verem a cidade que habitam capital de um governo 'independente', que poria sob seu controle as riquezas e os cargos". Mas como os chefes de outrora estivessem escarmentados pela experiência do cárcere, surgira "alguém mais ousado", Barata.

Poucos meios, menos ainda conhecimentos reais mas muita verborragia, jactância e audácia, além de uma extrema exaltação, são os traços principais deste personagem. Ademais a oposição que com muita coragem não cessou de fazer nas Cortes de Lisboa em favor do Brasil e sua recusa em assinar a Constituição [portuguesa] cercaram seu nome do brilho necessário ao papel que desempenha [...]. A corte, privando-o da pensão de que ele desfrutava durante seu mandato, fez dele um inimigo, obrigando-o a escrever. A maneira pela qual os republicanos afagaram o amor-próprio de um indivíduo irritado cativou-o e ele não hesitou em constituir-se órgão deste partido [...]. Ele não cessa de espalhar as notícias mais alarmantes sobre o Rio de Janeiro e sobre o despotismo do imperador e de provocar suspeitas e descontentamentos seguidos de revoltas. "Nós somos livres", grita, "as províncias são livres, nosso contrato é condicional e não está concluído", etc.

Segundo seu programa,

cada província deve ter seus privilégios, seu exército próprio e sua própria esquadra, sua junta particular eleita pelo povo de cada uma delas, com competência para fazer as promoções civis e militares exclusivamente entre os indivíduos da mesma província.

O cônsul não sabia que "nome dar a esta espécie de governo, mas me parece que, nesta eventualidade, o Império se tornaria a união de Estados bem distintos".

Ele pensava também que a reação da corte, a carência de força naval e a hostilidade da população do interior da província seriam de molde a barrar o caminho aos federalistas.

> "Deus e o rei" era a divisa dos habitantes do interior antes da revolução [da Independência]. Se não se soubesse até onde vão as superstições humanas, ter-se-ia dificuldade em acreditar que uma das mudanças que deviam apresentar mais obstáculo era a mudança de bandeira, contudo indispensável. As armas de Portugal contêm no escudo interior cinco quinas dispostas em forma de Cruz, que o povo considera representar as cinco chagas de Nosso Senhor. As atuais armas do Brasil não as incluindo, foi o suficiente para que se visse nessa inovação um sacrilégio. A aclamação do príncipe pareceu inicialmente à gente do mato a declaração de revolta de um filho contra o pai, ideia que só o clero poderá tirar inteiramente das cabeças. E quando ela abraçar sinceramente o novo estado de coisas, sua fidelidade se dirigirá ao imperador, como outrora ao rei, mas a república e a independência total serão eternamente para ela um monstro facilmente manipulável contra tais novidades.

A existência de condições contrárias ao êxito de uma insurreição federalista não significava, contudo, que ela não viesse a ocorrer, em vista da política do Rio e da antipatia que inspirava. O cônsul reconhecia que

> seria aliás muito injusto pretender que o Brasil oferecesse o espetáculo maravilhoso dum estado de dois anos de existência só tendo relativamente a seus negócios internos um único objetivo, uma única vontade. Esse admirável acordo, se é possível que tenha lugar entre tantas castas e tantos povos diversos, só será sem dúvida a obra do tempo e após desordens, revoluções intestinas, a consequência do cansaço de todos os partidos. A forma de governo adotada desde o começo, o caráter do imperador, que só aspira ao domínio absoluto, as forças superiores às de cada província em particular, que o Sul lhe dá, as paixões de uns, as ambições de outros na classe esclarecida, a facilidade com a qual se poderá sempre influenciar o interior, são as causas que facilitarão o retorno ao ponto

de onde se havia começado, malgrado as dissidências momentâneas que poderiam ter lugar, e das quais Pernambuco poderia dar um exemplo.[49]

No Rio, o cônsul dos Estados Unidos apostava em que d. Pedro não lograria manter a integridade do Império, parecendo-lhe absurdo que as províncias do Norte pudessem ser controladas da corte, em face da diversidade de condições geográficas e da precariedade das comunicações marítimas. Bastaria que uma delas se declarasse independente para que outras seguissem o exemplo, inclusive no Sul, onde São Paulo e Minas teriam perdido o entusiasmo pelo regime devido à política de José Bonifácio. A leitura das gazetas nortistas persuadia Condy Raguet da dificuldade de reprimir a vigorosa corrente republicana que ali se agitava.[50]

No Recife, a vitória sobre Madeira foi acolhida com um humor sombrio, ao passar a impressão de que o exército imperial ficara livre para ser empregado contra os federalistas, motivo pelo qual, segundo Boileau, a capitulação portuguesa na Bahia poderia precipitar um levante em Pernambuco, onde "o partido de Barata aumenta sem cessar; sua casa é um clube permanente, onde toda a noite se delibera", com a concorrência de "grande número de pessoas muito influentes das cidades costeiras e mesmo de algumas do interior". A situação ainda poderia ser salva pela esquadra imperial, reforçada pelo apresamento de navios lusitanos. Conhecida a prisão de Labatut por um grupo de oficiais baianos, acontecimento comemorado pelos federalistas, seus receios transferiram-se, portanto, para Lord Cochrane, que teria ordens de atacar a província, suspeita que se acentuou com a chegada ao Recife de embarcações portuguesas capturadas na Bahia, com cerca de seiscentos homens para serem repatriados, mas que se temia fossem recrutados pelo exército imperial, que passaria a dispor in loco de contingente estrangeiro. A desconfiança não era infundada, visto que em breve, de ordem secreta do Rio, serão engajados os efetivos lusitanos que ainda se encontravam em Salvador. Manifestações populares aos gritos de "Traição do Lord" impediram o desembarque dos prisioneiros. Os soldados permaneceram embarcados e, aos poucos, começaram a ser despachados para o Reino.[51]

Os trabalhos da Constituinte alimentavam sobremaneira a inquietação federalista. Comentando a fala do trono, observava Frei Caneca que, em lugar da monarquia constitucional, o contrário, "por desgraça, já vai principiando". O discurso imperial, da lavra de José Bonifácio, fixara condições incompatíveis com o regime prometido. A primeira reportava-se ao quinhão de sua majestade no exercício do Poder Legislativo, o que, para os federalistas, era um verdadeiro atentado à soberania nacional, encarnada exclusivamente na Assembleia Geral. A aclamação imperial não decorria da posição anterior de d. Pedro como príncipe regente ou como sucessor ao trono português, mas tão somente de se haver posto à frente do movimento da Independência, como poderia ter acontecido a qualquer outro cidadão; ela era apenas a escolha antecipada do indivíduo a quem se confiaria o Poder Executivo, em face da urgência de convocar-se Constituinte e de tomar outras medidas de interesse comum. A segunda exigência era a reiteração do juramento proferido pelo imperador a 12 de outubro, de que a Constituição deveria ser "digna do Brasil e de mim". Ora, o chefe do Executivo não possuía dignidade que não fosse a da nação, nem tinha poder para rejeitar o texto que não lhe conviesse pessoalmente.[52]

Na polêmica com *O Regulador Brasileiro*, do Rio, Frei Caneca criticava uma Constituição em que o Executivo teria a iniciativa das leis, o veto absoluto, o comando da força armada e o Senado de sua nomeação. À defesa pelo jornal de uma monarquia constitucional "segundo o espírito político da Europa", retorquia o frade: "Então o Brasil é Europa?". Seu clima, posição geográfica, continentalidade, formação social etc. aparentavam-no aos Estados Unidos, não às monarquias do Velho Mundo, seja a Inglaterra, que adotara freios contra os abusos do trono, seja a de outros países que ainda careciam deles. O veto do monarca seria o instrumento do despotismo, pois, ainda que concedido a um dinasta da têmpera liberal de d. Pedro, não haveria garantia quanto a seus sucessores. A iniciativa das leis por parte do imperador era redundante, tanto assim que no direito público ela só se acoplava ao veto suspensivo. Somada ao veto absoluto e ao comando da força armada, criar-se-ia o desequilíbrio fatal que paralisaria o Legislativo, já coartado por uma Câmara alta que, embora eletiva, seria de fato aristocrática, gerando uma nobreza, que em todos os países era fonte de males e cuja inexistência jurídica no Brasil fora uma das raras vantagens legadas pelo sistema colonial.[53]

À insatisfação com a Constituinte somavam-se os ecos das manifestações de Campos e de duas ou três vilas paulistas, além do pronunciamento da guarnição de Porto Alegre (em que se suspeitava dedo da corte), todos exigindo o veto absoluto, no momento mesmo em que a Assembleia Geral debatia a sanção imperial às decisões do Legislativo. E houve sobretudo as repercussões da Vilafrancada, golpe militar que dissolvera as Cortes de

Lisboa, abolindo o regime constitucional e repondo d. João VI na plenitude dos poderes majestáticos. O governo português, contrariamente à intenção dos absolutistas que desfecharam o movimento, caíra nas mãos da facção moderada em torno de Palmela, que se propunha reconstituir o Reino Unido, mediante a concessão de autonomia política ao Brasil e a outorga de uma Constituição que correspondesse ao "gênio e índole da nação" e às "antigas instituições da monarquia", o que el-rei será impedido de fazer pela ação diplomática da Santa Aliança e, em especial, do embaixador francês em Lisboa, Hyde de Neuville.[54]

Deste lado do Atlântico, a promessa foi vista como uma tentativa de recolonização. A Vilafrancada causou "viva sensação" em Pernambuco, onde "os espíritos inquietos [segundo a junta] deduziam novos motivos para as suas imaginações". Entre elas, a de que o regime que vinha de ser reimplantado em Lisboa estaria pronto a conceder autogoverno às províncias; e que o imperador não tardaria em querer imitar contra a Constituinte o ato de força contra as Cortes. A junta e o cabido de Olinda repeliram os acenos de d. João VI, assegurando que Pernambuco continuaria a sustentar a Independência do Brasil e os direitos do imperador. Mas o Rio não escondeu a preocupação de que a província sucumbisse ao canto de sereia autonomista que vinha do Reino.[55]

A Vilafrancada também encorajou a comunidade lusitana, que se avolumava pelo afluxo de reinóis fugidos das províncias vizinhas e do interior, além da corrente regular de imigração que continuava a chegar da ex-metrópole como se nada tivesse acontecido. Daí que aumentassem as pressões visando à deportação dos portugueses celibatários, considerados agentes do Reino e exploradores da credulidade da gente do mato, a quem garantiam que o exército de d. João VI viria protegê-la dos ateus e republicanos da praça. Provocadores também teriam sido enviados de Salvador; e descobriu-se que se ocultara, em pleno centro do Recife, o ex-capelão do governador Luís do Rego. Mas ao passo que hesitava em agir contra os lusitanos, a junta livrava-se dos elementos nativistas mais atuantes, inclusive parte do contingente que aderira à Pedrosada, mandando-os para a guerra da Bahia. Cooptando a massa pedrosista, Barata rompeu finalmente com a junta, criticando-a pela inércia ante as manobras do Apostolado, que manipulava o "egoísmo de alguns miseráveis pernambucanos que atraiçoam sua pátria, vendendo-a ao governo absoluto por teteias pueris e alguns insignificantes ordenados, prêmios ou postos", embora a população "no seu âmago está sã e há de pôr freio a esta ambição torpe e desenfreada". Desde maio, reaparecia o "batalhão ligeiro" e recomeçavam os assassinatos de reinóis.[56]

A queda dos Andradas pegou os apóstolos de surpresa, engrossando o partido federalista. Mas a alegria durou pouco. No primeiro momento, como ocorrera no Rio, a explicação mistificadoramente liberal dada pelo Imperador alimentou a ilusão de que ele se rendera aos argumentos da oposição a José Bonifácio. Ilusão que se dissipou ao conhecer-se o gabinete, no qual, consoante Frei Caneca, "não se fez mais do que mudar os atores, ficando a mesma peça no teatro". (Na realidade, o novo ministério demonstrará menor empenho em Pernambuco.) Para Barata, a Constituinte continuava a ser uma perda de tempo, devido ao "servilismo dos povos do Sul", cada dia "mais patente e escandaloso", e ao objetivo inconfessado da outorga de uma Carta. A Assembleia de magistrados e padres encaminhava "os negócios para o lado das velhas legislações que já os têm feito felizes a seu modo", em especial aos primeiros, que, "com dois dedos de direito romano, [os comentários de] Ferreira e Pegas à Ordenação, querem sós dar leis e governar o mundo com a ponta do pé". Na inexistência de quorum, os liberais achavam-se reduzidos a seis ou sete deputados, sem que lhes valessem os representantes da província na comissão de Constituição, Muniz Tavares e Araújo Lima. O ministro austríaco é que não escondia a satisfação. Havendo temido a atitude da bancada pernambucana, constatava que o ministério dispunha de ampla maioria, reduzindo-se a oposição a alguns revolucionários de 1817. Segundo Mareschal, o problema da Constituinte é que ela era "muito democrática para o Sul e pouco para as províncias do Norte".[57]

Meses decorridos da abertura da Assembleia, o projeto de Constituição ainda estava sendo elaborado pela comissão presidida por Antônio Carlos, que só o concluiu a 1º de setembro, de modo que, ao sobrevir a dissolução, o debate no plenário arrastava-se pelo artigo 24, não havendo abordado ainda questões vitais, como a contribuição provincial ao orçamento do Império. Da lentidão aproveitara-se José Bonifácio para fazer aprovar leis constitucionais, como a da organização das províncias, que prejulgavam pontos da Constituição, contrassenso de óbvias intenções. Para Barata, as províncias, baluartes naturais contra o despotismo, haviam escapado à perfídia das Cortes para cair sob as maquinações visando a transformá-las em "colônias do Rio de Janeiro" e da sua "corte corrompida, cheia de tribunais [isto é, repartições] e sanguessugas como a antiga". O Brasil, porém, não fora feito "para meia dúzia de famílias do Rio de Janeiro, São Paulo e Minas". Nem Pernambuco, conforme

Frei Caneca, libertara-se de Portugal para "arrastar os grilhões forjados por uns paulistas e quatro peões fidalgos d'el-rei". Cumpria, por conseguinte, que cada província tivesse seu próprio banco, pois o do Brasil só visava a mantê--las na sujeição, e também seu próprio exército e contingente naval (exclusivamente compostos de naturais), retirando-se ao imperador o controle da força armada e abolindo-se a prática de empregar efetivos de umas em outras províncias, para evitar que ele golpeasse de morte as liberdades locais.[58]

Para abafar a estridência federalista, a junta cogitou de consulta às Câmaras, o que teve o efeito contraproducente da petição firmada por cerca de cinquenta pracianos. Nela se recordava que, como implícito no juramento de 2 de junho de 1822, Pernambuco aderira ao Rio a fim de estabelecer--se "uma união razoável", "uma espécie de federação imperial, monárquica, constitucional [e] liberal", capaz de preservar "os imprescritíveis, inalienáveis direitos, isenções e privilégios" locais, mediante "Constituição livre e apropriada às circunstâncias, luzes do século, caráter e estado político". Estando as províncias "independentes em cada uma sobre si quando tais ajustes [se] fizeram", ocorria, contudo, que no Rio buscava-se estabelecer "um despotismo novo", através de manobras como a que descartara o juramento prévio da Constituição pelo imperador, o qual deveria ter consagrado "as primeiras linhas do pacto social condicional entre o mesmo e a nação brasileira". A repressão aos liberais e a censura haviam alcançado o objetivo de intimidar a Constituinte, onde apenas 54 deputados, num total de cem, haviam tomado assento, privando-a dos dois terços indispensáveis à validade das deliberações. Desejando Pernambuco conservar "uma porção de sua soberania provincial", urgia desfazer os equívocos em torno dos poderes dos seus constituintes. O requerimento solicitava o envio de enérgica representação à Constituinte e reivindicava a criação de um Conselho para coadjuvar a junta. Essa proposta assustou-a, pois não figurara no seu plano dividir o poder com um grupo que escaparia a seu controle, de modo que indeferiu a petição, por não conter a assinatura de igual número de proprietários rurais.[59]

Quando da abertura da Constituinte, Araújo Lima consultara-a sobre a obrigatoriedade das instruções enviadas pelas Câmaras aos deputados da província. O assunto ficou ignorado. O ministério dava-se conta dos problemas que semelhante discussão suscitaria, pois os federalistas, sustentando o caráter condicional da adesão de Pernambuco na dependência da Constituição a ser aprovada, poderiam vir a alegar que, havendo os representantes provinciais violado suas instruções, a província não se considerava parte do pacto constitucional. A proclamação de d. Pedro, de 19 de julho, visou precisamente cortar rente o debate que a Assembleia Geral abstinha-se de encetar. O autogoverno, declarava o imperador, seria absurdo num país das dimensões do Brasil, não o sendo menos as pretensões de certas províncias do Norte de "prescrever leis aos que as devem fazer, cominando-lhes a perda ou derrogação de poderes, que lhes não tinham dado nem lhes compete dar". A Constituinte atendeu à cominação imperial, o que colocou a junta em posição incômoda, de vez que ela não só se encarregara de transmitir as instruções à bancada mas voltara a fazê-lo em maio.[60]

A Constituinte acatou a interpretação segundo a qual o juramento da forma monárquico-constitucional em 1822 prejulgara o caráter unitário do regime, ligando indissoluvelmente as províncias. No exame do artigo 1º do projeto de Constituição, a maioria conservadora derrotou a emenda de Venâncio Henriques de Rezende que suprimia a expressão "uno e indivisível" para caracterizar o Império, derrubando também a inserção do advérbio "confederalmente" que ele apresentara ao artigo 2º, relativo à definição do território imperial. Outro deputado pernambucano, Andrade Lima, foi acusado por José Bonifácio de advogar "doutrina subversiva", palavras textuais do ministro, por defender a competência legislativa dos projetados conselhos provinciais, desde que não contraviessem a legislação geral. E, contudo, um ano antes, o argumento de que deveriam ser atendidas as condições locais servira ao Andrada para justificar algo mais radical, como seja a adaptação das decisões das Cortes de Lisboa às circunstâncias do Brasil.[61]

O projeto da Comissão de Constituição, cujos membros, com exceção de Araújo Lima, haviam-no firmado sem restrições, descontentou os federalistas, que pleitearam a convocação do colégio eleitoral a fim de cassar os deputados provinciais que o apoiassem. Entre eles, Muniz Tavares tornara-se especialmente visado desde que defendera, na discussão da fala do trono, a exigência imperial de uma Constituição "digna do Brasil e de mim". O próprio nome de província esteve para ser abandonado como perigoso para a unidade imperial, a despeito de haver sido a designação canônica das divisões territoriais do Império Romano, carecendo de conotação política, como, aliás, também se verificava em Portugal, onde era empregado apenas na acepção administrativa e corográfica. Campos Vergueiro e *O Tamoio*, órgão andradista, desenvolveram a teoria, que será mais bem formulada em 1834, por ocasião do debate em torno do Ato Adicional, segundo a qual o autogoverno era inaplicável ao Brasil, pois resultava de experiência das colônias inglesas da América do Norte, desconhecida na América portuguesa. Além de abolir as províncias, o projeto refundia seu território numa massa informe a ser subdividida em comarcas (vocábulo de cunho estritamente judiciário na prática luso-brasileira), distritos e termos, que Barata caracterizava de invenção "para nos curvarem debaixo do azorrague assim como os asiáticos gemem debaixo do bambu", transformando o Brasil numa China. A proposta da Comissão só não vingou em plenário devido ao receio de contestação regional.[62]

Segundo Barata, as províncias tinham de permanecer íntegras num Império federal, pois não haviam dado poder a ninguém para retalhá-las, colocando-as em posição de serem tuteladas pelo Rio. A pretexto de atenuar a desigualdade geográfica e populacional, a divisão do território brasileiro não passava de um "artifício do despotismo" visando habilitar o imperador a mutilá-las, liquidando qualquer contestação local, argumento que sensibilizava o nervo exposto da separação de Alagoas como punição por Dezessete. Mesmo a olhos unitários, a reorganização territorial parecia irrealista, de vez que as grandes províncias não concordariam. A desconfiança também prevalecia no tocante ao artigo 217, estabelecendo que a contribuição das províncias ao Tesouro imperial seria proporcional às despesas públicas, o que equivaleria a dar um cheque em branco à corte para aumentar os gastos a seu bel-prazer e extorquir somas crescentes. Cumpria adotar o critério inverso: os dispêndios é que deveriam ser proporcionais ao total das cotas provinciais, a serem fixadas segundo a capacidade de cada uma.[63]

Os federalistas condenavam a cumplicidade sulista com as artimanhas de uma Constituinte dominada pelo imperador e seus ministros para fazer o país regredir a um sistema mais despótico que o colonial. Os artigos 1º e 2º ignoravam as necessidades provinciais, que requeriam o autogoverno, descartado em função da propaganda unitária, que o assimilava ao republicanismo, quando o conceito indicava somente a associação de diferentes entidades políticas, fossem estados ou províncias, sem prejulgar a natureza da chefia do Executivo, cujo detentor podia, nas palavras de Barata, "ter o nome de imperador, presidente, príncipe, defensor perpétuo ou qualquer outro, porque o nome é indiferente para a representação e autoridade de que goza". As províncias deviam ter

> cada uma sobre si seu governo particular para os negócios internos e ocorrentes e pode[rem] fazer suas leis privativas para seu cômodo, e além disto te[re]m ao mesmo tempo um governo ou sistema de união,

direção, conservação e defesa geral e comum como se todas fossem um só corpo. A isto é que se chama nação confederada, sistema de governo confederativo, seja qual for o título do chefe que está à sua frente.

Era esse "governo confederativo representativo com o imperador [...] o único que convém ao Brasil" e o mais bem adaptado às suas precisões, ao reconhecer a "cada província uma espécie de pequeno corpo legislativo seu particular para deliberar e legislar sobre peculiares objetos e providências nas necessidades ocorrentes e que pela longitude não podem ser providas do Rio de Janeiro". Contudo,

> não briguemos pelo nome: embora não se declare que o nosso governo fica confederativo, seja o governo bem frouxo em benefício das províncias, seja o sistema livre segundo as Bases que havemos jurado, seja a Constituição representativa bem liberal como a de Portugal, segundo se contratou.

Havia por fim a irritação com o fato de que o projeto não eliminava expressamente a possibilidade de reunião ao antigo Reino. Se d. Pedro também pretendia reinar do outro lado do Atlântico, que se fosse para lá, mas se quisesse imperar no Brasil, tinha de dobrar-se à vontade da nação.[64]

Arrancada pelo ministério à Assembleia Geral, a lei de 20 de outubro de 1823, que deu nova organização às províncias, foi outro importante motivo de descontentamento federalista. Como acentuou Barman, a lei

> subvertia o equilíbrio de forças existente desde o começo de 1821 entre as províncias e o centro, no propósito de restabelecer o statu quo colonial. Uma junta escolhida pelos eleitores da província e responsável perante eles ia ser substituída por um Executivo único, de nomeação do imperador e responsável apenas perante ele.[65]

Durante o debate da lei de 20 de outubro, constituintes nortistas tentaram inutilmente salvar o regime das juntas, dotando-as de autoridade sobre a força armada. Mas a Constituinte aprovou o texto ministerial, que as aboliu em favor de presidentes de nomeação imperial, assessorados por um conselho eletivo e investidos do mando sobre os contingentes de terra e mar estacionados na província, um "arranjo", como definia Barata, que ressuscitava os governadores coloniais, preludiando o golpe de Estado. Da importância que o federalismo dava ao assunto e que prenunciava a crise de 1824, testemunha o fato de que, na impossibilidade de se conservar o regime de juntas, fossem deputados pernambucanos os que tentaram uma transação que cerceasse o poder imperial, seja tornando eletivo o cargo de presidente, embora sujeito à confirmação imperial, seja deixando-o à escolha do imperador, que só poderia, contudo, nomear residentes da província, seja enfim transferindo o assunto para o debate do projeto de Constituição. Duas outras iniciativas de adiar o tema partiram também de representantes nortistas.[66]

A conspiração contra a Constituinte tomara vulto a partir da Vilafrancada, por obra e graça do partido português, estimulado pela demissão de José Bonifácio. Mareschal caracterizou-o como uma facção que, sem ser necessariamente favorável a Portugal ou sequer ao restabelecimento do Reino Unido, compunha-se de indivíduos que, mantendo relações pessoais com d. Pedro, com a imperatriz e com a corte, detinham grande influência e consideração, a despeito da hostilidade que lhes votava a população fluminense. Sua base de poder era a comunidade reinol do Rio, maior que as das províncias, tanto em termos absolutos como relativos. "A ideia deste partido é de se contentar [o Império] com as províncias do Sul e do Centro e deixar a Bahia, Pernambuco e as outras províncias do Norte se dilacerarem até que o cansaço as traga de volta." Para o partido português, a perda do Norte "não é um mal, pois trará para cá uma multidão de compatriotas que os reforçarão", e mesmo "o inteiro isolamento da província do Rio de Janeiro e a defecção de todas as outras seriam ainda bem toleráveis, pois é aqui que a maioria deles vive".[67]

Os crescentes rumores de dissolução da Constituinte levavam a crer que, "assim como as Cortes de Lisboa com sutilezas e teimas fizeram a separação do Brasil, assim o Rio de Janeiro com as suas chibanças tolas há de fazer a separação das províncias". Barata assegurava que Pernambuco não temia o ato de força, pois "o povo está vigilante e não é besta como o da Bahia", mas cumpria preparar o Norte para o que viesse a acontecer e para que o Sul compreendesse que havia disposição de sustentar a liberdade e de resistir ao despotismo. O objetivo imediato devia consistir na deposição do governador das armas e na substituição da junta por um governo de que participariam Barata e o intendente da Marinha, Manuel de Carvalho, o qual, segundo o cônsul francês, malgrado ser "mais hábil e mais prudente que os outros", estava decidido, "com sua facção, a jogar a cartada definitiva".

Mesmo quem, como Boileau, não tinha simpatia pelos federalistas antecipava que a dissolução teria "as mais funestas consequências", obrigando o imperador a colocar um cordão sanitário em torno das províncias meridionais e a recorrer à força contra as do Norte, que "a doçura e a longanimidade hábil poderiam atrair sinceramente com mais facilidade que as armas, sobretudo se no seu descontentamento elas se unissem; ou facilitar ao menos a redução, caso esta extremidade se tornasse necessária".[68]

José Bonifácio pressentiu o que iria ocorrer em Pernambuco. Na Assembleia Geral, ele opôs-se categoricamente à moção que submetia o projeto de Constituição à consulta prévia às províncias, pois isso importaria em esperar "pela opinião dos tabaréus", "dos padres-mestres", do "cura" e de "outros senhores da roça". Secretamente, ele solicitou a Mareschal que sondasse d. Pedro acerca de um golpe parlamentar, a ser deflagrado por mensagem imperial à Constituinte que a alertaria, em termos vagos, para a gravidade da situação. Com base na advertência, José Bonifácio, que dizia contar com cerca de quarenta deputados, garantiria a votação em bloco do projeto, acoplada à convocação de eleições para a primeira legislatura ordinária, aproveitando-se o interregno para intervir militarmente em Pernambuco. Não havia outra maneira de salvar o Império,

> porque se Pernambuco se havia de separar já ou depois de vencidos alguns pontos do projeto de que a província não gostasse, era melhor que se separasse depois de feito o juramento do projeto como Constituição, porque então como havia uma lei geral, até eu [isto é, o imperador] poderia ir atacar a província à frente do Exército e chamá-la à ordem.

Urgia cortar o mal pela raiz, pois as províncias do Sul já começavam a se intoxicar com "o maligno vapor pernambucano". D. Pedro não viu inconveniente no plano, desde que a Constituinte o executasse sem sua participação, lembrando, contudo, que a oposição dos deputados nortistas ao estratagema poderia produzir efeitos indesejáveis. O argumento sobre o Sul, julgou-o infundado, visando apenas a amedrontá-lo.[69] Se então o imperador já se achava inclinado a dissolver a Assembleia Geral, provavelmente não desejaria que "o Velho" interferisse nos seus planos.

No Recife, a política da junta, sob pressões contraditórias, tornara-se aquela "mistura inconcebível de submissão e de oposição às ordens do governo do Rio", "um labirinto no qual é impossível achar ou adivinhar a saída", como escrevia o cônsul da França. O descontentamento crescia na tropa, pois as promoções feitas em maio nem tinham sido ainda confirmadas pelo imperador nem haviam satisfeito os contingentes de cor, ao que se somava a vinda dos oficiais do Rio trazidos por Joaquim José de Almeida, entre eles um português que se tornara abominado no governo de Luís do Rego. Destarte, os federalistas vinham conquistando a força armada para realizar seu plano de formar novo governo e destituir o governador das armas. Em agosto, circulou o boato de que, ao arrepio da ordem imperial para que permanecesse a postos, a junta tencionava demitir-se, havendo mesmo anunciado sua disposição às Câmaras, só sendo dissuadida pelos que, considerando imprudente empreender a mudança em face da preamar federalista, preferiam esperar a aprovação da lei de organização provincial, que o governo solicitou urgentemente ao imperador.[70]

Em fins de agosto, a junta cominou Barata e o padre Francisco Agostinho Gomes, que também representara a Bahia nas Cortes e que também havia sido eleito para a Constituinte, a irem assumir seus mandatos. Os distúrbios e as manifestações de protesto que tiveram lugar no teatro público decidiram-na por fim a atuar contra os federalistas, processar os cabeças e enviá-los ao Rio, contra o voto do presidente Afonso de Albuquerque, que insistiu pela sua prisão imediata, sem esperar pela devassa. A resposta não tardou. Sabendo-se no Recife que o comandante das armas da Paraíba fora destituído pela junta local e que parte da guarnição revoltara-se, difundiu-se a versão de que o oficial, português de nascimento, proclamara d. João VI, desfraldara a bandeira lusitana e marchava contra a capital paraibana. Seria o prenúncio do golpe "apostólico", que em Pernambuco contaria com a participação das milícias rurais, convocadas à praça para a cerimônia da revista da tropa e bênção das bandeiras, comemorativa do 12 de outubro.[71]

A mando dos chefes da infantaria, patrulhas do Exército e da guarda cívica prenderam Joaquim José de Almeida na manhã de 15 de setembro, enquanto o grosso da tropa permanecia de prontidão. Tudo se passou, na comparação de Barata, "como se fosse um baile"; e o relato oficial confirma que a ordem pública não foi afetada. Uma delegação militar, acompanhada de procurador do povo e de uns cem populares, apresentou-se à Câmara do Recife comunicando o ocorrido e exigindo o expurgo do presidente Afonso de Albuquerque, que brindara publicamente o Apostolado, e do secretário da junta, padre Marinho Padilha. Ademais das conhecidas imputações contra Almeida, alegou-se seu propósito de reempossar à força o deposto colega da Paraíba e sua trama com o presidente e com o secretário para extinguirem as guardas cívicas. Em junho, Suassuna, que assumira pouco antes seu lugar na junta, propusera sem êxito a abolição das chamadas guerrilhas, mas em inícios de setembro, em face do aumento da agitação, a junta resolvera extinguir as de Olinda e Tracunhaém. Na insubordinação do oficialato também atuou a decisão governamental de sustar o pagamento dos soldos aos promovidos de maio, devido à falta de aprovação imperial.[72]

Da Câmara, a deputação seguiu para palácio exigir a depuração da junta. Albuquerque e Padilha anuíram em partir desde que a petição fosse referendada também pelos chefes da artilharia e da cavalaria, que não haviam aderido ao movimento. Rejeitada a condição, o presidente fez constar da ata haver renunciado sob coação física. Os oficiais não se opunham aos outros membros, instados a permanecer; e tampouco solicitaram a entrada de substitutos, concordando em que a presidência fosse ocupada pelo mais votado na eleição de 1822, que era Pais Barreto e que por isso mesmo teria apoiado o golpe. Quanto ao governo das armas, propunham os oficiais subordiná-lo à junta, transformada agora em triunvirato. A suspensão do pagamento dos soldos foi anulada. Mas os federalistas não ganharam inteiramente a parada, pois a Câmara do Recife opôs-se ao preenchimento das vagas, de modo a impedir a inclusão de Barata, Manuel de Carvalho e Mendes Viana; e Frei Caneca lamentará o "erro fatal", a "errônea condescendência" que preservara Pais Barreto e Suassuna, permitindo-lhes isolar Bezerra de Melo. O comando tampouco obteve tudo o que queria, pois, a fim de esmagar o federalismo, Pais Barreto e Suassuna chamaram de volta José de Barros Falcão de Lacerda, chefe do contingente na Bahia, o qual, como oficial mais antigo, preteriria os colegas na chefia da tropa. Amigos íntimos, o morgado e Barros Falcão haviam estado juntos nos cárceres baianos em 1817, nos lisboetas em 1821 e no combate a Gervásio.[73]

Visando esvaziar o apoio popular aos federalistas, Pais Barreto e Suassuna tomaram várias medidas antiportuguesas, a começar pelas simbólicas, como a substituição da coroa portuguesa pelas armas imperiais no frontão dos edifícios públicos. Providências tanto mais urgentes quanto, maliciosamente ou não, a junta tardara em fazer desfraldar o estandarte do Império, fizera vistas grossas ao uso público dos hábitos das ordens militares portuguesas e continuara a expor o retrato de d. João VI na sede do governo, a par do de d. Pedro e de d. Leopoldina. A junta também instigou os tumultos que culminaram na expulsão dos frades terésios, cuja discriminação contra o ingresso dos naturais da terra era alvo antigo de ressentimentos provinciais, a que se somara a oposição ostensiva que, desde 1817, faziam à Independência. Constrangida por manifestações em Igaraçu e em Goiana, a junta ordenou a partida, no prazo de vinte a trinta dias, dos lusitanos que não houvessem aderido à causa do Brasil, proibindo novos juramentos. Por fim, embarcou os últimos prisioneiros da Bahia e sequestrou os bens de reinóis emigrados.[74]

O governo do Rio não reagiu à deposição do governador das armas e ao expurgo da junta, limitando-se a transmitir as comunicações oficiais à Assembleia Geral para estimulá-la a aprovar o projeto sobre a liberdade de imprensa, a cujos excessos se imputava o ocorrido. Imperador e ministério já nada esperavam da junta, avaliando, como já fizera José Bonifácio, que a situação pernambucana só poderia ser revertida pelos meios da força, cujo emprego, contudo, tinha de esperar o desfecho do conflito com a Constituinte. Quando Mareschal manifestar ao ministro dos Negócios Estrangeiros, Carvalho e Melo, suas apreensões sobre os efeitos da dissolução no Norte, ouvirá que aquelas províncias "estavam perdidas de qualquer maneira mesmo antes disto", só restando desejar que "Minas e São Paulo não fizessem tolices". Em novembro, circulava na corte que a República fora proclamada por Barata. E na atmosfera envenenada das vésperas do golpe de Estado de 12 de novembro, Venâncio Henriques de Rezende responsabilizava o governo imperial pelo estado da província, lembrando que a insubordinação reinante na força armada fora estimulada pelo próprio imperador ao louvar o movimento contra Gervásio.[75]

Graças a que Pais Barreto e Suassuna haviam sido poupados, os unitários ainda tinham a chance de retomar a iniciativa perdida, o que fizeram com o regresso do comandante da cavalaria, Francisco José Martins, que viajara à corte recomendado pela junta pela firmeza com que fizera do contingente o mais disciplinado da província. O ministério encarregara-o de executar, sob a batuta de Felipe Néri Ferreira, o plano de expulsão de três dezenas de federalistas, encabeçados por Barata e Mendes Viana, ideia, como vimos, originalmente aventada por Bernardo José da Gama. A operação, financiada pelo comércio recifense, teve início com uma campanha de pasquins e cartazes difamatórios das principais figuras da oposição. Caso Martins não lograsse persuadir o redator da *Sentinela* a assumir seu assento na Constituinte, deveria empreitar seu assassinato, ao menos segundo a versão transmitida ao jornalista por amigos maçons e por Estêvão Ribeiro de Rezende, intendente geral da polícia do Rio, onde *O Tamoio* juntara a voz ao coro dos que denunciavam a complacência da junta com as atividades de Barata.[76]

O plano foi avalizado por Suassuna e Pais Barreto. Este dirá ao cônsul francês: "Combati o despotismo e os sofrimentos que passei em 1817 mo tornaram a mim ainda mais odioso, mas antes o despotismo que a anarquia em que nós vivemos". Martins aliciou os comandos que haviam, em setembro, deposto o governador das armas e expurgado a junta, mas que agora se diziam ofendidos por Barata, que qualificara o Exército de instrumento da autocracia. À representação assinada por militares e funcionários públicos para que fosse obrigado a cumprir seu dever de constituinte, Barata opôs a recusa a "discutir uma Constituição liberal" sob "o estrondo da artilharia" e das "mais de 7 mil baionetas" empunhadas por grande número de portugueses, sob o comando do imperador. Em meados de novembro, quando ainda se desconhecia a dissolução, Barata foi preso por "seus escritos incendiários e subversivos", juntamente com Mendes Viana, e embarcados ambos para o Rio, não sem que publicasse uma derradeira *Sentinela*, tachando o triunvirato de cumplicidade com as tenebrosas transações do ministério e do partido português. Como o verdadeiro alvo da junta era Barata, o outro constituinte baiano no Recife, o padre Francisco Agostinho Gomes, não se verá coagido a viajar para o Rio. Os oficiais recuaram, contudo, do projeto de desterrar os outros cabeças federalistas, nem lograram cancelar o retorno de Barros Falcão e do contingente na Bahia.[77]

O cônsul da França era o primeiro a deplorar a pusilanimidade da junta que deixara à tropa a iniciativa da prisão, prevendo que, sem a expulsão de todos os chefes federalistas, em especial os irmãos Carvalho, a arbitrariedade praticada contra Barata redundaria em crédito deles e até num conflito de repercussões através do Império. A corte devia apressar as providências destinadas a garantir a submissão de Pernambuco e das províncias do Norte. Mas embora fosse grande o descontentamento no Recife e até no interior, parecia a Boileau que as probabilidades de revolução autonomista haviam diminuído e que, de qualquer maneira, ela estaria fadada ao fracasso. Devido ao cansaço reinante, a instabilidade já não poderia durar por muito tempo; e, no mesmo sentido, operaria o temor à expedição recolonizadora. Uma revolução que completasse a Independência mediante a implantação de um regime liberal só seria possível a longo prazo, depois que o progresso material e moral houvesse mudado o rosto do país.[78]

A deportação de Barata selou a sorte da junta. Martins informava ao Rio que, por enquanto, a tropa permanecia fiel, mas "o partido do Barata assanhou-se de tal maneira, que tem sido custoso contê-lo: os clubes e as tramas aparecem de momento em momento", de modo que, sem o envio de força naval, "tudo vai perdido". Enquanto a agitação crescia no Recife, obrigando Felipe Néri Ferreira a refugiar-se no interior; Goiana despachou a habitual deputação de protesto. Ali a agitação era tamanha que a junta resolveu retirar a guarnição, o que desencadeou a rebelião da vila, sob a chefia de Francisco de Carvalho Pais de Andrade, que, eleito constituinte, negara-se, como Barata, a assumir o mandato. Francisco de Carvalho conclamou as Câmaras a formarem novo governo, sob pena de entregar-se Pernambuco à anarquia ou ao despotismo, obtendo o apoio dos municípios da Mata Norte e de efetivos que haviam desertado para Goiana como em 1821. Contra o voto de Bezerra de Melo, Pais Barreto e Suassuna resolveram expulsar os irmãos Carvalho e aliados, apostando na chegada iminente da tropa de Barros Falcão, enquanto os federalistas tratavam de agitar o povo para impedir-lhe o desembarque.[79]

O contingente desembarcou a 12 de dezembro, mas as coisas não saíram de acordo com o plano de Pais Barreto e de Suassuna. Poucas horas depois atracava navio da corte, trazendo de volta os deputados, com a notícia da dissolução da Constituinte, o que jogou água fria na fervura causada pelo regresso da tropa e nos festejos que a junta mandara preparar em sua honra. "Os fatos ocorridos no Rio [assinalava Boileau] foram logo em todas as bocas, sendo fácil pela maneira em que eram relatados, reconhecer de imediato o efeito que eles iriam produzir." "Num instante teve lugar uma reviravolta e o partido republicano, como uma mola comprimida, levantou-se com maior força e as rédeas da governação escaparam das mãos de um governo fraco e muito inferior a tais eventos." Como assinalou Barman, a Assembleia Geral, ao aprovar a lei de organização das províncias, contara com que, terminada a elaboração constitucional, o imperador responderia perante a legislatura ordinária pela atuação dos presidentes que houvesse nomeado. Com a dissolução, "tal garantia desaparecera e as províncias já não tinham controle, sequer indireto, sobre a ação do governo central".[80]

Ainda no Rio, o grupo de constituintes combinara lançar manifesto à sua chegada ao Recife e, no decurso da viagem, teriam assumido o compromisso de formar uma liga regional de resistência ao golpe de Estado. Uma vez no Recife, exprimiram publicamente a mais viva indignação, só

se referindo a d. Pedro como o ex-imperador, enfatizando a vulnerabili-
dade do trono em face do descontentamento da população fluminense e
da fermentação da tropa, e ventilando o projeto de reunir a Constituinte
em Pernambuco, a fim de proclamar a destituição do imperador. Contudo,
o manifesto que divulgaram tinha tom comedido, limitando-se a historiar
os acontecimentos da corte e até mesmo agradecendo a d. Pedro por lhes
haver mandado fornecer passagem de volta.[81]

Ao apostar no retorno de Barros Falcão para subjugar os federalistas, Pais
Barreto e Suassuna haviam cometido um erro de avaliação, pois o comandante não controlava sua tropa, que, como vimos, servira para livrar o Recife de muitos indivíduos considerados indesejáveis devido a seu envolvimento nos tumultos que se sucediam desde o tempo de Gervásio.[82] Ainda
menos disciplinada do que as unidades da guarnição, politicamente mo-
tivada pela guerra na Bahia e fazendo corpo à parte, ela julgava-se a guar-
diã da liberdade pernambucana. A um norte-americano que a visitara havia meses no seu quartel no Recôncavo, dera-se mesmo a entender que o
compromisso com o imperador cessaria uma vez expulso o exército de Madeira. E, com efeito, como 2º Batalhão de Infantaria de Pernambuco, ela
será o sustentáculo militar do governo de Manuel de Carvalho. Mesmo
que quisesse, Barros Falcão não poderia ter evitado a queda do triunvirato,
justificando sua atitude com o argumento de que à sua amizade com Pais
Barreto deviam sobrepor-se os interesses da província, que estariam mais
bem representados pela política que visava a obter do Rio a reconvocação
da Constituinte.[83]

Foi nessas circunstâncias que o triunvirato reuniu o Grande Conselho
de 13 de dezembro. Dizendo-se enfermo, Pais Barreto passou procuração
a Suassuna para presidir em seu lugar e propor tudo o que julgasse conveniente ao restabelecimento da ordem pública, inclusive a demissão da junta,
se seus argumentos não fossem atendidos.[84] Mas os federalistas não deixa-
riam repetir-se o 15 de setembro.

O partido de Barata havia aplainado o caminho. Reunido diante do palácio, apenas abriu-se a sala do conselho que ele se precipitou em massa e
os gritos de "Abaixo o governo" logo provocaram a queda da junta. Devido a uma dessas singularidades de que nós, franceses, tivemos mais de
um exemplo, um punhado de pessoas reunidas como conselheiros cons-
tituíram-se em representação, proclamaram a destituição do governo,

para me servir de suas expressões; e sem parar neste ponto, se ocuparam da formação imediata duma nova junta temporária para governar a província até que os eleitores, disseram, possam se reunir e proceder à eleição dum novo governo provisório.[85]

O estabelecimento do governo temporário presidido por Manuel de Carvalho e a aclamação de Barros Falcão como governador das armas, quando ainda se desconhecia sua nomeação pelo imperador, eram um ato de salvação pública. Mas os federalistas tiveram dificuldade em impor Carvalho, como atestaram os 32 votos que obteve num total de 109 sufrágios, o menor escore comparado aos dos demais eleitos. O colegiado foi escolhido segundo o modelo da lei de 20 de outubro, compondo-se de presidente, secretário e Conselho Governativo de cinco vogais. Na expectativa da nomeação de presidente pelo imperador, debateu-se a questão de se a junta deveria governar até sua chegada ou reunir o colégio eleitoral para formar novo governo. Se a organização do governo temporário destinara-se a impedir a acefalia da província, o lógico teria sido mantê-lo até a chegada do delegado imperial. Mas os federalistas, que tinham outros planos, forçaram a convocação do colégio para 8 de janeiro de 1824, contra a opinião dos unitários, assentando-se que, na eventualidade de o presidente desembarcar no Recife antes da eleição, o cargo lhe seria entregue, procedendo-se apenas ao pleito para o Conselho Governativo.[86]

A tomada do poder pelos federalistas não teria sido factível sem a onda de indignação provocada pela dissolução da Constituinte, a qual se estendeu a parte dos unitários que se sentia lograda pela perfídia imperial, como ilustra o gesto do próprio Barros Falcão de arrancar em público a condecoração que o imperador lhe concedera pela campanha da Bahia, "dizendo que não queria nada ter dum traidor", atitude imitada por outros oficiais. Um desses unitários dissidentes procurou explicar-se. Após a dissolução, os federalistas, "campando de adivinhador[es] do futuro", cobraram-lhe sua oposição a Gervásio. Mas

> eu quisera perguntar a estes meus senhores: qual seria o brasileiro patriota que naquela época (não conhecendo a manha da besta), convidado para influir na independência do Brasil, hesitasse um só momento? Depois da mão passada é que se nota a má jogada.[87]

Mas foi um manifesto das mulheres de Goiana, vila que tanto apoiara d. Pedro, que melhor articulou a frustração dos seus partidários. O imperador

> soube de tal arte iludir-nos, que chegamos a adorá-lo como fundador e defensor da liberdade e independência do Brasil, [mas] traindo nossa confiança e ingrato a tudo quanto em seu favor, temos feito, tirou finalmente a máscara hipócrita com que se disfarçava e fez ver em toda a claridade que, se nos embalava com a Independência, era para mais facilmente nos adormecer sobre as suas verdadeiras intenções de nos escravizar, deslumbrados por aquela palavra mágica que de tão grande fanatismo encheu nossas cabeças.[88]

4.
Vinte e Quatro (1)

(dezembro de 1823-junho de 1824)

O governo temporário, improvisado a 13 de dezembro por cidadãos do Recife e de Olinda, foi previsivelmente de composição dezessetista. Como Gervásio Pires Ferreira, Manuel de Carvalho Pais de Andrade era homem rico. Filho de um burocrata reinol casado em família da terra, participara da Revolução de 1817 com o irmão Francisco, refugiando-se nos Estados Unidos, onde se enfronhara no constitucionalismo dos Pais Fundadores. O exílio teria feito dele (na caracterização de um parente)

> um americano nas ideias, nos modos e nos costumes [...] ao ponto de abandonar a sua mulher, filha do barão de Itamaracá e sua prima, para ir viver com uma americana com quem mais tarde se casou em segundas núpcias e da qual teve três filhas, que batizou com os nomes de estados americanos.

No mesmo sentido é o testemunho de Barros Falcão: Carvalho pouco diferia "dos indivíduos dessa nação, não só na figura, aspecto, porte, costumes e maneiras, como também no caráter e até no seu modo de trajar". Maria Graham, que o conheceu na hora crítica de agosto, registrou sua desenvoltura no manejo da língua inglesa e na discussão de teoria constitucional, embora um partidário seu, ao reconhecer-lhe temperamento prático, patriotismo e popularidade, lhe atribuísse "luzes mesquinhas". Cochrane, Lima e Silva e o cônsul americano o tinham na conta de determinado e empreendedor.[1]

É certo que, como pretende a historiografia imperial, Carvalho alimentava o propósito de proclamar uma "república pernambucana" ou federação das províncias tributárias do entreposto recifense; e que as relações que manteve com o Rio até julho de 1824 destinavam-se a encobrir seus objetivos para só romper com o imperador no momento apropriado. Já em dezembro, sabia o cônsul francês ser sua intenção esconder o jogo "o mais longo tempo possível, mediante protestos de união e de fidelidade", de modo a "adormecer a corte, que através de golpes prontamente desfechados, poderia operar uma reação imediata". Nesse ínterim, disporia de tempo para preparar-se militarmente e para articular uma frente das províncias do Norte. Não tinha, contudo, fundamento a versão corrente no Rio de que Carvalho estaria tão somente à espera de flotilha encomendada no exterior. Antes do 2 de julho, ele apenas encomendou nos Estados Unidos uma corveta de dezoito peças, devidamente tripulada. Foi só após a ruptura que ordenou a aquisição na Filadélfia de meia dúzia de canhoneiras e de dois navios a vapor na Inglaterra, nenhum dos quais chegou a tempo, bem como a conversão de navios mercantes portugueses sequestrados no Recife. Na realidade, Carvalho só contou com quatro barcos (brigues e escunas) tomados à Marinha imperial, não considerando, aliás, a guerra marítima como sua principal linha de defesa.[2]

Contudo, ao denunciar o "separatismo" de Carvalho, a historiografia do Império afeta ignorar as circunstâncias específicas em que ele atuava, sobretudo sua dependência das correntes que o apoiavam. O carvalhismo não era uma facção puramente federalista, como havia sido o gervasismo, mas incorporara uma parcela dos unitários ressentidos com a dissolução, além da massa pedrosista, que o governo dos matutos alienara. A força da coalizão fundava-se nos moderados e nos unitários dissidentes, que acreditavam poder atingir seus propósitos sob a bandeira da reconvocação da Constituinte, não da mudança de regime. A postura ambígua adotada por Carvalho não se destinava apenas a embair o Rio, mas lhe permitia escamotear as divergências no âmbito da aliança, prolongando-a enquanto fosse conveniente a seus propósitos, ademais de habilitá-lo a camuflar com os fins declarados da coalizão as medidas governamentais que poderiam servir tanto ao propósito de alcançar o objetivo limitado da resistência ao golpe de Estado de novembro de 1823 quanto ao de romper com o Império unitário.

Se em 1817 Carvalho opusera-se terminantemente aos entendimentos com o Rio, sua estadia nos Estados Unidos servira para refinar suas opiniões políticas. Intendente da Marinha desde a junta de Gervásio, ele fizera ato de adesão à monarquia constitucional. Taxado de republicano e de manter em sua residência um clube secreto que articulava novo Dezessete, respondera com a argumentação típica desses conversos, a de que, embora reconhecesse a superioridade do sistema republicano, reputava-se "um liberal constitucional" para quem o problema não consistia na chefia do Estado, mas na natureza do regime, que devia ser tão liberal quanto o das Cortes de Lisboa, restringindo severamente as prerrogativas do Poder Executivo, inclusive mediante o autogoverno provincial, de modo a garantir a estabilidade e impedir que, "de bernarda em bernarda", o país fosse "parar em uma pura democracia".[3] Sincero ou não, o apoio de Carvalho e dos federalistas à monarquia constitucional saíra naturalmente abalado da experiência de 1823, que os expusera à condição de otários. É, aliás, plausível que muitos dos federalistas convertidos ao Império tivessem calculado que, mais dia, menos dia, a corte terminaria por arrancar a máscara liberal, justificando o regresso deles à antiga fé.

Quando Carvalho assumiu o poder, a questão imediata dizia respeito à chegada do presidente de nomeação imperial, que, ao comunicar a d. Pedro os eventos do dia 13, rogou fosse designado imediatamente, por não possuir a junta temporária o traquejo da governação. O mesmo argumento Carvalho usou em proclamações aos pernambucanos, justificando sua aceitação do cargo em nome da defesa da Independência e da Liberdade do Brasil, ameaçadas pelos "recentes sucessos da corte do Rio de Janeiro". Mas segundo o cônsul francês, que confirma o propósito do governo temporário de empossar o delegado do imperador, Carvalho tencionaria preservar a aparência de normalidade, utilizando a ocasião para acirrar o descontentamento com a corte, graças à impopularidade que acolheria autoridade estranha ao meio e destituída de influência local. Para reforçar sua posição, ele anistiou os militares pedrosistas, que finalmente retornaram confiantemente aos quartéis, e executou o edital do governo dos matutos relativo à expulsão dos portugueses, além de ordenar a prisão dos reinóis considerados inimigos da Independência, muitos deles enviados a Portugal ou a Fernando de Noronha, o expurgo de funcionários civis, de militares e de eclesiásticos lusitanos, o confisco de seus bens etc. O mesmo objetivo de seduzir o nativismo popular transparece na eleição para secretário do governo de um homem de cor, o dr. José da Natividade Saldanha. Por fim, Carvalho despachou emissários às províncias vizinhas, como o constituinte padre José Martiniano de Alencar, com a tarefa de organizar o apoio à luta pela reconvocação.[4]

Nos últimos dias de dezembro, o plano carvalhista foi atropelado pela notícia da designação de Pais Barreto para a presidência, de acordo, aliás, com a tendência das primeiras nomeações imperiais, que foi a de escolher personalidades locais para as províncias do Norte, onde as suscetibilidades eram vivas devido à abolição das juntas. Aliás, segundo versão que circulou na terra, d. Pedro só se teria fixado no nome do morgado em face das desistências de Gervásio Pires Ferreira, Manuel Zeferino dos Santos e Pedro de Araújo Lima. Gervásio encontrava-se no Rio, para onde seguira diretamente de Lisboa após ser anistiado pela Abrilada, mas não é crível que o imperador tivesse realmente cogitado de nomear quem há pouco reputara inconfiável, embora o ministro austríaco informe ter sido Gervásio "bem acolhido" na corte, a fim de agradar os inimigos dos Andradas. Quanto a Manuel Zeferino dos Santos ou a Araújo Lima, a informação pode ter fundamento. Ambos haviam representado Pernambuco nas Cortes de Lisboa; e à raiz da dissolução, Araújo Lima chegara mesmo a ser nomeado ministro do Império, cargo de que foi dispensado três dias depois, a pedido, alegando falta de experiência e de conhecimento. Na verdade, além de não desejar alinhar-se com o partido português, preocupava-o a segurança da família em Pernambuco, caso aceitasse o ministério. Araújo Lima preferiu passar algum tempo em Paris. Tratava-se da primeira manifestação historiável de matreirice política do futuro marquês de Olinda, que, como regente do Império e presidente por cinco vezes do Conselho de Ministros no Segundo Reinado, se celebrizará por elas.[5]

A nomeação de Pais Barreto, assinada quando ainda se desconhecia no Rio a destituição da junta dos matutos, tinha de agravar o descontentamento com a dissolução; e, não podendo ser creditada à ignorância da conjuntura provincial, devia ser imputada ao objetivo de liquidar o federalismo. Em lugar do forasteiro impopular com que contavam, os carvalhistas viam-se na contingência de entregar o poder ao inimigo da véspera e de se resignarem à anulação, por obra e graça de uma penada imperial, da suada vitória de dezembro. É o que explica que recuassem da decisão de 13 de dezembro, no sentido de empossar o presidente caso chegasse antes da eleição prevista, resolvendo criar o fato consumado de 8 de janeiro, quando o colégio eleitoral confirmou Carvalho na presidência por 110 votos num total de 150 e elegeu novo Conselho Governativo composto de três dos membros da extinta junta temporária e de dois novatos.[6]

Ao imperador, o colégio eleitoral explicou a medida excepcional em vista das "circunstâncias melindrosas em que se acha toda a província", não só devido à nomeação de Pais Barreto, que, com seus colegas de junta, havia confessadamente perdido a opinião pública, como constava da ata da reunião de 13 de dezembro; mas sobretudo à "desconfiança não pequena em que se acham todos os habitantes [...] pelo extraordinário acontecimento que teve lugar nessa corte no dia 12 de novembro", o qual fazia recear "o restabelecimento do antigo e sempre detestável despotismo", a que os pernambucanos estavam "dispostos a resistir corajosamente". Uma vez que a magnanimidade imperial "tantas vezes tem reconhecido quanto é forçoso ceder à imperiosa lei da necessidade" (referência impertinente à dissolução), o colégio de eleitores exprimia a esperança de que d. Pedro confirmasse sua decisão, "sem a qual a província não poderá sossegar".[7] A favor da decisão do colégio eleitoral, alegou-se que ela se baseava no direito de petição como também na velha prática administrativa lusitana que consistia em sobrestar a execução de ordem régia, à espera de sua reconsideração, por haver sido expedida com base em informações errôneas ou insuficientes, no caso o desconhecimento do imperador acerca da renúncia do governo dos matutos e da impopularidade do morgado. Praxe invocada quando do Fico, ao solicitar-se a Lisboa a suspensão do decreto das Cortes que mandara o príncipe regressar a Portugal.[8]

Outra decisão do colégio era mais grave. Quando da dissolução, d. Pedro convocara eleições para nova Constituinte, que trabalharia sobre um projeto de Constituição a ser elaborado por Conselho de Estado de sua nomeação. A fórmula não podia contentar os federalistas, pois, indagava Frei Caneca,

uma Assembleia que trabalha sobre um projeto de Constituição oferecido por sua majestade seria uma Assembleia soberana constituinte, representativa da soberania do Brasil? Parece-nos, e a muita gente limpa, que ela não passará de um mero conselho ou Cortes [...] que [no antigo regime] não foram mais que um ajuntamento de suplicantes, tirados das três classes, clero, nobreza e povo, sem a mais leve sombra do Poder Legislativo, quanto mais constituinte.[9]

Logo, porém, o imperador substituíra a ideia de nova Constituinte pelo juramento, por parte das Câmaras do país, do projeto do Conselho de Estado, solução ainda mais desfavorável. O colégio eleitoral, que ainda desconhecia o recuo, negou-se unanimemente a eleger novos constituintes, alegando que o processo constitucional fora interrompido pela violência e que a escolha de outros deputados era contrária à dignidade da província. A Assembleia Geral não perjurara, cumprindo à risca os compromissos assumidos no tocante à preservação da integridade e independência do Império, bem como da manutenção do caráter oficial do catolicismo e dos direitos de sua majestade e da sua dinastia, não podendo ser dissolvida a pretexto de excessos imputados a certos membros, tanto mais que os Andradas não haviam atentado contra aqueles princípios. À raiz do 8 de janeiro, o cônsul da França mostrava-se pessimista: "Os resultados desta reunião diminuíram sensivelmente a esperança que tínhamos de que alguns momentos de reflexão produziriam talvez um retorno à moderação".[10]

Pouco depois, conhecido o projeto de Constituição, de autoria do Conselho de Estado, a insatisfação acentuou-se. "Tudo o que vem atualmente da corte [escrevia Boileau] inspira demasiada desconfiança para ser favoravelmente acolhido", de maneira que "a força é o único recurso que restará ao Rio de Janeiro para fazer a província voltar à ordem, enquanto ela estiver influenciada pela facção que a domina no momento". A composição do Conselho era particularmente suspeita aos federalistas. No Rio mesmo, dava-se de barato que não haveria sistema representativo e que ou a primeira legislatura ordinária transformar-se-ia num anódino Conselho de Procuradores ou, se recalcitrasse, seria mandada de volta para casa. Maciel da Costa, um dos autores do projeto, mostrava-se cético, considerando-o "demasiado democrático", o Brasil não comportando um regime que ninguém compreendia. Também manifestava-se na corte o desejo de que, à espera da consulta às Câmaras, o projeto já vigesse como Constituição. Não podia ser mais evidente a tramoia que se maquinava nas altas esferas. Na previsão de Frei Caneca,

> o que sucederá é que, formado o projeto, há de ser remetido às Câmaras para fazerem reflexões suas para a reforma; ao depois, apesar de que as Câmaras não tenham representação alguma e não sejam mais do que corpos elegidos pelas vilas e cidades para administrarem suas rendas com certas atribuições, e tudo o que é representação esteja concentrado nas Cortes, e nelas somente e em mais ninguém, dir-se-á que são supérfluas as Cortes, porque já a nação explicou a sua vontade pelos órgãos das Câmaras; e nisto vem a parar a Constituição do Brasil.[11]

Dito e feito. Ao receber o projeto, a Câmara do Rio declarou-o melhorável, propondo-se jurá-lo a 8 de janeiro, aniversário do Fico, ímpeto adesista que o imperador teve de refrear, adiando a cerimônia para 25 de março, a fim de guardar as aparências por meio de um intervalo decente. Os habitantes da corte declararam-se, sem exceção, em favor do texto, inclusive os liberais, que o acolheram com indisfarçável alívio.

Nesse jogo de cartas marcadas, d. Pedro aplaudiu a sabedoria dos fluminenses; e a Câmara do Rio dirigiu-se às das outras capitais, concitando-as a imitá-la. Caldeira Brant, enviado com a missão de obter o juramento na Bahia e em Pernambuco, obteve em fevereiro a anuência da Câmara de Salvador. Na corte, nem sequer colocara-se a questão de se as Câmaras tinham representatividade para aprovar o projeto em nome da nação, prevalecendo a conveniência de sua dispersão e distância que as tornavam imunes às influências demagógicas.[12] Mas Frei Caneca verrumava:

> Por que razão o Senado do Rio deve ser a bússola do Brasil ou [...] servir de guia a todas as demais províncias, mormente em negócios de tanta monta? O Senado do Rio tem tanto direito para nos dar a lei, como o de Maragogipe nessa Bahia e o da Jacoca na Paraíba do Norte. Antes, há uma razão ponderosa pela qual nunca deve o Brasil lembrar-se do Senado do Rio para seguir seu exemplo [...] a qual é que este Senado é a mais escrava de todas as Câmaras das províncias do Império; é o Senado que nunca obra com liberdade pela imediata influência do ministério, por estar cercado de baionetas da facção portuguesa e no meio dos *chumbeiros*. Só se elegem camaristas aqueles que quer o partido dominante; e depois de eleitos, ou assinam de cruz as minutas que lhes são transmitidas pela facção portuguesa, ou redigem seus trabalhos debaixo da sua influência e auspícios.[13]

No direito português, o poder das Câmaras, como o das antigas Cortes, não advinha da nação, mas do rei, pois umas e outras "não são representantes dos povos; representam sim *pelos* povos". A Câmara do Rio, ironizará Natividade Saldanha, tomava-se pelo Senado romano e decidia pelo Brasil, como havia feito em 1822 o Conselho de Procuradores, que tampouco tivera competência para aclamar d. Pedro seja defensor perpétuo, seja imperador.[14]

Os federalistas utilizavam para seus próprios fins a doutrina dos partidários da monarquia absoluta, como outrora o bispo-governador Azeredo Coutinho em resposta à Câmara de Igaraçu, que procurara fundar o poder municipal numa delegação popular: "Toda autoridade, jurisdição, honras e privilégios de que gozam as Câmaras não são provenientes de eleições populares, nem de soberania do povo", mas da Coroa, "em quem reside todo poder e autoridade da monarquia". Em Portugal, à teoria dos liberais do feitio de Hipólito José da Costa e de Rocha Loureiro, que enxergavam nas Cortes a forma embrionária de representação nacional sufocada pelo arbítrio da Coroa, opunham-se publicistas como o marquês de Penalva e Correia de Lacerda, sustentando que o poder dos monarcas não decorria de um pacto fundador entre os primeiros reis e os vassalos, mas de títulos decorrentes de dote e de conquista.[15]

Em janeiro, no Rio, soube-se que algo se passara em Pernambuco. Nos primeiros dias do mês, Cochrane transmitia ao ministério comunicação de Hayden, chefe da estação naval no Recife, que se comprometera nas medidas repressivas tomadas pela junta dos matutos. Hayden informava acerca de uma trama carvalhista para prendê-lo e capturar o brigue *Bahia*, sob seu comando. Intimado por Carvalho a apresentar suas ordens e instruções, Hayden pusera-se ao largo negando-se a reconhecer um "governo republicano". Os carvalhistas, contudo, se haviam assenhoreado de outro navio de guerra, o *Independência ou Morte*, que, rebatizado *Constituição ou Morte*, passara a ameaçar Hayden. Carvalho não atacou o *Bahia*, limitando-se a recusar abastecê-lo, de modo que, em breve, falto de víveres, Hayden viu-se forçado a partir.[16] As decisões do colégio eleitoral foram conhecidas na corte em finais de janeiro. Referindo-se à repercussão do golpe de Estado, Mareschal notava que, enquanto as províncias do Sul e do Centro mostravam-se submissas, a Bahia e Pernambuco, que se temia agirem de concerto, achavam-se em situação pré-insurrecional, estimando-se que todo o Norte faria o mesmo. Contudo, caso a Bahia não se declarasse, a contestação pernambucana diminuiria de gravidade.[17]

Do ponto de vista do carvalhismo, a reação baiana à dissolução fora inicialmente encorajadora, pois a Câmara de Salvador ameaçara separar a província do Império se a Constituinte não fosse imediatamente convocada. Logo, porém, dera marcha atrás, exigindo apenas a apresentação do projeto imperial. Os federalistas baianos haviam perdido a escaramuça e seus chefes foram obrigados a retirar-se para o interior. Carvalho pensara contar com o governador das armas, Felisberto Caldeira Brant,[18] que, após seu assassinato em outubro de 1824, será denunciado pela oficialidade baiana por cumplicidade com a Confederação do Equador, "pelas amplas e seguríssimas promessas de cooperação feitas aos chefes que a empreenderam".

Segundo Accióli, dava-se como certo disporem os carvalhistas do "apoio de alguns indivíduos de não pequeno vulto". Mas o único objetivo de Caldeira Brant era empolgar o comando da tropa, feito o quê, com a deposição de Labatut, mudara de posição. Em dezembro, Carvalho consultara a junta baiana sobre a dissolução; e em janeiro, enviou Venâncio Henriques de Rezende a Salvador, com instruções para viajar à corte na companhia de representante baiano, a fim de fazerem gestão conjunta em favor da reconvocação. Mas o presidente Francisco Vicente Viana respondeu-lhe em termos evasivos, intimando-o a partir ao saber que o padre contatara personalidades da província acerca da formação de uma liga do Norte.[19]

Contra Carvalho, os imperiais, também designados por imperialistas, ou seja, os unitários que haviam aceito a dissolução e o morgado, apostavam numa reação célere da corte, de onde surgiam rumores do apresto de expedição contra Pernambuco; ou numa cisão entre a tropa vinda da Bahia e os corpos da província. O fato de que Barros Falcão, antes da sua aclamação como governador das armas, já estivesse nomeado pelo imperador tornava-o o chefe óbvio de um golpe contra Carvalho, tanto mais que se apressara em desmentir haver cometido a espanholada de arrancar a insígnia da Ordem do Cruzeiro. Os carvalhistas não confiavam nele, mas conseguirão neutralizar as tentativas de aliciá-lo da parte dos morgadistas. Estes, porém, contavam com outros oficiais. Destituído do seu comando, Martins amotinou a cavalaria, parte dela desertando para Alagoas, onde incorporaram-na à guarnição local, enquanto a outra, com seu chefe, reuniu-se no Cabo a Pais Barreto e a um grupo de portugueses refugiados. Inseguro quanto ao apoio militar, Carvalho ampliou o sistema de guardas cívicas que o governo dos matutos começara a desmobilizar, organizando contingentes de cem a duzentos homens, todos sob comandantes designados pelo presidente e recrutados entre a população e também entre a tropa de primeira linha e as milícias do interior, de modo a esvaziar o poder dos oficiais e dos capitães-mores reputados corcundas. Ao mesmo tempo, novos recrutas eram misturados pelos três batalhões de infantaria.[20]

Em fins de janeiro, malgrado os rumores que o diziam escarmentado pela experiência do poder, Pais Barreto resolveu empossar-se. Independentemente do desejo de desforrar-se dos adversários e de atender sua clientela política, a desistência o teria deixado muito mal no Rio. A resposta das Câmaras à circular que ele lhes enviou era previsível: o Recife e a Mata Sul aprovavam a posse, mas Olinda e a Mata Norte preferiam esperar a decisão do monarca sobre a representação de 8 de janeiro. O morgado recorreu a Barros Falcão, mas, como as gestões resultassem inoperantes, passou a intimidá-lo, informando que se entenderia diretamente com os chefes regimentais. Escudado na lei de 20 de outubro, que proibia os governadores de armas de se imiscuírem em assuntos políticos, e no argumento de que Carvalho gozava da popularidade de que carecia o morgado, Barros Falcão reuniu um conselho de oficiais (13.2.1824), que endossou sua posição, acusando Pais Barreto ao Rio de querer desencadear a guerra civil. O Conselho Governativo achando-se dividido, Carvalho hesitou, ou ao menos foi o que temeram seus partidários, que insistiam em esperar a resposta imperial. Convocou-se então o Grande Conselho de 21 de fevereiro, o qual reafirmou a decisão de 8 de janeiro. Exceto a do Cabo, as Câmaras da Mata Sul não compareceram. O morgado alegará que os representantes municipais haviam sido escolhidos sem consulta e enviados sem instruções, muitos deles votando em Carvalho sob a coação dos insultos e das ameaças físicas, versão idêntica à do cônsul francês.[21]

Estimulados pelas Câmaras do Rio e de Salvador, os imperiais começaram a agitar em prol do juramento do projeto. Da Bahia, Caldeira Brant, não se arriscando a viajar a Pernambuco, ameaçava com a esquadra de Cochrane, esperada a qualquer momento consoante os votos ardentes do comércio recifense, que fazia circular os falsos rumores de que ela já estaria nos Abrolhos e de que o Lord intimara Carvalho a reconhecer a autoridade imperial. A Câmara de Olinda seguia a tática de recusar uma definição até que oficialmente solicitada pelo imperador, mas sua congênere do Recife chamou a população a pronunciar-se, brandindo parecer de Muniz Tavares que afiançava conter o projeto "tudo quanto pode concorrer em geral para a prosperidade de um Estado" e urgindo o juramento em face da anuência de outras províncias. A falta de comunicação oficial era irrelevante; e quanto às objeções a este ou àquele dispositivo, poderiam ser solucionadas através de emenda, quer anterior à promulgação, quer posteriormente, conforme os meios facultados no projeto. Os carvalhistas fizeram abortar a manobra, mas Pais Barreto conquistara o apoio dos comandantes da primeira e da terceira unidades de infantaria, Lamenha Lins e Correia Seara, recém-promovidos por bravura na guerra da Bahia.[22]

Os cabeças do complô eram Felipe Néri Ferreira, nomeado presidente da Paraíba, Tomás Xavier Garcia de Almeida, juiz de fora do Recife e ex-constituinte pelo Rio Grande do Norte, Aleixo José de Oliveira, que, como

Martins, fora expurgado do Exército por sua participação no episódio de Barata, Antônio Francisco de Paula Holanda Cavalcanti,[23] Manuel Clemente Cavalcanti, proprietário da *Gazeta Pernambucana*, o cirurgião Jerônimo Vilela Tavares, o português Elias Coelho Cintra, principal negreiro da praça e grande financiador da campanha contra o governo, além de membros da Câmara do Recife. O papel de Muniz Tavares não foi nada honroso. De regresso a Pernambuco, após haver combatido a dissolução, Carvalho encarregara-o de obter o apoio de Alagoas à reconvocação da Constituinte, mas ao retornar bandeara-se para os imperiais, "arrependido das suas loucuras" e convencido de se haver "desgarrado do verdadeiro caminho de fiel súdito".[24]

Barros Falcão tentou frustrar a conjura, obtendo o compromisso de obediência de Lamenha Lins e Correia Seara. Mas como a agitação subsistisse, a Câmara de Olinda, que não confiava em Barros Falcão, ofereceu-se, caso ele não conseguisse impor sua autoridade a meia dúzia de insubordinados, a concitar as demais municipalidades a que fizessem descer o povo do interior, estimado em mais de 20 mil homens armados. Barros Falcão reuniu a oficialidade, concluindo que ela desejava manter-se alheia à disputa, embora fiel à Independência, à monarquia constitucional e ao imperador. A grande maioria da oficialidade julgava que a força armada não devia intervir em questão que se achava sob a alçada das Câmaras. A minoria que se pronunciou sobre o mérito ou anuía ao projeto sob a condição de que ele fosse devidamente emendado; ou o condenava *in toto* por não emanar de Constituinte, exigindo sua reconvocação; ou o aceitava como proposto pelo imperador. Não tinha, pois, razão Pais Barreto ao assegurar a d. Pedro que a tropa era favorável ao projeto, estando disposta a pronunciar-se tão logo soubesse do indeferimento imperial à petição de 8 de janeiro ou surgisse força naval do Rio.[25]

Em preparação da bernarda, os imperiais fizeram circular o boato de que a República seria proclamada a 6 de março. Carvalho apressou-se em desmentir, alertando a população contra quem lhe atribuía a intenção de separar-se do Império, impostura evidente, pois tal mudança não poderia realizar-se contra o sentimento da maioria da província. Tratava-se, aliás, de argumento revelador: em vez de condenar o sistema republicano e expressar fidelidade à monarquia constitucional, ele se limitava a reconhecer uma situação de fato. O desmentido deu azo à inquietação do carvalhismo moderado. Barros Falcão forçou proclamação definindo "nossa causa" como a de "adotar um governo monárquico-constitucional, que sustente os direitos do honrado povo brasileiro e que para sempre proscreva a antiga sujeição aos portugueses". Ao invés de denunciar o embuste dos inimigos, a Câmara de Olinda investiu contra a república, como que advertindo Carvalho e os radicais. Após invocar o argumento histórico segundo o qual

> o simples nome de república é entre nós consternador, o seu simples som é suficiente para amedrontar, os inesperados acontecimentos do ano de 1817, obra terrível das críticas circunstâncias em que repentinamente se acharam colocados quatro homens, abriram profundas chagas nos corações dos bons pernambucanos, que ainda hoje gotejam negro sangue[,]

a Câmara assinalava que

> as revoluções políticas são como as da natureza. Não se fazem sem que os corpos homogêneos vão lenta e exatamente tendendo para o mesmo ponto e fim; uma nova ordem de coisas, um novo sistema de governo só se instala e mantém pela unânime vontade de todo um grande povo. Como pois se poderá plantar e sustentar a democracia no meio de um povo que se não lembra do nome de república? A mudança de governo não é obra de um dia, é trabalho de muitos anos. Não se consegue senão pelo geral arraigamento de ideias análogas ao governo que se pretende constituir.

Por fim, argumento geopolítico, Pernambuco achava-se cercado de províncias cuja tendência era indubitavelmente monárquica, argumento que já fora utilizado em Dezessete, inclusive nos Estados Unidos.[26]

Devido à maioria de oficiais que preferiram sentar-se no muro, não surpreende o malogro da quartelada de 20 de março, quando Lamenha Lins e Correia Seara sublevaram seus regimentos e prenderam Carvalho na Fortaleza do Brum. Enquanto Barros Falcão hesitava entre o 2º Batalhão, que se negava a aceitar o fato consumado, e opiniões moderadas, que sugeriam dar posse ao vice-presidente Manuel Inácio de Carvalho, a Câmara de Olinda e o corpo de artilharia ali sediado reagiram com rapidez, libertando o presidente. Só então o 2º Regimento marchou para Olinda, acompanhado das guardas cívicas e de uma multidão de populares armados. Os batalhões sublevados voltaram aos quartéis, embora muitos dos seus soldados acompanhassem Lamenha e Seara para o Cabo, onde Pais Barreto tentou instalar governo provisório e promoveu a tropa dissidente, que se tornou a base do exército da Boa Ordem. Ao passo que solicitava ao Rio anistia para os soldados envolvidos, Carvalho demitiu os oficiais rebeldes. Mas os imperiais não se deram por vencidos, procurando novamente (26 e 30.3.1824) fazer aclamar o projeto pela Câmara do Recife, iniciativa outra vez tolhida pelos carvalhistas.[27]

Em face da ofensiva do governo, Pais Barreto teve de se retirar com sua tropa para o outro lado da fronteira com Alagoas, instalando-se na Barra Grande, nas cercanias do seu engenho do Junco, graças à conivência da junta provincial, presidida pelo padre Francisco de Assis Barbosa. O governo alagoano era grato ao morgado que, ao tempo da junta dos matutos, recusara-se a enviar tropa pernambucana para sufocar a sedição que de Porto Calvo derrubara a primeira junta e fizera eleger a atual. Mas havia considerações de maior peso. A família Pais Barreto tivera desde sempre conexões alagoanas e negar guarida ao morgado e à sua tropa atrairia represálias, inclusive dos Mendonça, que, donos do norte da província, haviam colocado Barbosa no poder. Temia-se também que a contraofensiva da corte redundasse na perda da autonomia provincial obtida em 1817. A junta alagoana propôs assim um compromisso pelo qual Carvalho ficaria governando no Recife e na Mata Norte, e o morgado no sul de Pernambuco, enquanto os Mendonça reforçavam a Barra Grande com as milícias que chefiavam e com os índios de Jacuípe.[28]

Como parte do jogo, Carvalho timbrava em manter o Rio informado dos sucessos políticos e das questões de rotina. O governo imperial, contudo, recusava-se não só a comunicar-se com ele mas até a responder às autoridades que reconhecia, como o colégio de eleitores e o governador das armas. Para o imperador e o ministério, a formação do governo de 8 de janeiro, quando já se sabia da nomeação do morgado, e a negativa em empossá-lo eram atos de rebelião e de crime de lesa-majestade como definido nas "Ordenações". Pais Barreto possuía todos os títulos para presidir a província: fora o membro mais votado da junta dos matutos e desfrutava de fortuna e de elevada posição social. A experiência indicava que os homens probos mas de talento modesto desincumbiam-se dos negócios públicos com o acerto que faltava aos talentosos, inclinados a promover mudanças intempestivas. Além da irregularidade consistente em que alguns dos eleitos haviam obtido sufrágios em número superior ao de eleitores, a assembleia de 8 de janeiro carecera de representatividade, devido à ausência de mais da metade do colégio, pessoas de bem do Recife e de Olinda e delegados do centro da província, onde só se protestava obediência ao "filho de seu rei velho".[29]

Ao receberem as primeiras notícias de Pernambuco, imperador e ministério não haviam duvidado da gravidade da situação. O cônsul dos Estados Unidos no Rio escrevia que

> a posição tomada por Pernambuco é de quase rebelião. Desde a dissolução da Constituinte, eles não se comunicam com este governo, ao menos que se saiba; suas gazetas exprimem-se livre e duramente sobre os sucessos de novembro, chegando ao ponto de chamar o imperador de tirano e traidor; e isto debaixo do nariz do governo provincial. Eles decretaram a expatriação dos portugueses, perseveram na recusa em empossar o presidente nomeado pelo imperador, estabelecem seus próprios regulamentos comerciais e, por fim, ignoram todas as ordens do governo do Rio. Contudo, fazem um simulacro de adesão, agem no nome de sua majestade e até professam confiança no seu *liberalismo pessoal* e *constitucionalismo*, atribuindo seu despótico comportamento em novembro ao fato de ser coagido pelas tropas, cuja influência recomendam que seja em ocasião futura evitada mediante a reunião da Constituinte original em alguma província distante da corte.[30]

Tendo corrido o rumor de que Carvalho questionava a neutralidade da Inglaterra e dos Estados Unidos em troca da abolição imediata do tráfico e de concessões comerciais, d. Pedro ficara a tal ponto alarmado que buscara recuperar os liberais fluminenses alienados por José Bonifácio.[31] A alegação de que o governo de Carvalho não se correspondia com o Rio é incorreta, como vimos, mas indica o desconhecimento em que o ministério deixava a corte acerca das comunicações oficiais recebidas da província.

Em vez da esquadra, o imperador teve de se contentar com o envio de simples flotilha, o que Cochrane julgava insuficiente. O almirante atirava a culpa pelo despreparo naval sobre o ministério, em especial Maciel da Costa, ministro do Império, e Vilela Barbosa, da Marinha, ambos interessados, segundo dizia, em manter em banho-maria o estado pré-insurrecional do Norte a fim de permanecerem no poder. Tampouco Cochrane desejava arredar o pé do Rio sem haver recebido sua parte das presas feitas na Bahia e no Maranhão; e o Conselho de Estado tampouco queria mandá-lo a Pernambuco antes de solucionada a disputa, devido ao perigo de que ele se bandeasse para os revoltosos. A força de quatro navios sob o comando de John Taylor levantou ferro a 2 de março. Suas instruções previam que, caso ainda houvesse oposição à posse de Pais Barreto, ele submeteria o Recife a bloqueio, mandando Carvalho e outros perturbadores presos para o Rio; se o morgado houvesse assumido, deveria ficar cruzando no litoral até segunda ordem. O ministério esperava que o juramento do projeto na Bahia tivesse um efeito dominó em Pernambuco, ou que a ameaça de bloqueio bastasse para destituir Carvalho, tanto mais que se subestimava a capacidade de resistência do carvalhismo, que se julgava não ultrapassaria o prazo de um mês, em face das dificuldades de aprovisionamento da praça.[32]

A 31 de março, a flotilha fundeou no ancoradouro externo, após haver desembarcado na Barra Grande um reforço de soldados para o exército da Boa Ordem. Taylor tentou uma solução pacífica antes de passar às vias de fato da declaração do bloqueio, o recurso imediato à força sendo incompatível com os apregoados princípios liberais de d. Pedro e apto a gerar problemas nas relações do Rio com as nações que comerciavam no Recife, que eram também as potências navais com quem se negociava o reconhecimento da Independência. Às gestões de Pais Barreto para coordenarem as operações marítimas e terrestres, Taylor respondeu com um apelo à conciliação mediante a desmobilização da tropa, regresso dos milicianos às suas casas e dos soldados de linha aos seus quartéis, com a garantia de que não sofreriam represálias carvalhistas. Não podendo ter lugar um encontro entre Taylor e Barros Falcão (um não ousava desembarcar, o outro ir a bordo da capitânia), o comandante solicitou a divulgação de manifesto em que concitava a província a empossar Pais Barreto e afirmava não aceitar outro presidente, aduzindo, porém, que, contrariamente ao que veiculavam os carvalhistas, as comunicações oficiais, inclusive a petição do colégio eleitoral, não haviam chegado ao imperador. Na realidade, os expedientes tinham seguido a 12 e a 19 de janeiro, mas a corte nada informara a Taylor.[33]

Em seu lugar, desembarcou o capitão de mar e guerra Luís Barroso Pereira,[34] com uma apresentação de Taylor a Barros Falcão que o dizia homem da confiança de d. Pedro. Barroso transmitiu a ordem imperial e, em particular, ofereceu ao governador das armas pô-lo a salvo com a família. O secretário do governo de nomeação imperial, José Paulino de Almeida e

Albuquerque, também procurou atraí-lo com a promessa de recompensas profissionais. Barros Falcão limitou-se a enviar a Taylor a correspondência que trocara com Pais Barreto. Sua cautela era, aliás, compreensível, em vista das desconfianças carvalhistas a seu respeito. Frei Caneca, por exemplo, interpelara-o sobre rumores de que pretendia abandonar a causa; e um grupo de exaltados interrompera conferência sua com Carvalho, alegando que o governador das armas viera prender o presidente. Em face dessas pressões contraditórias, Barros Falcão e a oficialidade em posto no Recife enviaram memorial a d. Pedro, solicitando a confirmação de Carvalho ou, na impossibilidade desta, a designação de tertius.[35]

Na base de proposta da Câmara de Olinda, Barros Falcão e Taylor concordaram em submeter novamente o assunto à consideração de um Grande Conselho. Os radicais utilizaram-no para demonstrar sua determinação, advertindo em manifesto para as consequências da posse de Pais Barreto,

> homem indigno que quer governar somente para praticar vinganças, para dar empregos a parentes e apaniguados [...] malvado que por três vezes tem soprado o incêndio da anarquia em nossa cara pátria [...] baixo protetor dos marinheiros, nossos mais encarniçados inimigos [...] vil escravo que beija hoje os ferros que, nu e faminto, arrastou, só porque hoje são ferros dourados.

Caso o morgado assumisse, os pernambucanos livres conheceriam a proscrição, o cárcere, o desterro e a morte às mãos da "vil cáfila dos escravos". Nessa eventualidade, "diga antes o mundo 'aquele deserto foi Pernambuco, seus habitantes acabaram como dignos brasileiros'; e nunca digam 'ali é um país de escravos e perjuros'". Pela primeira vez d. Pedro era frontalmente atacado.

> O imperador queixa-se zeloso das suas atribuições. E quem primeiro quebrou os vínculos que firmavam o nosso pacto? Era porventura atribuição dele dissolver a Soberana Assembleia? Era sua atribuição fazer o projeto e querer obrigar a aceitá-lo?

Mas a unidade brasileira não era posta em causa. Pelo contrário, "vossa constância sustentará a de vossos irmãos do Norte e tirará os do Sul do vergonhoso letargo em que jazem".[36]

Em vão Taylor despachou emissários para converter as Câmaras da Mata Norte. Provavelmente estimulados por Pais Barreto, a quem desagradava a moderação do oficial inglês, os delegados da Mata Sul não compareceram. Pretextando não falar correntemente o português, Taylor fez-se representar por Barroso. A 7 de abril, sob a presidência de Venâncio Henriques de Rezende, reuniram-se cerca de duzentos indivíduos esmagadoramente carvalhistas, num clima de exaltação, descrito por Barroso e que o cônsul francês comparou à dos clubes revolucionários da Paris de 1793. Embora na sua proclamação Taylor não houvesse exigido a entrega de Carvalho e dos aliados, o boato corria de que ele recebera ordens nesse sentido.

Como se tornará costumeiro, coube a Frei Caneca formular a posição carvalhista. Os federalistas reconheciam o direito do imperador a nomear o presidente.[37] Mas a nomeação do morgado só visava preparar a província para o juramento da Constituição. Frei Caneca invocava sobretudo o interesse político de d. Pedro na tranquilidade da província. Negar posse a Pais Barreto pouparia o soberano da

desafeição e desconfiança dos povos, que poderão persuadir-se de que sua majestade os quer governar por caprichos, com manifesta ruína do seu bem-estar, lembrando-nos que *um monarca, quando incorre na desconfiança da nação, é imediatamente reputado um inimigo interno, e fica desde então à borda do abismo da ruína*, muito principalmente no tempo de agora, em que o espírito público do Brasil se acha na maior e mais temerosa efervescência, pela dissolução injusta e arbitrária da soberana Assembleia Constituinte, ao ponto de já haver províncias, como a do Ceará, que se têm declarado positivamente pela separação e desmembração do Império, se sua majestade não convocar já e já as novas Cortes que nos constituam; e é muito de recear-se que esta faísca produza o incêndio em todo o Norte do Império e que o Sul não fique mudo e estupefato espectador deste sucesso.

Posto o assunto a votos, a permanência de Carvalho foi unanimemente aprovada. Mas em vista da alegação de Taylor de que o imperador não recebera as petições da província, o que induzia a crer que o ministério as teria subtraído ao seu conhecimento, resolveu-se enviar-lhe delegação para lhe expor de viva voz o problema.[38]

Os carvalhistas haviam cultivado a impressão de que a viagem da deputação adiaria o bloqueio até seu regresso. Taylor, porém, proclamou-o no dia seguinte no Recife e em portos do litoral como Itamaracá e Sirinhaém (onde Carvalho proporá estabelecer alfândegas), declarando a Assembleia um ato de rebelião, orquestrado por demagogos e radicais, e convidando o Exército a rebelar-se contra Carvalho e Barros Falcão. O presidente replicou com um ataque ao mercenário que julgava intimidar a província com suas bravatas, de modo a persuadir a população de que Taylor agira sem autorização imperial, embora fizesse alusões a que "os momentos de ilusão são passados" (fórmula reminiscente da proclamação imperial de agosto de 1822, que afirmara haver passado "o tempo de enganar os homens"), de vez que os povos conheciam seus direitos, e a que "cada cidadão é um Washington" na defesa da liberdade contra os inimigos do sistema constitucional. Ao Rio, Carvalho acusou Taylor de cobrir com a autoridade imperial a arbitrariedade praticada contra o direito de petição. Os carvalhistas moderados sustentaram-no, negando a existência de veleidades republicanas, das quais, segundo Barros Falcão, "já se zomba aqui, por serem estas as armas de que os caluniadores se têm servido em outro tempo para denegrir a honra, o patriotismo e o brio dos pernambucanos". O cabido de Olinda dirigiu-se ao imperador para desmentir que a província estivesse rebelada e para pedir a suspensão do bloqueio, que prejudicava sobretudo as camadas pobres. À flotilha foram conduzidos o emissário de Taylor à Mata Norte e uma dúzia de autoridades, inclusive Bernardo José da Gama, detido em março ao desembarcar, e outros membros recém-chegados da Relação, que se haviam recusado a reconhecer Carvalho. Os imperiais, repetidamente decepcionados com Barros Falcão, perderam finalmente as esperanças de contar com ele para mudar a situação.[39]

Taylor abandonara as expectativas de solução negociada, informando a Cochrane que Carvalho continuava a enviar emissários ao Norte com papéis incendiários e somas de dinheiro; quanto a Barros Falcão, tratava-se de um fraco e irresoluto. A reunião do Grande Conselho fora uma fuga em frente, ditada pelo temor dos carvalhistas mais ativos de que, sem Carvalho na presidência, eles seriam submetidos a perseguições e retaliações. Por conseguinte, "nas atuais circunstâncias já não são admissíveis meios de doçura; só a força, o terror e a severidade podem obter o fim desejado e restituir a ordem e a tranquilidade pública a esta desgraçada província". Urgia atuar antes que todo o Norte se declarasse independente. Embora no Recife não entrasse sequer uma jangada, cumpria reforçar o bloqueio ao longo do litoral com embarcações de pequeno porte, enviar mais vasos de guerra para intimidar as províncias vizinhas e despachar uma força de terra que se reunisse à tropa de Pais Barreto em Alagoas. Ao presidente da Bahia, Taylor solicitou a remessa de contingente que, unido aos morgadistas, atacasse o Recife sob a proteção dos canhões da flotilha.[40]

O fiasco do levante de 20 de março fora conhecido no Rio em meados de abril. E quando se esperava a notícia da posse de Pais Barreto, recebeu-se o relato de Taylor sobre a assembleia de 7 de abril, a que se ajuntavam as novas, veiculadas por jornais do Norte escapos à censura imperial, da proclamação da República em Quixeramobim e no Icó (Ceará). Falava-se também de instabilidade na Bahia, onde se exprimiam publicamente sentimentos pró-pernambucanos, de mistura com ataques e insultos aos portugueses. Ademais, prosseguia o impasse entre Cochrane e o ministério. Nessas circunstâncias, Maciel da Costa e Carneiro de Campos convenceram d. Pedro a adotar a solução do tertius sugerida na representação de Barros Falcão. O imperador daria uma prova da sua magnanimidade e, tirando aos carvalhistas o pretexto do morgado, colocá-los-ia contra a parede quanto ao juramento da Constituição. Embora se propalasse que Carvalho poderia ser eventualmente confirmado, tal possibilidade era negada pelos porta-vozes da corte. Ocorria apenas, como acentuava Silva Lisboa, que o sistema constitucional "não admite como regra de governo a jurisprudência do tambor e arcabuz senão em casos extremos".[41]

Em lugar de Pais Barreto, foi nomeado José Carlos Mayrink da Silva Ferrão. A fim de evitar uma guerra civil, d. Pedro resolvera-se por um nome consensual, prometendo anistia aos que reconhecessem Mayrink, sem que, contudo, se tivesse anulado o capítulo das instruções de Taylor, que ordenava a prisão de Carvalho e dos radicais. Conjecturou Barbosa Lima Sobrinho que, assinado em dezembro, o decreto teria evitado a formação dos partidos e a própria Confederação do Equador, asserção inaceitável em vista do fato de que carvalhistas e imperiais eram, grosso modo, apenas as etiquetas recentes dos grupos que disputavam o poder desde 1821. Seria igualmente ingênuo supor, como Costa Porto, que "houvesse Mayrink assumido a presidência, tudo se teria normalizado". Natural de Minas (era irmão da Marília cantada por Tomás Antônio Gonzaga), viera para Pernambuco havia mais de quinze anos como secretário do governador Caetano Pinto, que arranjara seu casamento com uma sobrinha de Gervásio Pires Ferreira. Graças à cautela nativa, evitara todos os escolhos do período. Em Dezessete, a junta republicana mantivera-o no cargo, devido à sua experiência administrativa, embora ele procurasse delicadamente escusar-se. Esmagada a revolução, juntara-se a Henry Koster para intermediar a rendição do Recife. Luís do Rego protegera-o da Alçada, escondera-o em palácio, ajudara-o a fugir para a França e convencera d. João VI da sua inocência. De volta ao Recife, Mayrink fizera parte da junta formada pelo seu protetor, articulando a resistência da Mata Sul ao movimento de Goiana.[42]

Antes de conhecer-se a nomeação de Mayrink, partia do Recife a delegação tripartite que o Grande Conselho resolvera enviar ao imperador. Esfriado o ardor jacobino, ela recebera autorização, na hipótese provável da rejeição de Carvalho, para pleitear a solução do tertius defendida pelos militares e hostilizada pelos radicais, mas sem poderes para tratar da questão do juramento ao projeto de Constituição, que a essa altura Carvalho ainda considerava estar afeta às Câmaras. A chefia da deputação foi confiada a um unitário dissidente, Basílio Quaresma Torreão, revolucionário de 1817 que desempenhara importante papel na derrota do levante de 20 de março. A missão desembarcou na corte a 2 de maio e, ao saber da designação de Mayrink, deu sua tarefa por concluída. No Conselho de Estado, contra Pereira da Fonseca e Silva Lisboa, que queriam a prisão dos delegados, e Ferreira França e Luís José de Carvalho e Melo, que sugeriam deixá-los mofando numa antessala do paço, prevaleceu uma vez mais a opinião de Maciel da Costa e Carneiro de Campos, de que fossem recebidos. Um grupo de liberais fluminenses, entre os quais Evaristo da Veiga, encontrou-se secretamente com Torreão, para exortá-lo à prudência, deixando de lado "esses exaltamentos de Pernambuco". Na audiência imperial, após os protestos de fidelidade ao trono, Torreão sumariou os acontecimentos da província entre a renúncia do governo dos matutos e a declaração do bloqueio, agradecendo a indicação de Mayrink, sem tocar no juramento do projeto.[43]

A entrevista transcorreu em clima de intimidação. D. Pedro timbrou em receber os emissários na companhia de Martins, que após sua destituição viera para o Rio, tornando-se companheiro das suas aventuras noturnas. Às palavras de Torreão, o imperador limitou-se a responder: "Sinto que os pernambucanos me tenham sido traidores". Antônio Pereira Pinto registra fórmula mais digna: "Sinto infinito que o Recife não obedecesse às minhas ordens, pois a província de Pernambuco sempre me tem sido fiel e obediente. Assim quero que lá o façam constar". Uma variante ("estava certo que toda a província de Pernambuco lhe era obediente; e só o Recife era que se opunha às suas ordens") consta do manifesto dos delegados no regresso a Pernambuco. Ao tentar redarguir, Torreão foi interrompido pela advertência: "Não preciso que me diga nada; eu sei mais do que vosmecê a história de sua província". Ele ainda quis treplicar, mas "o homem, com os olhos chamejantes, pondo na boca o dedo indicador, deu-me um psiu, dizendo em seguida 'nem mais uma palavra'". E ao solicitar Torreão licença para retirar-se, ouviu como resposta: "Quanto antes". Na corte, deu-se aparentemente o assunto por encerrado, tanto que se autorizou Taylor a regressar logo que Mayrink houvesse assumido e sido cumpridas todas as instruções, entenda-se a prisão de Carvalho e dos chefes radicais.[44]

Com a declaração de bloqueio, o carvalhismo moderado começara a perder terreno. Após a partida da missão, recebera-se a notícia do juramento da Constituição no Rio (25.3.1824). Carvalho já não podia concentrar-se na questão de Pais Barreto contornando a do juramento do projeto. Os radicais, alarmados com a ideia do tertius, julgavam que outro presidente de nomeação imperial seria tão inaceitável quanto o morgado e colocaria o governo na posição de recusar-se pela segunda vez a empossar o delegado do imperador. E os aliados de Carvalho no Norte, especialmente no Ceará, esperavam o "nego" pernambucano para se declararem contra o projeto. Este fora oficialmente transmitido por decreto de 11 de março, o qual ordenava se celebrasse o juramento na província, "por ter subido à imperial presença representações de tantas Câmaras do Império, que formam já a maioria do povo brasileiro". Frei Caneca denunciou o estratagema.

Se acaso se deve discutir o projeto, para ser adotado ou não, visto ainda não se haver tratado deste negócio, que vem fazer o decreto que o manda jurar? E se acaso, em virtude do decreto, se deve jurar sem falência, como se manda discutir e oferecer ao arbítrio dos povos? [...] Por que razão se não havia mandar a Pernambuco discutir este ponto em tempo hábil, como às demais províncias?[45]

Tratava-se de mais um "artifício do ministério",

porque, não havendo no Norte mais que uma só Câmara [a de Natal] que [...] não fez mais do que ser o eixo do Senado *muito leal e heroico* [isto é, a Câmara do Rio]; e no Sul tendo-se pronunciado contra o projeto muitas Câmaras de Minas Gerais, de São Paulo e de outras províncias, como é que a maioria do povo brasileiro tem adotado e pedido o projeto do ministério por Constituição do Império?

Contudo, mesmo que a asserção fosse veraz, ela baseava-se num sofisma, o de que o Brasil devia submeter-se à vontade da maioria. Ora, o princípio majoritário só obrigava os membros de uma sociedade quando ela já se achava consensualmente estabelecida. Mas o Império ainda não estando constituído devido à dissolução da Assembleia Geral,

> uma província não tinha direito de obrigar a outra província a coisa alguma, por menor que fosse; província alguma, por menor e mais fraca, carregava com o dever de obedecer a outra qualquer, por maior e mais potentada. Portanto, podia cada uma seguir a estrada que bem lhe parecesse, escolher a forma de governo que julgasse mais apropriada às suas circunstâncias e constituir-se da maneira mais conducente à sua felicidade.

Do que resultava que,

> quando aqueles sujeitos do sítio do Ipiranga, no seu exaltado entusiasmo, aclamaram a sua majestade imperial e foram imitados pelos afeventados fluminenses, Bahia podia constituir-se *república*; Alagoas, Pernambuco, Paraíba, Rio Grande, Ceará e Piauí, *federação*; Sergipe d'El Rei, *reino*; Maranhão e Pará, *monarquia constitucional*; Rio Grande do Sul, *estado despótico*. No meio dessas possibilidades, o Rio, pelo poder soberano que tinha no seu território, aclamou a sua majestade imperador constitucional, e então sua majestade não ficou mais do que imperador do Rio de Janeiro.

Ocorrera, porém, que

> as outras províncias, ou seduzidas pelos emissários do Rio, ou por seu mesmo conhecimento, esperando que nesta forma de governo podiam achar a felicidade a que aspiravam, foram-se chegando muito de sua vontade aos negócios do Rio, aclamando a sua majestade imperador constitucional, com o que nada mais fizeram que declarar que se uniam todas para formar um Império constitucional e que sua majestade seria o seu imperador. Daqui se conhece que duas são as condições da união das

províncias com o Rio de Janeiro, a saber, que *se estatua império constitu-*
cional e que sua majestade seja o imperador, de modo que se o Rio de Janeiro quiser coisas fora ou contrárias a qualquer destas duas condições,
está desfeita a união, que mal se achava esboçada, e cada província li-
bérrima para, pelo seu poder *soberano* no seu território, proclamar e es-
tatuir aquela forma de governo que bem quiser, como fez o Rio proclamando Império constitucional. Se o Rio quiser Império constitucional,
porém não sendo sua majestade o imperador, e sim algum brasileiro ou
outro qualquer príncipe estrangeiro, está dissolvida a união das províncias. Se, porém, quiser a sua majestade imperador, porém com um império absoluto [...] sem uma Constituição dada pela nação, acabou-se
a união. Fica cada província sobre si *independente e soberana*, pois que a
sua união foi anunciada e baseada no *conjunto indissolúvel* das duas condições, *sistema constitucional e sua majestade, imperador*.[46]

Concepção tão oposta à do Rio indicava, como previa Mareschal, que "os
meios de conciliação não podem ainda levar a qualquer resultado", e que,
por conseguinte, o bloqueio não dobraria o carvalhismo, tanto mais que seria difícil manter a flotilha ao largo do Recife durante os meses de inverno.
É risível, aliás, que Octavio Tarquinio de Sousa tenha atribuído a posição
carvalhista a uma questão de "melindres" da parte de "gente tão ciosa de
direitos e liberdades", por não haver d. Pedro buscado "obter pessoalmente
ou por meio de emissários idôneos, a aquiescência de Pernambuco à Constituição outorgada".[47] Impossível tratar tema sério com ligeireza maior.

No Ceará, ao saber-se da dissolução, as Câmaras de Quixeramobim e do
Icó haviam proclamado a República, embora as do Aracati e de São Bernardo
tivessem jurado o projeto. No Aracati, cujas relações comerciais com o Recife eram estreitas, propôs-se a formação de um governo, do Ceará a Alagoas, sob uma Regência assessorada por representantes provinciais, a qual
exigiria a reconvocação da Constituinte e um centro de poder executivo
para a região. O presidente Costa Barros, que pertencera na Constituinte
à minoria liberal, repeliu as aberturas de Carvalho, escusando-se de prestar ajuda militar contra o Rio Grande, a Paraíba e o centro de Pernambuco,
o que, como veremos, era parte essencial da estratégia carvalhista para evitar um ataque dos corcundas do centro da província. Em abril, Costa Barros
foi destituído pela junta de Tristão Gonçalves de Alencar, revolucionário de
Dezessete, sustentada pelo comandante das armas, José Pereira Filgueiras,

que limpara o interior do Piauí e do Maranhão das tropas fiéis às Cortes de Lisboa. Pernambuco e o Ceará estavam assim em condições de mudar a situação no Rio Grande e na Paraíba. Primeira a fazê-lo no Norte, a Câmara de Natal jurara o projeto a 25 de março, mas o presidente Tomás de Araújo Pereira, embora simpático ao carvalhismo, só se definiu após o 2 de julho, graças à deposição pela tropa da capital do seu comandante. Na Paraíba, a contestação levara à formação da junta do Brejo de Areia, com o apoio de outras Câmaras; e a posse de Felipe Néri Ferreira na presidência obrigara Carvalho a deslocar contingente para a fronteira norte.[48]

A partir da declaração de bloqueio, Carvalho deu início à campanha de manifestos, que culminará a 2 de julho. Ainda desconhecendo a nomeação de Mayrink e o resultado da missão ao imperador, ele lançou as proclamações de 27 de abril e de 1º de maio. Consoante a primeira, dirigida aos pernambucanos "iludidos", era impossível que um povo que na Europa se distinguia pela barbárie e pelo despotismo e que os oprimira durante três séculos fosse transformar-se da noite para o dia em coadjuvante sincero da sua liberdade. Os portugueses haviam deixado uma tradição de perfídia na província, durante a guerra holandesa abandonando-a à grande potência naval da época; na guerra civil de 1710-1 e na Revolução de 1817, punindo cruelmente os filhos da terra.

Sob o aspecto de uma advertência contra os portugueses que, dentro e fora, ameaçavam a Independência, o documento é um ataque ao imperador, uma afirmação de descrença quanto à sua apregoada conversão às aspirações brasileiras, o que sabidamente feria fundo os melindres imperiais. O parágrafo final não permitia dúvida. Ao abrir intencionalmente uma exceção para aqueles lusitanos "mui raros", mas "dignos de ter[em] nascido em New York ou Filadélfia", pois mesmo "entre as nações mais escravas têm brilhado homens livres", como demonstrava o exemplo de Bolívar, Morelos e Washington, Carvalho abstém-se de qualquer referência a d. Pedro, contrariando a prática corrente na Independência de investir-se contra os antigos colonizadores, isentando-o, porém, nominalmente.[49]

O manifesto de 1º de maio, no qual Condy Raguet verá "a sólida doutrina de um constitucionalista", expõe as razões do dilema formulado na proclamação anterior: "Só nos restam dois meios: liberdade constitucional e honrosa, escravidão ou morte vergonhosa e vil". Trata-se, sob esse aspecto, de documento mais importante que os textos de julho, pois oficializa a linha que viera sendo exposta por Barata, Frei Caneca e outros.[50]

A dissolução da Constituinte pressagiava um "século de ferro" para o Brasil. Coroando seus desígnios recolonizadores, a facção portuguesa, com a conivência do ministério, induzira o imperador, "jovem inexperto" reduzido a testa de ferro, a renegar os compromissos pelos quais o país lhe dera o trono. Arrogando-se poderes que não tinha, d. Pedro praticara um ato de força longamente meditado, atirando a responsabilidade sobre os constituintes. Manipulando a ingenuidade brasileira, anunciara a nova Assembleia destinada a aprovar uma Constituição "duplicadamente mais liberal" preparada sob sua supervisão, para, em seguida, limitar às Câmaras a consulta à nação. No propósito de anular a representação nacional, criara-se o "monstruoso Poder Moderador", "chave mestra deste ruinoso labirinto", pois habilitava o imperador, "a seu bel-prazer, [a] tudo desfazer e desmanchar". Para obrigar Pernambuco a jurar, nomeara-se Pais Barreto e, em face da resistência encontrada, bloqueara-se o Recife, pretextando uma rebelião fictícia. Já não havia dúvida de que "o nosso imperador, quem o crerá?", estava de "mãos dadas" com a Santa Aliança e com d. João VI. Enquanto a corte marginalizava os brasileiros, tratava de restituir aos armadores lusitanos as presas feitas por Cochrane, perseguia os liberais em São Paulo, erguia baterias na fronteira de Minas e atraía para o paço de São Cristóvão o meio circulante do Rio.[51]

A reivindicação do manifesto cifrava-se na reunião da Constituinte, embora Carvalho não insista, ao contrário da ata de 8 de janeiro, na reconvocação da Assembleia dissolvida.

O imperador é criatura da nação, desta deve ele receber a Constituição e não dar-lha. Fora deste princípio, tudo o mais é insubsistente, ilusório e irrisório. O Brasil proclamou a sua independência e se declarou nação livre e porque sua majestade se uniu conosco, o Brasil levantou o seu trono, lhe ofereceu e lhe declarou que ele seria o nosso imperador, porém debaixo da forma de um governo constitucional. Sua majestade aceitou a oferta e jurou sacrificar-se todo pela monarquia constitucional, em que consiste a nossa felicidade e a qual não pode subsistir sem Cortes Constituintes.

Havendo d. Pedro fechado a Constituinte e se recusado a reabri-la, seguia-se daí nenhuma outra coisa que a dissolução do pacto pelo qual ele seria o nosso imperador de fato e de direito e [que] já sobre o Brasil não conserva aquela mesma autoridade provisória que lhe deu a aclamação em imperador, para poder obrar enquanto se não reunia a Assembleia Constituinte, como ele mesmo confessa na sua fala na abertura da Assembleia.

Nem o título imperial nem o de defensor perpétuo do Brasil conferiam-lhe poderes específicos, muito menos o de dissolver a Constituinte, pois tais competências consistiam apenas nas que lhe seriam reconhecidas por ela.

Nos diversos povos da terra, os mesmos títulos dos imperantes têm diferentes atribuições. O título de imperante não traz consigo o direito de governar sem Constituição nem ao arbítrio daquele que o tem. Isto é tanto verdade que o ministério quando tem querido justificar muitas das coisas que se não podem deduzir dos direitos de imperador constitucional, lança mão da âncora sagrada de defensor perpétuo do Brasil, como se a este título estivesse anexo um poder que se não compreenderia naquele. Isto é um novo absurdo, o mais ruinoso da liberdade da nação quando parece querer estabelecer que sua majestade possa como defensor perpétuo do Brasil aquilo que não pode como imperador constitucional. O poder de imperador constitucional, com as atribuições que as Cortes declararem, é o único poder que terá sua majestade dado pela soberania da nação, poder maior que o de defensor perpétuo do Brasil, legítimo e eficaz, do contrário se iludiria o poder soberano da nação.

A autoridade do imperador tendo-se tornado ilegítima, ficava implícito que já não se lhe devia obediência, embora a proclamação não se referisse expressamente ao direito de separação das províncias.

Pouco depois da divulgação dos manifestos de 27 de abril e de 1º de maio, um Grande Conselho reuniu-se (6.5.1824) para debater a situação em Alagoas. Ao passo que descumpria a promessa de enviar representante ao Recife para chegar a acordo com Carvalho, a junta alagoana passara a apoiar abertamente Pais Barreto, reforçando-o com soldados e artilharia e com as milícias que mandara recrutar no interior. Para os radicais, consumava-se ostensivamente, na outra margem do Persinunga, a aliança entre os imperiais e os corcundas do interior, em nome da "antiga família portuguesa", alegação fundada, pois Gama, que expulso do Recife juntara-se a Pais Barreto, passara em seguida a Salvador por não desejar meter-se nem com os "republicanos do Recife" nem com "os absolutistas da Barra Grande", ambos "criminosos à face da Constituição jurada". A questão do morgado deixara de ser "a causa de um ambicioso" para transformar-se em "perfeita rebelião contra a independência e integridade do Império". Barros Falcão, outros oficiais, a Câmara de Olinda e personalidades influentes opuseram-se à intervenção, propondo que a Divisão Constitucional do Sul permanecesse na defensiva, pois a posição do exército contrário tornara-se inexpugnável. O ataque seria também um erro político, tirando credibilidade ao carvalhismo, cuja força consistira até então na maneira equilibrada com que se negava a empossar Pais Barreto e a jurar a Constituição. O Grande Conselho, porém, aprovou por 47 votos a 11 a operação que deveria desalojar o exército morgadista e instalar uma junta carvalhista. A partir de então, Carvalho passou a interferir, sem cerimônia e sem resistência, nos assuntos de competência do governador das armas.[52]

Em finais de maio, os radicais torpedearam a posse de Mayrink. Surpreendido pela nomeação, ele dirigira-se a Carvalho, propondo uma ação comum em prol da pacificação da província. O presidente prometeu consultar o Conselho Governativo, mas aliados seus intimidaram Mayrink, que foi procurado por João Guilherme Ratcliff;[53] ameaçado de morte por carta anônima; e enfim convencido pela visita noturna de uns encapotados que vieram,

> por parte dos pernambucanos livres e honrados, pedir-me que não aceitasse a presidência, não porque contra mim tivessem queixa alguma, antes me consideravam muito capaz e honrado pela experiência do tempo em que fora secretário do governo desta província, mas porque eles e o presidente estavam muito comprometidos com o ministério do Rio de Janeiro, o qual enganava a sua majestade imperial e só procurava meios de vingar-se dos pernambucanos, por se não sujeitarem cegamente ao que se lhes determinava; que estavam resolutos a opor-se a tudo; e finalmente que me não expusesse a querer entrar para o governo, porque nesse caso perderia a vida.

Carvalho foi submetido a uma barragem de representações de Câmaras da Mata Norte, dos oficiais do 2º Batalhão e da Divisão Constitucional do Sul, que se opunham a Mayrink devido à sua posição em 1817 e em 1821.

Ademais, os militares rejeitavam a anistia oferecida pelo imperador, de vez que não haviam cometido crime político. Quanto aos morgadistas, embora protestassem apoio a Mayrink da boca para fora, quiseram, num primeiro momento, abandonar a causa imperial.[54]

Como o presidente insistisse em empossá-lo, Mayrink propôs um acordo pelo qual Carvalho seria escolhido vice-presidente nas eleições a serem convocadas para o Conselho Governativo, algo, aliás, que ele não teria podido fazer em vista das instruções de Taylor sobre a prisão de Carvalho. Este, por sua vez, prometeu ordenar às tropas que se recolhessem ao Recife, o que, porém, não ousou fazer, limitando-se a suspender as operações contra Pais Barreto e a prometer reincorporação aos adversários. Era impossível resolver o assunto sem dar garantias aos carvalhistas após o retorno dos imperiais da Barra Grande; e sem assegurar a estes que não seriam tratados como desertores. Mayrink encerrou as tratativas, invocando a oposição de "um partido que se tem manifestado descontente de toda e qualquer mudança que se faça na direção que têm tido os negócios desta província", e cujos receios não haviam sido aplacados pela promessa imperial de anistia a todos os que concorressem para sua posse. Segundo Mayrink, à espera de que d. Pedro desse interpretação precisa ao decreto de 24 de abril, somente a permanência de Carvalho poderia acalmar a ansiedade dos seus correligionários.

Concluía Mayrink fazendo profissão de fé constitucional, negando-se a ser "o instrumento de que se pudesse servir o governo para exercitar a vingança, vexar e oprimir os meus concidadãos", e acentuando a impossibilidade de o Brasil retrogradar politicamente, pois mesmo que o imperador alimentasse tal intenção, se veria "forçado pela torrente de opinião a ir de acordo com os brasileiros", que seriam "sempre os árbitros das suas instituições". Se, por enquanto, as circunstâncias no Rio chocavam-se com as "belas teorias", "um dia virá, e não longe, [em] que se emendem os erros e defeitos que possam estorvar a nossa felicidade".[55] Independentemente da preocupação pela sua segurança, Mayrink compreendera que ou se transformaria em títere do carvalhismo radical ou se converteria em beleguim imperial. Mas Carvalho não perdeu tempo em culpá-lo pelo fiasco. É inegável que ele foi tentado pela perspectiva de empossá-lo. Barros Falcão, que ao redigir suas recordações não tinha motivos para poupá-lo, reconhecerá que sem a interferência de "alguns moços inconsiderados e de patriotismo ardente", agindo "contra a vontade e sentimentos do próprio presidente", este teria transmitido o cargo e aceitado a vice-presidência, sem que isso significasse abrir mão da sua política.[56]

Após oficiar a Carvalho e a Barros Falcão para verberar sua atitude na questão da posse de Mayrink, Taylor transmitiu a Cochrane sua avaliação do fiasco.

> Carvalho protesta (em conjunção com seu secretário, o mulato Saldanha) que esteja determinado a formar nas províncias do Norte do Brasil uma república. Ele protesta com todos os seus oficiais a José Carlos que está pronto a entregar o governo. Porém, é um fato notório que em sua casa, depois da chegada desta notícia, reúnem-se seus principais partidistas [...] a deliberarem sobre os meios de pôr em prática o plano de semear a confusão e anarquia no povo e para perverter os que querem executar as imperiais ordens. Todos os cidadãos probos e proprietários da província conhecem suas boas intenções e interesse de Pernambuco para se sujeitarem à influência da sabedoria do nosso amado imperador e da sábia Constituição que temos jurado, mas infelizmente Carvalho tem muita influência nas classes baixas, que ele tem comprado para seus interesses. Além disso, o general das armas não possui suficiência bastante e intelectual discernimento nem moral influência para governar as tropas que estão entregues aos seus cuidados.

A nomeação de Mayrink foi interpretada pelos carvalhistas como uma demonstração de fraqueza do governo imperial, indicando que o Rio não dispunha de meios para reprimi-los. Após estabelecer um governo seu em Alagoas, Carvalho pretendia marchar contra a Bahia, com cuja adesão instalaria uma regência em nome do imperador, sob a alegação de que sua majestade achava-se coato. Concluía Taylor reiterando seu pedido de reforços marítimos e terrestres "para com eles eu fazer os rebeldes conhecer o quanto perdem em não quererem o pai que se lhes oferece".[57]

Assegurada a permanência de Carvalho, os radicais acertaram contas com a Câmara do Recife, que se propunha a executar o decreto mandando jurar o projeto. Os radicais expurgaram os vereadores, que substituíram por adeptos seus. O regresso da delegação enviada ao Rio pusera mais lenha na fogueira: seu manifesto fazia carga sobre "a indiferença", "a fria sensaboria e uma quase espécie de desdém com que sua majestade nos ouviu". Os emissários também referiam descontentamentos em Minas e São Paulo, com vilas importantes relutando em aceitar o projeto. Se dez províncias eram-lhe favoráveis, as outras dez recusavam-no tácita ou expressamente, não se podendo dizer, como fazia a corte, que a opinião nacional havia-se declarado em seu favor. Ouviam-se também os ecos das previsões pessimistas da imprensa europeia acerca da posição falsa em que d. Pedro se metera. Os exaltados davam por favas contadas que a tropa e o povo lutariam até o último homem pela permanência de Carvalho, mercê do apoio do povo ao movimento, pois "querem liberdade para si e não há de ser só para os fidalgos, ficando eles escravos deles; e nada de projeto".[58]

Demonstrado que a reforma do projeto não tinha a menor chance (como indicava a rejeição ministerial a apenas duas emendas solicitadas pela Bahia, abolindo o caráter vitalício do Conselho de Estado e proibindo a tropa de segunda linha de servir fora de suas localidades), os radicais cogitaram, em fins de maio, de convocar uma Constituinte em Pernambuco que aprovasse projeto alternativo a ser apresentado a d. Pedro, que teria declarada sua destituição do trono, caso o recusasse.[59] A tal plano ligava-se seguramente o texto constitucional que o secretário do governo, Natividade Saldanha, prometia formular no *Argos Pernambucano*. É provável que, àquela altura, ele tenha adiado a iniciativa por uma questão de oportunidade. Em vez de divulgá-lo, Saldanha preferiu combater o projeto do Conselho de Estado em linguagem acessível.

Os carvalhistas não se opunham à integridade do Império, mas

ainda quando as províncias tivessem jurado o projeto imperial, o que até agora não aconteceu (pois não nos consta que as províncias ao norte da Bahia o tenham feito), nem por isso deixava Pernambuco de ter o direito de apresentar a sua majestade imperial e constitucional os justos motivos que tivesse para pedir modificações na Constituição oferecida.

Além das conhecidas objeções ao Poder Moderador, à criação do Senado e sua primazia sobre a Câmara dos Deputados, ao veto suspensivo por três legislaturas, à impotência dos conselhos provinciais, ao direito imperial de fazer a paz e a guerra, Saldanha criticava o artigo 96, que habilitava os cidadãos brasileiros a elegerem-se ao Parlamento por províncias de onde não eram naturais ou onde nem sequer estavam domiciliados, ardil demasiado óbvio, pois as províncias do Brasil não têm todas o mesmo grau de patriotismo e de liberalismo, e algumas, ou por tímidas ou por falta de luzes, procuram antes defender os direitos do imperador do que os seus próprios direitos e têm sido mudas expectadoras dos despotismos e arbitrariedades ministeriais, ao mesmo tempo que outras têm certamente declamado contra eles [...]. Estabelecido este artigo, nada há mais fácil do que enviar emissários a todas as províncias e fazer que somente sejam eleitas certas pessoas de certa província.

Saldanha, contudo, ainda se apegava à ficção (como continuará a fazer mesmo depois do 2 de julho) de que os ministros, não o imperador, eram os responsáveis do projeto. Desejando transformar o soberano num "completíssimo déspota", mas não podendo fazê-lo às claras, nem d. Pedro o permitiria para não parecer contrário às "ideias do século", procuravam enganar o Brasil com uma monarquia pura por trás da fachada de governo representativo. Se para dissolver a Constituinte o imperador invocara o título de defensor perpétuo, que lhe fora concedido apenas para sustentar a independência frente a Portugal, o que não faria com o Poder Moderador, que capacitava o Executivo a anular os dois outros? Por que tantos países podiam ficar independentes sem Poder Moderador e só o Brasil não podia? Ao contrário do que se afirmava no Rio sobre não convir ficar mais tempo sem Constituição, era preferível ficar mais dois anos sem tê-la do que sob a forma em que estava sendo jurada no Sul.[60]

O repúdio ao projeto pedia ser oficializado por ato solene. Carentes de maioria no âmbito da coalizão carvalhista, os radicais convocaram uma reunião da Câmara do Recife, no objetivo de limitá-lo aos moradores da praça. Descartava-se assim o recurso, empregado anteriormente, a uma Assembleia provincial, onde se temia que os delegados da Mata cerrariam fileiras em torno dos moderados, fazendo triunfar a proposta de jurar-se parcialmente o texto, com exclusão dos artigos que ofendessem os interesses provinciais. Sinal de divórcio crescente, inclusive no interior da tropa, Barros Falcão escusou-se de comparecer. O resultado da sessão de 6 de junho foi o previsto, graças inclusive à ameaça física, pois, como confessava um radical, "apareceu o povo de faca de ponta para ver quem queria jurar".[61] Feita a leitura da ata da Câmara de 17 de outubro de 1822, que proclamara o direito de separação da província, caso as condições acordadas na Constituinte fossem insatisfatórias, os presentes opinaram por escrito ou de viva voz.

Porta-voz da rejeição integral do projeto, Frei Caneca desenvolveu os argumentos do manifesto de 1º de maio. O texto nem garantia a independência do Império nem definia seu território, na intenção inconfessada de promover a reunião a Portugal. Ao conceder ao imperador o direito de dissolver a Câmara e de exercer o veto suspensivo ao longo de duas legislaturas, e ao reconhecer aos ministros a competência de influenciarem as deliberações do Legislativo, o Poder Moderador atiraria "um povo livre e brioso para um valongo de escravos e curral de bestas de carga". O comando imperial da força de terra e mar e os conselhos provinciais sujeitos ao Rio serviriam aos mesmos fins. No tocante à fonte de que derivara, o projeto era manifestamente ilegal. Ao poder constituinte, que residia na nação e não no imperador, é que cabia estabelecer a forma de governo e o equilíbrio dos poderes. Quanto aos pretendidos direitos soberanos de d. Pedro, decorrentes da concessão do título imperial,

> com que o Brasil extemporaneamente o condecorou, não foi mais que uma declaração antecipada de que ele seria o chefe do Poder Executivo no sistema constitucional que proclamamos, com um certo poder provisório que se fazia indispensável para preparar a nação para o efeito de se constituir, como sua majestade confessou no dia 8 de maio, na abertura da Assembleia soberana, o qual poder provisório cessou com a abertura da Assembleia e as atribuições que ele teria ainda haviam de ser declaradas pela mesma Assembleia. É por isso que sua majestade a dissolveu: as suas atribuições são tudo aquilo que lhe adquirirem as suas armas e lhe cederem a fraqueza e medo dos povos.

Jurar o projeto sob os canhões do bloqueio naval era o mesmo que anulá-lo. Frei Caneca também repelia o juramento parcial do projeto. Devido a seu caráter sistemicamente opressivo, seria inútil emendá-lo, nem se podia acreditar que o mesmo indivíduo que mandara fechar a Constituinte e se arrogara o direito de outorgar uma Carta fosse consentir em reformá-la.[62]

A reunião de 6 de junho declarou unanimemente o projeto "iliberal, contrário à liberdade, independência e direitos do Brasil", além de envolver "perjúrio ao juramento cívico prestado em que se jurou reconhecer a Assembleia Brasiliana Constituinte e Legislativa". Ao repudiá-lo, porém, os radicais não indicavam saída para a solução do impasse. Daí que o carvalhismo moderado, através da Câmara de Olinda (17.6.1824), procurasse manter aberta a possibilidade de negociação. Embora também recusasse o projeto, ela alegava circunstâncias excepcionais (o bloqueio do porto e o precedente de províncias onde o juramento fora causa de graves discórdias), para solicitar ao imperador "um pacto social verdadeiramente constitucional e de geral contentamento".[63]

A 2 de junho, Vilela Barbosa ordenara que, caso Mayrink ainda não houvesse sido empossado, Taylor empregasse toda a sua força contra os rebeldes do Recife. A flotilha desfechou um golpe de surpresa contra o porto (22.6.1824), provocando alarme e indignação. O ataque açulou o ódio nativista, que desde o começo do ano contabilizava uma vintena de assassinatos. Em fevereiro, Carvalho decidira expulsar em massa os portugueses, sem excetuar os casados. Mas a medida foi atenuada na prática, para manter a colaboração dos reinóis que desempenhavam atividades essenciais e para atender às pressões do comércio inglês e francês do Recife, a quem os mercadores lusitanos deviam grandes somas. Em face do clima criado pelo ataque de Taylor, o batalhão de pardos, comandado por Emiliano Felipe Benício Mundurucu, só foi impedido de saquear o bairro portuário graças à intervenção do contingente de pretos, sob as ordens de Agostinho Bezerra Cavalcanti. Não se evitou, porém, que no decurso das festas joaninas fossem massacradas cerca de trinta pessoas, quase todas lusitanos, dois dos quais assassinados em palácio, onde se haviam refugiado. Organizada em bandos, a populaça acometia lojas e transeuntes, não poupando os estrangeiros. Novo sobressalto seguiu-se a uma operação da flotilha contra os barcos de pesca, supondo tratar-se de prelúdio ao desembarque de tropa. A população já se preparava para o pior quando, a 29 de junho, Taylor recebeu a ordem imperial para regressar ao Rio com seus navios.[64]

5.
Vinte e Quatro (2)

(julho-setembro de 1824)

A decisão imperial de levantar o bloqueio do Recife resultara da confirmação recebida no Rio em princípios de junho acerca da expedição que se aprontava em Lisboa. Somando 8 mil homens, ela deveria estabelecer uma base na ilha de Santa Catarina, de onde atacaria a corte, alvo escolhido em vista da numerosa comunidade lusitana e da concentração dos recursos militares e financeiros do Império.[1] D. João VI e seu gabinete de moderados insistiam em reconstituir o Reino Unido, inclusive no objetivo de assegurar o trono português a d. Pedro, evitando a concretização do que eles mais temiam, isto é, que o poder fosse parar nas mãos de d. Miguel e da facção absolutista, como ocorrerá anos depois. Deixando de lado a extemporaneidade da fórmula, que tinha a simpatia secreta do imperador, mas que era inaceitável no Brasil, Palmela, após brandir a cenoura da missão diplomática que, chegando ao Rio em fins de 1823, fora impedida de desembarcar, deliberara recorrer ao cacete da expedição naval, que, contudo, ficará frustrada pela falta de recursos financeiros e de aprovação britânica, mas cuja iminência, em 1824, fez-se sentir de maneira aguda, devido à guerra de nervos manejada pela antiga metrópole.

A proclamação lançada pelo imperador a fim de despertar os brios nacionais não conseguiu dissipar a inquietação, que era estimulada pelo que sucedia no Norte, para não falar no próprio Rio, onde corriam rumores de que se sondava a tropa para um levante contra os portugueses e d. Pedro. A opinião fluminense julgava que os preparativos de defesa sob a supervisão de d. Pedro eram para inglês ver e que, diante do fato consumado da força lusitana na Guanabara, ele entraria em acordo com o pai. A maioria do ministério não teria escrúpulos em sacrificar o Norte; e o ministro do Império, Maciel da Costa, cogitava de entregá-lo ao ex-colonizador em troca do reconhecimento do monarca no Sul, ficando a definição dos limites na

205

dependência de acordo. Em face da deterioração política, pretendia Condy Raguet que só restaria ao regime reconvocar a Constituinte fora do Rio.[2] A expedição tornou-se uma das tantas batalhas de Itararé da história brasileira, mas servirá para avivar as suspeitas pernambucanas de que o temido ataque à província contava com a cumplicidade de d. Pedro. A ordem de suspensão do bloqueio parecia uma autorização tácita. A tese do conluio foi especialmente explorada por João Soares Lisboa,[3] para quem o imperador jamais perdera de vista a aliança com el-rei, no fito de liquidar o regime representativo e preservar o Reino Unido.

Até onde se sabe, não existiu tal acordo, mas a suspeita era eminentemente plausível. Palmela, por exemplo, persuadia-se de que, caso d. João VI se apresentasse na Bahia ou no Recife a bordo de uma armada, seria reconhecido como soberano; e de que d. Pedro, não ousando desafiar a autoridade paterna, também a acataria, como protestara fazer ao tempo da sua disputa com as Cortes. Palmela também contava com a discórdia regional para induzir o imperador a "escutar a voz do seu próprio interesse, identificando-o com o de seu Augusto Pai e valendo-se do auxílio de tropas portuguesas". Dando como certa a separação do Norte, afirmava que "não hesitará sua majestade em mandar imediatamente forças que, em vez de deverem ser consideradas hostis pelo príncipe regente, iriam pelo contrário embaraçar a desmembração de um reino [o Reino Unido], que deverá algum dia pertencer-lhe legitimamente".[4] Não se tratava, portanto, de assenhorear-se Portugal das províncias do Norte, mas de aniquilar a insurreição para trocar sua reintegração ao governo do Rio pelo restabelecimento do Império Luso-Brasileiro. Por isso mesmo, Palmela não tinha pressa em responder às gestões britânicas relativas ao reconhecimento da Independência.

Mais taxativo era o parecer do antigo ministro de d. João VI no Rio, Tomás Antônio Vilanova Portugal. Não tendo condições de sobreviver como nação sem o Brasil e não podendo reconquistá-lo facilmente, Portugal devia operar por etapas, ocupando uma área do litoral brasileiro, de onde passaria a ocupar as regiões vizinhas. Nem Santa Catarina nem Santos lhe pareciam boas opções, em vista da maior distância do Reino. O Rio tampouco deveria ser atacado para não hostilizar frontalmente d. Pedro. A Bahia e Pernambuco apresentavam muitas vantagens; ao sul do Recife, havia "muitos povos realistas" com que se poderia contar. "Porém no meu sentir o melhor é o Maranhão e o Piauí, porque trazem consigo a segurança do Pará e Rio Negro" e gozavam de comunicações fáceis com Portugal. Assegurada a base territorial, a ocupação poderia progredir de modo que "se unissem os territórios até o rio de São Francisco ou até o rio Doce", procedendo-se então à "divisão em Brasil setentrional e meridional", ficando as províncias do Norte dependentes do Reino, ao passo que se reconheceria a independência das províncias do Sul com centro no Rio.[5] Os cálculos de Lisboa tinham a seu favor o fato de que todo mundo imaginava que d. Pedro metera-se numa enrascada e que a divisão entre o Norte e o Sul do Brasil era inevitável. Essa era a avaliação da imprensa inglesa, dos diplomatas estrangeiros bem como de Bolívar e dos próceres do rio da Prata. O *Times* e o *Chronicle*, de Londres, o *Correio Francês* e o *Argos*, de Buenos Aires, todos haviam previsto que a dissolução acarretaria a proclamação da República no Norte, e que o imperador se veria na contingência de retornar a Portugal. Pondo em dúvida a capacidade do "Iturbide português" para manter o Brasil unido, *O Investigador Português*, que se publicava na Inglaterra, comparava a sabedoria dos hispano-americanos, que haviam respeitado as antigas divisões coloniais, com o deslumbramento dos brasileiros pelas "falsas aparências", pois não se contentavam "com menos que fazer um estirado Império de todo o Brasil", quando as malogradas Cortes lisboetas já haviam provado a impossibilidade de se adotar um centro de poder que satisfizesse todas as regiões.[6]

A 11 de junho, o ministro do Império oficiara ao presidente de Pernambuco comunicando o levantamento do bloqueio, com a justificação de que o imperador não poderia dividir a esquadra por toda a costa do Brasil, tendo de mantê-la na corte, donde poderia prestar ajuda ao ponto que viesse a ser acometido. Nesse ínterim, as províncias deveriam defender-se por seus próprios meios, superando dissensões internas para repelir o inimigo comum. Em manifesto aos pernambucanos, d. Pedro procurou dissuadi-los da suspeita de trama com d. João VI, afiançando que sua resistência à expedição lusitana desmentiria essa e outras calúnias, como a de que o partido português fazia e desfazia no Rio, com as quais o carvalhismo fascinava a província para arrastá-la a um sistema reprovado pela experiência política, apartando-a da união geral imprescindível à consolidação da Independência. Quanto à concentração das forças navais na corte, um dos seus porta-vozes, Silva Lisboa, argumentava que, malgrado ser a maior potência naval, a Inglaterra não conseguiria socorrer todo o seu litoral, apesar de bem menos extenso, lembrando que, por ignorarem o axioma segundo o qual a capital sendo inexpugnável, "a nação não sucumbe", os norte-americanos haviam passado, na guerra de 1812, pelo desdouro do ataque inglês a Washington.[7]

Ao ordenar-se no Rio a suspensão do bloqueio, não se sabia ainda se Mayrink assumira a presidência, pois as notícias mais recentes eram anteriores ao fracasso dos entendimentos. Segundo Condy Raguet, "Carvalho mantém sua influência e popularidade e, o que muito aborrece seus inimigos aqui [no Rio], a tranquilidade da cidade [do Recife]", parecendo existir "grande unanimidade entre seus habitantes", e não tendo sido afetado seu abastecimento. As expectativas da corte acerca do êxito de Taylor estavam em baixa, de vez que a flotilha ficara reduzida à fragata *Piranga* e que as demais embarcações haviam velejado para Salvador a fim de se aprovisionarem e fazerem consertos. Daí que, na ansiedade do momento, o ministro americano desse crédito ao boato de que o Conselho de Estado cogitava, caso Mayrink não houvesse podido assumir, acoplar o término do bloqueio com a confirmação de Carvalho, que, segundo informava erradamente, já teria sido autorizada.[8]

A 29 de junho, tão logo recebeu as novas instruções, Taylor transmitiu a portaria do ministro do Império e a proclamação imperial endereçadas a Mayrink, mas entregues a Carvalho, que as publicou no dia seguinte. Barbosa Lima Sobrinho indagou o que se teria passado no círculo próximo ao presidente entre 29 e 2 de julho, data do primeiro manifesto da Confederação do Equador. A 30, Carvalho acusava recebimento do expediente no ofício a Maciel da Costa em que concluía:

Pode vossa excelência afiançar a sua majestade imperial e constitucional que o povo de Pernambuco tem dado tão repetidas e sobejas provas de não admitir invasores, que já não poderá entrar em dúvida o procedimento que esta briosa província terá contra qualquer pretensão hostil dos portugueses, e que até se prestará, quanto puder, para socorrer as províncias limítrofes para o mesmo fim como tem feito por vezes.

Suspeitava Barbosa Lima de que, entre 29 de junho e 2 de julho, após a assinatura do documento, Carvalho fora pressionado pelos radicais a proclamar a Confederação.[9]

A resposta de Carvalho limitava-se a tomar nota da decisão imperial, sem criticar a concentração da força naval no Rio. Quanto à asserção de que não se poderia duvidar da resistência de uma província que "tem dado tão repetidas e sobejas provas de não admitir invasores", tratava-se de alusão ao passado pernambucano que podia ser lida também com referência ao bloqueio.

A flotilha só tendo velejado a 1º de julho, até lá Carvalho devia sentir-se militarmente inibido, julgando que, concretizada a partida, o abandono da província em face do ataque lusitano seria suficiente para galvanizá-la contra o imperador ainda mais do que a dissolução da Constituinte. Por fim, a necessidade de promover a união das províncias em nome da resistência aos portugueses a que conclamara o imperador dava-lhe pretexto para intervir militarmente não só na Paraíba, onde os liberais da junta do Brejo de Areia haviam sido derrotados pela tropa fiel a Felipe Néri, mas em Alagoas, cujo presidente, Lócio e Seilbitz, Carvalho procurava convencer a expulsar os dissidentes da Barra Grande. A tropa de Pais Barreto, que cogitou de retirar-se para a cidade de Alagoas, não escondeu o desânimo com a partida de Taylor, a ponto de seus chefes proporem acordo aos militares carvalhistas. Como estes, porém, aceitassem reincorporar os soldados, mas não os oficiais morgadistas, os contatos não prosperaram.[10]

Os carvalhistas moderados culparão os radicais, em especial João Soares Lisboa, de haverem levado Carvalho à ruptura. A interpretação do jornalista, que teria influenciado decisivamente, era a de que a iminência da armada recolonizadora não passava de uma invencionice para justificar a reunião das forças navais na corte a fim de transportarem d. Pedro, a família e os cortesãos para Lisboa, onde ele estaria em posição de organizar, com a ajuda do pai, uma expedição comum, de 20 mil homens, para reimpor sua vontade ao Brasil. Sustentava Soares Lisboa que, ao tomar a decisão de retirar a flotilha, o ministério já estava a par de que a expedição portuguesa não teria lugar, devido ao estado lastimável das finanças públicas, consoante reconhecia a proclamação régia estampada na *Gazeta de Lisboa* de 1º de maio.[11] Destarte, no curto prazo, o governo de Carvalho não corria risco nem da parte de d. Pedro nem da parte da expedição portuguesa.

Os moderados dirão haverem sido tomados de surpresa pela proclamação da Confederação no manifesto de 2 de julho, que reputavam golpe palaciano mercê do qual os radicais haviam evitado a consulta à província, que lhes teria sido desfavorável, a contrapelo da prática corrente até no tocante a questões de menor importância. Destarte, o Conselho Governativo e os chefes carvalhistas haviam sido marginalizados e abandonado o objetivo confesso do movimento, que era o de forçar o imperador a reconvocar a Constituinte. Barros Falcão afirmará posteriormente que se enganavam grosseiramente os que erradamente pensam que a resistência oposta ao projeto [...] e a proclamação principalmente da Confederação do Equador e publicada pelo presidente Carvalho, foi antes a consequência necessária de um plano de antemão concertado para chegar-se a um governo puramente democrático, do que a de um acontecimento todo imprevisto e puramente ocasional, visto como é sabido e provado que o sistema republicano nunca esteve, com exceção do ano de 1817, na mente e no espírito dos habitantes desta província, onde ele conta limitado número de adeptos.[12]

Num "ato inconsiderado, impolítico e extemporâneo", que comprometera a sorte e a segurança dos pernambucanos, que "de tão boa-fé a ele se haviam ligado e que ainda assim o não abandonaram", Carvalho atirara fora, "ao acaso, em uma parada de jogo desigual", as vantagens que a linha moderada viera capitalizando. Vinte e Quatro não visara fazer uma revolução nem destruir a monarquia constitucional, apenas opor-se ao projeto do imperador, originado em poder incompetente, razão pela qual se havia combatido a posse de Pais Barreto, prólogo do juramento da província. Outro moderado também ressaltará

os sentimentos gerais e firmes em que estavam todas as províncias do Norte, da Paraíba até o Maranhão, e assim obrigar o imperador Pedro I a ser constitucional, pois que ninguém o acreditava, apesar de ter mandado publicar o projeto da *santa* Constituição que hoje nos rege, e todos julgavam que ele seguia o mesmo plano de seu pai, d. João VI, em Portugal. Ninguém queria saber de república.[13]

A versão moderada tomava seus desejos pela realidade. Carvalho não foi subitamente convertido por conselheiros exaltados, mas resolveu-se à cartada em vista da oportunidade que lhe brindavam o levantamento do bloqueio e suas repercussões. Frei Caneca indagava

como tem sua majestade desempenhado o título de defensor perpétuo do Brasil [...]? Ó desgraça! A primeira ocasião que se oferece de cumprir com esse dever, torce sua majestade, foge à defesa e nos deixa ao desemparo, entregues unicamente a nossos recursos: quem tal pensara? Teve sua majestade forças, teve vasos para nos mandar bloquear, causar-nos tantas hostilidades, fomentar tantos partidos, fazer derramar tanto sangue, gastar-se tanto dinheiro e estragar-se tanto a província, e isto em um tempo de paz; e agora que vê os perigos iminentes, trata unicamente de sua pessoa, desempara-nos, entrega-nos a nossos recursos, energia e valor. Que traição! Que perfídia! [...] O imperador não vos quer defender, só trata de si e vos entrega às baionetas e canhões portugueses.

E aduzia esta frase, que, obscura para o leitor de hoje, era compreensível para seus contemporâneos da província: "Não permita o Céu que o Brasil, mormente as províncias do Norte, hoje desemparadas pelo seu defensor, deem a patada que já deram os pernambucanos no tempo do rei d. João IV de Portugal". Era uma referência à concepção nativista segundo a qual, havendo sido abandonados pela Coroa portuguesa e triunfado sozinhos na guerra batava, Pernambuco e as capitanias que haviam constituído o Brasil holandês deveriam ter-se declarado independentes de Portugal em 1654, em vez de retornar ao aprisco colonial.[14]

Ao contrário do que sustentarão *pro causa sua* os moderados, a ruptura do 2 de julho era eminentemente previsível à luz da trajetória carvalhista a partir de 13 de dezembro. Além de se sentirem logrados na sua conversão monárquico-constitucional, Carvalho & radicais não poderiam manter indefinidamente a moderação da sua resistência ao projeto, em face da inflexibilidade imperial e da falta de apoio no Sul à reivindicação constitucionalista. Se, no decurso de julho, os moderados ainda poderiam sustentar que o fim do bloqueio abrira perspectivas de entendimento com d. Pedro, cumprindo explorá-las em vista da fraqueza da posição imperial, a realidade é que àquela altura ele já ordenava, como veremos, o reinício do bloqueio, não tendo a menor intenção de fazer concessões ao carvalhismo.

O argumento constitucional dos manifestos de julho, dirigidos aos nortistas, aos brasileiros e aos baianos,[15] é o mesmo do de 1º de maio, diferindo apenas na solução proposta, que já não é a reconvocação da Constituinte, denominador comum do carvalhismo, mas a de uma frente das províncias do Norte para resistir ao despotismo de Portugal e do Rio. O Brasil optara pela monarquia representativa; e quando esperava ser consultado a respeito, fora surpreendido pela intempestiva aclamação imperial de d. Pedro, que a nação só aceitara persuadida de que ela serviria suas aspirações à Independência. Contudo, traindo os princípios e os compromissos que legitimavam sua autoridade, o imperador dissolvera a Constituinte, atacara a soberania nacional, encorajara Portugal a intervir no Norte, impusera um bloqueio injusto a Pernambuco e coroara suas arbitrariedades com a reunião de todas as forças navais na corte, demonstrando a incompetência de um governo que não tinha recursos para defender o país, a despeito de lhe drenar as rendas. Com vistas a preparar a resistência, às províncias setentrionais só restava fundar governo confederal, autenticamente representativo, consoante decisão de Congresso regional. Os brasileiros eram concitados a solidarizar-se na defesa dos seus direitos e da sua soberania, criando entre si a mais estreita união. Seguem-se o chamamento a que todos se constituíssem de "modo análogo às luzes do século"; e a afirmação de que "o sistema americano deve ser idêntico", isto é, coextensivo às Américas, desprezando-se "instituições oligarcas [sic], só cabidas na encanecida Europa", segundo o exemplo que ia ser dado por seis províncias do Norte.

Mas as proclamações de 2 de julho não acarretaram o fim da ambiguidade carvalhista, de vez que, nos cálculos do presidente, ainda cumpria esperar a abertura da Constituinte regional, de modo que a proclamação do novo regime não fosse ato isolado de Pernambuco. Que essa foi a consideração essencial indica a carta em que Carvalho apressava o presidente do Ceará a eleger deputação ao Congresso de Olinda, pois "os segredos estão derramados e de todo públicos", sendo, pois, "necessário comunicarmos abertamente e abertamente adotarmos ideias mais amplas, livres de políticas já hoje desnecessárias entre esta e essa província". "Não convém marchar por mais tempo encapotado; é indispensável romper o véu misterioso", pois "a nossa salvação depende de prontíssima declaração de novo sistema de governo", de modo a obter o reconhecimento do estado de beligerância por parte dos Estados Unidos e da Inglaterra.[16]

Os manifestos carvalhistas ilustram exemplarmente o que Renato Lopes Leite chamou a "cautela linguística" do republicanismo da Independência, que evitou sistematicamente a palavra república até mesmo nas suas penas mais radicais.[17] Embora a expressão "luzes do século" ainda pudesse ser lida como inclusiva da monarquia autenticamente constitucional, as referências a que "o sistema americano deve ser idêntico" em todo o hemisfério e a rejeição das velhas instituições de uma Europa decadente não deixavam dúvida sobre o que se tinha em mira, ou seja, um regime que, como o de Dezessete, ainda não ousava dizer o nome. A prudência vocabular atendia à expectativa moderada de negociação com o Rio e a preocupação de tranquilizar o interior da província, donde a reserva igualmente demonstrada no plano simbólico, único acessível à grande massa iletrada. Alfredo de Carvalho provou que a bandeira da Confederação, ou antes, a bandeira de Pernambuco confederado, nunca veio a ser desfraldada, embora estivesse pronta, ao menos desde fevereiro, mantendo-se o estandarte imperial, que continuou a tremular nas fortificações, nos navios de guerra e no contingente carvalhista que bateu em retirada para o Norte após a queda do Recife. Tampouco as armas imperiais foram suprimidas do alto da primeira página do *Diário do Governo*. Os novos emblemas deveriam esperar a reunião da Assembleia confederal, mas, como esta não chegou a instalar-se, sua consagração não teve lugar.[18]

Os documentos oficiais expedidos a partir de 2 de julho não falam jamais em "república"; e a palavra "constituinte", empregada no tocante à Confederação do Equador, só se encontra em casos excepcionais, como o edital que suspendeu o tráfico de escravos e a portaria sobre a reforma do palácio dos governadores em Olinda a fim de acolher o Congresso marcado para 17 de agosto.[19] Em princípio, teve-se o cuidado de designá-lo por Grande Conselho, expressão corriqueira que já não assustava ninguém. Ao estratagema apegaram-se todos os carvalhistas. No Recife, segundo o cônsul francês, "só se fala de federação". Ao prometer projeto de Constituição mais apropriada ao Brasil, Natividade Saldanha frisara que

> a forma de governo que mais lhe convém é a de uma federação, à maneira dos Estados Unidos da América, da Confederação do México, etc., embora tenha o presidente o título de imperador, porque nada nos importamos com os nomes, posto que algumas vezes influem muito[,]

a mesma opinião defendida por Cipriano Barata. Tampouco os unitários dissidentes imputavam republicanismo a Carvalho, criticando apenas sua "ideia de federação". Na corte, se os foliculários denunciavam o caráter republicano do carvalhismo, associado por Silva Lisboa à tradição de uma província onde haviam ocorrido "três revoluções [...] em pouco mais de século, com tentativa de abater a monarquia e levantar república", o imperador, na sua proclamação ao Exército, de 27 de julho, imputava a Carvalho o objetivo de fazer do Império unitário, pelo qual se pronunciara todo o país, um Império federal, com a alegação de que "o sistema atual não é bom, que é melhor um federativo".[20]

Até o mais radical dos carvalhistas, João Soares Lisboa, absteve-se de falar em regime republicano, ficando em alusões, por julgar seguramente que, para bom entendedor, meia palavra bastava. A gazeta que publicou no Recife, *Desengano aos Brasileiros*, nada teve de programática, limitando-se a dar sua versão do processo da Independência, segundo seu redator o vivera no Rio desde 1821. Embora condenasse "o sistema de governo que tem por chefe um presuntivo herdeiro", Soares Lisboa nem sequer referiu em grandes linhas o que deveria substituí-lo. Apenas de uma feita, sem falar em república, asseverou que as províncias deviam separar-se de "um centro vicioso, qual é o da corte do Rio de Janeiro, cada uma formar-se Estado independente para prover na sua segurança e escolherem um centro comum aos Estados Unidos do Brasil em lugar conveniente". Noutra ocasião, interpelou a Sabedoria e a Razão, refugiadas no Novo Mundo "ao norte do equador", "ali [onde] os descendentes da soberba Albion vos erigiram altares", e de onde "vosso celestial influxo [...] domina em quase todo o continente americano e segundo a ordem da natureza brevemente dominará o resto". Já Frei Caneca, como assinalou Renato Lopes Leite, "repete à exaustão o conteúdo da ideia de república sem que a palavra sequer apareça". Ademais, a resistência a d. Pedro é justificada em termos da unidade do Império, ameaçada pelo arbítrio.[21]

A nível confederal, o Grande Conselho das províncias do Norte teria deputações numericamente iguais às da dissolvida Constituinte. Para sua apreciação, elaborou-se projeto de lei fundamental que, como os "Articles of Confederation" norte-americanos de 1776, deveria preceder a Constituição, regulando os poderes do governo provisório da Confederação até a ratificação da Carta definitiva. O projeto foi confundido à época e continua a ser confundido pela historiografia com o de uma Constituição confederal. Contudo, Manuel Cícero Peregrino da Silva há muito advertiu que "o Conselho ainda não seria a Assembleia Constituinte da Confederação, pois que Manuel de Carvalho lhe ia apenas propor a criação de um Supremo Governo *Provisional* das Províncias Confederadas". Por conseguinte, "não se tratava de Constituição, mas de um plano do governo *provisório* da Confederação, o qual não chegou a ser votado, porque se não reuniu o Conselho", não se elegendo, portanto, o presidente da Confederação. Como assinalou o mesmo autor, "Manuel de Carvalho nunca se apresentou nesse caráter mas somente como autor da iniciativa e em nenhum documento aparece sua assinatura senão como presidente da província ou do governo de Pernambuco".[22] Mas, diferentemente das eleições à Constituinte, a bancada pernambucana no Conselho Confederal seria escolhida por um colégio que, além dos eleitores de paróquia, incluiria os delegados das Câmaras e os "homens repúblicos", expressão que designara no antigo regime os indivíduos com direito a voto nos prélios municipais. Com tal ampliação, o que os carvalhistas tinham em vista era esmagar a maioria rural.[23]

O objetivo temporário do projeto explica sua brevidade, pois que se limita a regular o Legislativo e o Executivo, só referindo de passagem a criação de um Tribunal Supremo de Justiça e sem incorporar a declaração dos direitos individuais própria das Constituições liberais. O Legislativo unicameral fixaria a receita e a despesa públicas e as Forças Armadas, podendo alterar o sistema provisório de governo. O Executivo, com um presidente, um vice-presidente e três secretários de Estado, cuja nomeação ficava sujeita à aprovação do outro poder, partilharia com ele a iniciativa das leis e disporia de veto suspensivo derrubável por dois terços do Legislativo. Em questões vitais, o presidente poderia consultar até seis deputados, sem que o parecer deles fosse obrigatório. Ele exerceria o comando em chefe das forças de primeira e de segunda linha. Cada província conservaria seu governo, sua administração e seu funcionalismo, salvo as mudanças que o Congresso decretasse. De modo a tranquilizar o interior, o catolicismo seria a única religião reconhecida. Da legislação imperial observar-se-iam apenas as leis da Constituinte dissolvida, entenda-se, no que não se chocassem com as disposições a serem adotadas pelo Congresso.[24]

É inexata assim a afirmação de Varnhagen, repetida por Oliveira Lima e Ulysses Brandão, segundo a qual Carvalho teria feito adotar em caráter interino a Constituição da Grã-Colômbia de 1821 ou teria o propósito de fazê-la aprovar em caráter definitivo. A asseveração baseia-se na iniciativa, tomada em fevereiro, mas que não se lhe pode imputar, da tradução, destinada "aos verdadeiros amigos da causa brasileira" (como rezava o subtítulo da publicação enviada às províncias do Norte), da Constituição de Cúcuta (1821), adotada pelo Congresso bolivariano. Como acentuou Peregrino da Silva, se, para a adoção do projeto regulamentando os poderes do governo provisório da Confederação, Carvalho "se não considerava armado de suficientes poderes, como os teria para perfilhar a Constituição da Colômbia?".[25] A suspeita de que Carvalho estivesse influenciado pelo constitucionalismo bolivariano dissipa-se quando se leva em conta que Bolívar infletiu, em direção oposta, o rumo da emancipação na Grã-Colômbia, substituindo o federalismo da primeira república venezuelana e da "Pátria boba" colombiana por uma república centralizada, inspirada nas Constituições francesas de 1799 e de 1802.

A Constituição de Cúcuta tinha feitio marcadamente unitário, dividindo a Grã-Colômbia em departamentos, expressão herdada da Revolução Francesa, a serem governados por intendentes (outro vocábulo de inspiração centralizadora francesa, mas dessa vez originário do Antigo Regime) nomeados pelo presidente da República. Os departamentos, por sua vez, compor-se-iam de províncias, administradas por governadores subordinados aos intendentes e também de nomeação presidencial, não havendo Assembleias departamentais ou provinciais. Finalmente, as províncias abrangiam os cantões regidos pelas Câmaras Municipais.[26] Sob esse aspecto, a Carta bolivariana aparentava-se antes ao projeto imperial. O provável, portanto, é que sua divulgação em Pernambuco tenha sido feita apenas no fito de estimular o debate constitucional, da mesma maneira pela qual Frei Caneca reproduzia em seu jornal as "Bases para a formação do pacto social, redigidas por uma sociedade de homens de letras",[27] o projeto de lei orgânica de Dezessete, ou ainda os princípios da Constituição que se elaborava no México.[28]

Paralelamente, dado o caráter emergencial da situação, Carvalho, reconhecendo não dispor de "suficientes poderes para deliberar sobre assuntos extraordinários como exige o nosso atual estado", propôs a formação de um governo temporário da província composto de presidente e de Assembleia de 25 membros, escolhidos pelo Conselho Governativo. A Assembleia deveria proceder às "reformas que forem necessárias a bem dos povos, tanto nas leis como no sistema político, tudo provisoriamente até que se reúna a Soberana Assembleia Constituinte para formar a Constituição que nos deve servir de lei fundamental". O presidente comandaria a força provincial de terra e mar e nomearia dois ou três secretários, com aprovação do corpo legislativo, no qual teriam assento, sem direito a voto, para apresentar as propostas do Executivo.[29]

Barman chamou a atenção para o fato de que a Confederação do Equador não se apresentou como uma alternativa ao Brasil, mas como "a organização política que os brasileiros eram supostos desejarem: uma confederação de laços frouxos, não um Estado-nação centralizado". Se de início ela abrangeria as províncias do Norte, nada impedia que viesse estender-se a todo o país. A crítica das gazetas carvalhistas ao projeto de Constituição imperial, mesmo depois do 2 de julho, invocava sempre os direitos do Brasil, não os direitos do Norte. Como vimos, o sistema proposto por Soares Lisboa visava à formação dos Estados Unidos do Brasil. E o *Typhis Pernambucano*, de Frei Caneca, tinha, como ressaltou Maria de Lourdes Viana Lyra, "um discurso favorável à união das províncias enquanto as condições constitucionais preexistissem". A proclamação de Carvalho em agosto declarava que a causa do Norte "é a mesma causa do Sul do Brasil". Destoando de Dezessete, cuja opção regionalista fora em parte imposta pela conjuntura, Vinte e Quatro não descartava a possibilidade de que o Sul reagisse, quando mais não fosse graças ao trauma da dissolução e à mobilização política da Independência, que intensificara, quando da Constituinte, os contatos entre representantes de ambas as regiões. Nem sequer o título de Confederação do Equador pode ser acoimado de regionalista, em vista da tendência retórica a denominar o Brasil de Império do Equador.[30]

Contudo, enquanto d. Pedro controlasse o Rio, Minas e São Paulo, impunha-se a Confederação nortista, abrangendo o território entre o Piauí e o rio São Francisco, equivalente às seis províncias do Norte, a que aludira a proclamação aos brasileiros; ou limitando-se à "liga das quatro províncias", do Ceará a Pernambuco, que Carvalho mencionava em ofício a Tristão de Alencar Araripe. Atribuía-se também a ele o propósito de reunir toda a área entre o Piauí e o Recôncavo baiano, com exclusão das antigas capitanias de Ilhéus e Porto Seguro, anexadas ao governo de Salvador no período colonial. A Cochrane como a Dupetit Thouard, comandante de navio de guerra francês surto no porto, Carvalho afirmará que a fronteira meridional seria o São Francisco, retomando a concepção do padre João Ribeiro na afirmação de que as províncias coligadas haviam sido "criadas pelo Autor da Natureza" para constituírem Confederação.[31] Sem apoio no Sul, ela teria tido de conformar-se com um destino regional e republicano, sobretudo se os radicais vencessem a parada; mas se o Sul se tivesse alinhado com o Norte, os moderados teriam levado a melhor, com o que se poderia ter encetado já em 1824 a experiência regencial dos anos 1830, com a elaboração de diferente Constituição ou de Ato Adicional à maneira de 1834.

Não menos importante, a delimitação do bloco confederal dependeria da atitude das províncias tributárias do entreposto recifense. Em fevereiro, Carvalho enviara-lhes emissários para fazer a propaganda contra o projeto de Constituição, mas só no Ceará a reação tomara vulto. O governo rio-grandense assentiu a uma liga defensiva com Pernambuco, comprometendo-se a manter tropa na fronteira com a Paraíba, onde a situação foi sempre desfavorável ao carvalhismo. Malgrado auxílio militar de Carvalho, a junta do Brejo da Areia foi derrotada em Itabaiana (24.5.1824). A suspensão do bloqueio do Recife levara o presidente Felipe Néri Ferreira a aceitar sua substituição por Joaquim Manuel Carneiro da Cunha, que se destacara na Constituinte por seu liberalismo intransigente. Mas o ajuste viu-se rejeitado pela guarnição e pelas autoridades da cidade da Paraíba, que, com o abandono do cargo por Felipe Néri, empossaram um membro do Conselho Governativo, Seixas Machado, que Carvalho teve de reconhecer pelo acordo de 6 de agosto em troca da retirada da tropa na divisa com Pernambuco. Em Alagoas, o ataque desfechado em julho contra a tropa de Pais Barreto não lograra vencê-la; e a flotilha confiada a João Guilherme Ratcliff, para obrigar o recém-empossado presidente Lócio e Seilbitz a assentir ao fim das hostilidades, foi capturada por unidades da Marinha imperial. Em Vinte e Quatro, como em Dezessete, Alagoas permaneceu corcunda; e, em ambas as ocasiões, a resistência de Manuel Vieira Dantas em Anadia, onde chegou a constituir junta pró-carvalhista, terminou facilmente esmagada pela tropa mandada da capital.[32]

A Bahia era a grande incógnita. O fracasso da missão de Venâncio Henriques de Rezende não desanimara Carvalho, pois inclusive no Rio a adesão da província ao projeto de Constituição não era reputada firme. Recomeçando a agitação em Salvador ao saber-se do envio de Taylor contra o Recife, Carvalho despachara o padre Francisco Agostinho Gomes,[33] que tampouco teve êxito, pois, segundo observava, o constitucionalismo carvalhista chocava a oligarquia do Recôncavo. Ali, como na Mata Sul de Pernambuco, sofria-se com a falta de capitais lusitanos. Em abril, um contingente baiano destinado a Pernambuco recusara-se a embarcar, descobrindo-se uma conjura das unidades de cor para derrubar o presidente Francisco Vicente Viana e declarar apoio a Carvalho. Em junho, novos emissários carvalhistas reiteravam que não se poderia contar com a Bahia, embora, segundo o cônsul francês em Salvador, o bloqueio do Recife continuasse a alentar a facção republicana. As proclamações de julho tampouco surtiram efeito. Só em outubro, já esmagado o carvalhismo, ocorrerá o levante do Batalhão dos Periquitos, a quem se atribuíam "ideias republicanas e anárquicas", no decurso do qual será assassinado, defendendo a causa imperial, o governador das armas Caldeira Brant.[34]

Em começos de julho, conhecia-se no Rio o fracasso da Abrilada em Lisboa, movimento destinado a impedir d. João VI de outorgar uma Carta do feitio da francesa e para coagi-lo a abdicar em favor de d. Miguel. El-rei e o gabinete de moderados só foram salvos pela intervenção dos diplomatas estrangeiros. O despreparo da expedição recolonizadora, que não dispunha nem de chefes nem de tropas, além de muitos dos navios carecerem de consertos, também liquidava os temores de ataque português. Assim, transcorrido um mês da ordem de suspensão do bloqueio, o imperador decidiu recomeçá-lo. A 11 de julho, quando ainda não se sabia do manifesto de Carvalho proclamando a Confederação do Equador, partia do Rio segunda flotilha, de seis unidades, sob o comando de Antônio José de Carvalho, com ordens de apertar o bloqueio, caso Mayrink ainda não houvesse sido empossado. A 5 de agosto, ela fundeava em frente do Recife. Em Alagoas, além de auxílio bélico para Pais Barreto, ela desembarcara Pedroso, que d. Pedro anistiara e fizera comandante de artilharia de Pernambuco, na expectativa de que recuperaria o apoio da gente de cor. Por fim, o monarca desmembrara a comarca pernambucana do São Francisco, transferindo-a a Minas, de modo a poupá-la e à Bahia do contágio carvalhista.[35]

A 23 de julho, a fragata inglesa *Doris*, que a 9 partira do Recife, trazia ao Rio a notícia da Confederação do Equador. Para Mareschal, Carvalho virara "com habilidade infinita contra o governo de sua alteza real todas as medidas empregadas até agora contra ele". Embora as atividades comerciais na província estivessem paralisadas, não havia escassez de víveres, além de que os carvalhistas disporiam de três vasos de guerra, aprestados por norte-americanos. Não menos preocupante, seus manifestos circulavam na Bahia e entravam clandestinamente na corte. A 25, graças ao próximo recebimento da parcela inicial do empréstimo levantado em Londres, que permitia satisfazer parte da indenização a Cochrane, o imperador resolvia em Conselho de Estado despachar a esquadra com um contingente do Exército de 1700 homens, sob a chefia do brigadeiro Francisco de Lima e Silva, a quem eram confiados os poderes políticos. A rapidez com que a expedição foi despachada reputou-se inédita no Rio. D. Pedro também suspendeu as garantias constitucionais em Pernambuco, "nosso primeiro estado de sítio", como lembrou Aurelino Leal, designando uma comissão militar destinada a julgar sumariamente os cabeças da Confederação. A Mayrink, ordenou-se que, uma vez empossado, fizesse jurar o projeto.[36]

Na reação da corte, pesou fortemente a avaliação das repercussões internacionais da Confederação. Ao patentear a fragilidade do Império, elas prejudicavam não só as negociações sobre o reconhecimento da Independência como também o desembolso das demais parcelas do empréstimo levantado em Londres, para cuja amortização se haviam hipotecado as rendas das alfândegas. Desde 1822, Caldeira Brant vinha prevendo que as condições da operação dependeriam da atitude das províncias setentrionais. Em janeiro de 1824, o ministro dos Negócios Estrangeiros, Carvalho e Melo, procurara tranquilizá-lo, afirmando que mesmo se o Norte se insurgisse contra a dissolução, voltaria ao aprisco de sua espontânea vontade ou d. Pedro o submeteria pela força: se Pernambuco não seguisse o exemplo das demais províncias, a contestação seria liquidada pela esquadra. Em agosto, ordenou-se a Caldeira Brant que divulgasse pela imprensa inglesa a partida de Cochrane. O 2 de julho fez baixar a cotação dos títulos brasileiros, receando-se sua degringolada, se não fosse imediatamente restabelecido o bloqueio. Ao representante brasileiro assustava sobretudo "o enxovalho que experimenta a autoridade imperial". Mas noticiada a viagem da esquadra, as apólices começaram a recuperar-se.[37]

Não menos preocupado mostrava-se Borges de Barros, agente do Rio em Paris. Em maio, ele apontara os obstáculos ao reconhecimento do Império pelo governo de Luís XVIII: a intransigência do gabinete de Lisboa e o "ar de incerteza" reinante em Pernambuco, que "tanto mal tem feito", dando argumentos aos que sustentavam a inexistência de consenso nacional em torno do regime. A primeira dificuldade exigia apenas paciência, mas a segunda só poderia ser vencida mediante intervenção militar que pusesse termo à resistência, rematando a união das províncias. Borges de Barros detectara em conversa com Villèle, presidente do Conselho de Ministros, os efeitos do manifesto carvalhista de 1º de maio. A ideia de reconhecer a independência do Império em nome da conveniência de transformá-lo em bastião monárquico no Novo Mundo já cedia lugar ao cálculo das vantagens da sua divisão. "A Europa (sem exceção de potência) deseja ver a América retalhada, sem se importar com as formas de governo, contanto que sejam fracas, porque assim colônias da Europa continuarão a ser debaixo de outros nomes." Indícios dessa mudança eram também a perplexidade do ministro da Rússia ("Com quem se tratará no Brasil, com o Norte ou com o Sul?") e a falta de censura governamental no tocante à publicação das notícias sobre o conflito na América portuguesa.[38]

Carvalho tencionava acoplar a abolição do tráfico negreiro, que suspendeu a 3 de julho, à proclamação do novo regime pela Assembleia confederal, a fim de obter da Inglaterra e dos Estados Unidos a declaração do estado de beligerância entre o Norte e o Império. O governo de Londres era hostil ao carvalhismo, inclusive no temor de que os Estados Unidos fossem o grande beneficiário da sua vitória, mas no Rio julgava-se que o movimento era incentivado por toda a maçonaria de língua inglesa e pelo comércio americano (que então contava com cerca de onze firmas no Recife), em particular por Joseph Ray, ex-cônsul da República, afastado do cargo em 1820 devido aos protestos da corte contra a proteção que dera aos revolucionários de 1817. Encorajado pela declaração do presidente Monroe contra a interferência europeia nos assuntos americanos, Carvalho escrevera-lhe em março, alertando-o contra a presença de armada francesa na Guanabara e a frequência com que vasos de guerra britânicos visitavam portos do Norte, e solicitando-lhe colocar à disposição da província "uma pequena esquadra para defender a nossa liberdade",[39] missiva que só chegou ao destinatário quando o governo de Washington já reconhecera o Império.

Ao Rio também preocupava a perspectiva de que as conexões de Carvalho com negociantes americanos o habilitassem a empregar corsários baseados em portos da Costa Leste dos Estados Unidos. Lima e Silva, por exemplo, pensava tratar-se de perigo iminente. Ray era ligado a mercadores da Filadélfia que não desdenhavam arriscar capitais no apresamento de embarcações espanholas e portuguesas. Com a cumplicidade de autoridades locais, eles burlavam as leis de neutralidade do país, o que lhes permitira fazer uma *razzia* na navegação luso-brasileira em Dezessete e durante a guerra contra Artigas, com consequências sérias para as relações do Reino Unido com o governo americano. Mas Ray, embora reputado por José Silvestre Rebelo, representante do Império em Washington, "acérrimo motor de revoluções", não dispunha do apoio oficial dos Estados Unidos. Estes, após hesitarem sobre a resposta a dar às gestões de Rebelo, com o argumento de que "há muita gente no Brasil que não quer o sistema de governo imperial", e de que Pernambuco "está com as armas na mão e quer outro sistema de governo", serão o primeiro Estado a reconhecer o Império, o que ocorreu em junho, às vésperas de proclamada a Confederação do Equador, ali conhecida em meados de agosto.[40]

Com o 2 de julho, Carvalho chamou a si o comando militar. Barros Falcão foi enviado ao sul da província a pretexto de articular no terreno o combate às guerrilhas imperiais, mas destituído de autoridade sobre a tropa estacionada na fronteira alagoana. Acompanhavam-no Natividade Saldanha, que tinha reservas acerca da ruptura com o Rio, e o comandante do Forte do Brum, José Maria Ildefonso Jácome da Veiga Pessoa, que protestara contra ela. Carvalho encetou a seu modo a organização de novos contingentes, sob a direção de oficiais de sua estrita confiança e que lhe estavam diretamente subordinados — o que acentuou o cariz popular do movimento. "A plebe e a gente de cor [escreverá Lima e Silva] é quem dava a lei; e ultimamente Carvalho estava sustentado no seu lugar por Emiliano, preto Agostinho, o célebre João Soares, padre Caneca", os quais, "com outros indivíduos desta íntima classe", mobilizaram "toda a gente de cor e a baixa ralé". Mesmo o 1º e o 3º Batalhões teriam sido seduzidos pela propaganda carvalhista. Esmagada a Confederação, Lima e Silva extinguiu os corpos de guerrilhas que, passivos no interior, haviam sido atuantes no Recife e em Olinda. Enviou ademais para o Rio cerca de duzentos ativistas, os batalhões de Monta-brechas, Bravos da Pátria e Intrépidos, além de muitos oficiais que, pela "pouca idade e falta de senso comum, se deixaram possuir da mania revolucionária", sobretudo os do regimento de artilharia. Por cautela, a execução dos cabeças que não haviam conseguido escapar, como Frei Caneca e outros, só teve lugar após a partida dos navios que transportavam aquelas unidades para a corte.[41]

Tal mobilização contrastava com Dezessete. Então, segundo Lima e Silva, "o povo não tinha entrado" na revolução, pois seus chefes, consoante Lopes Gama, "nunca se valeram da canalha para os sustentar, nunca a fizeram armar para sair desenfreada a assassinar a torto e a direito". Em Vinte e Quatro, após se lhes haver "pregado com Constituição, liberdade, soberania popular e outras doutrinas semelhantes com que se iludem as pessoas incautas", a obediência do povo tornara-se coisa do passado: aproveitando-se da cisão no âmbito da camada dirigente, ele surgiu em cena "com a sua soberania", engrossando o partido de Carvalho. Mas Lima e Silva admitirá também que os carvalhistas apenas se haviam aproveitado do "gás inflamável que existe nesta província", onde "a mania revolucionária" era "moléstia endêmica", empolgando "uma grande parte do povo" e da "classe militar". E o que era mais preocupante, mesmo entre os estratos privilegiados, tampouco existiria adesão sincera ao regime monárquico e ao imperador, tão somente o medo da insubordinação das camadas subalternas.[42]

Com a esquadra de Cochrane ao largo do Recife, após haver desembarcado o exército imperial em Alagoas, Carvalho tratou de explorar a rivalidade entre o almirante e o ministério. Quando da dissolução, Cochrane recomendara a d. Pedro a outorga de "uma Constituição prática" à moda inglesa, vale dizer, com equilíbrio de poderes entre o monarca e o Parlamento, mas também "com algumas partes da dos Estados Unidos", isto é, com elementos federalistas, conselho que, aliás, Caldeira Brant já dera a

José Bonifácio. (Como Cochrane viria a recordar, caso suas sugestões tivessem sido aceitas, o Norte não se teria sublevado.) Carvalho concitou-o a desempenhar novamente o papel, caracterizado pelo "liberalismo, nobreza de alma e profunda sabedoria" que o Lord manifestara "no mundo velho e especialmente no novo", não se deixando instrumentalizar por "mal entendidos caprichos" a fim de "reduzir à vergonhosa escravidão aqueles povos a quem veio socorrer na luta gloriosa da sua liberdade". Através de amigos ingleses do Recife, Carvalho iniciou contatos secretos para convencer Cochrane a passar com a esquadra ao serviço da Confederação. Os dois divergem, porém, no tocante às razões do malogro dos entendimentos. Oferecendo-lhe Carvalho a soma de quatrocentos contos de réis a título de indenização das perdas do almirante no serviço do Império, Cochrane respondeu que o presidente deixara-se enganar a seu respeito pelas calúnias do partido português. A conselheiros seus, porém, Carvalho confidenciou que o trato só não se fechara devido à exigência exorbitante de 2 milhões, embora tivesse chegado a contrapropor 1,5 milhão.[43]

Para separar Carvalho & radicais da tropa e do carvalhismo moderado, Cochrane prometeu nas suas proclamações[44] a partida dos cabeças para o exílio com suas famílias e bens, a proteção contra represálias aos soldados que tivessem tomado armas contra o Império e, à maioria carvalhista, a revisão da Carta, com "as modificações que fossem julgadas necessárias pela Assembleia Geral, com a sanção imperial", uma vez jurados e reconhecidos d. Pedro e sua Constituição. A mesma barganha ele oferecerá ao Ceará, quando será desautorizado pelo imperador, pois não tinha poderes para tanto. As instruções que lhe dera o ministro da Marinha restringiam-no a coadjuvar as operações terrestres: desembarcar o exército em Jaraguá, bloquear o Recife e atacá-lo, em caso de resistência, em coordenação com a tropa de terra, não permitindo que Carvalho e sequazes escapassem.[45] A Lima e Silva é que se haviam dado competências políticas, mas que estavam longe de incluir concessões, como as que oferecia Cochrane. O almirante deve ter calculado que, com a partida de Carvalho e dos cabeças, um acordo com o carvalhismo moderado o habilitaria a induzir d. Pedro a compromisso e a apresentar-se como o salvador da integridade do Império em face da inépcia ministerial no trato da questão pernambucana.

Segundo Cochrane, a contestação pernambucana nascera de "impressões errôneas, causadas por um acontecimento súbito [a dissolução] que vós não haveis podido apreciar de maneira justa, devido à distância em que estais do lugar onde ele se passou". Impressões manipuladas pelos que desejavam arrastar a província "a um sistema de que resulta a confusão e a anarquia", devido a um mal-entendido excesso de zelo pela Independência e pelas instituições livres. Embora já se houvessem dado conta do equívoco, os radicais nele persistiam só para salvar a face, com "a consequência inevitável para todos" de "serem envolvidos numa ruína comum". Caso continuassem a enganar seus comprovincianos, d. Pedro cumpriria seu dever de soberano constitucional, e a esquadra imperial executaria, ao cabo de oito dias, as medidas indispensáveis à segurança marítima do Império, com o arrasamento inclusive do porto do Recife. Se, porém, dessem "um passo atrás", congregando-se ao redor do trono e destarte capacitando o imperador a desfazer-se de "toda influência estrangeira", isto é, do partido português, "eu vos asseguro com sinceridade que nada me será mais agradável do que assumir o papel de mediador para impedir as perseguições, a efusão de sangue [e] a destruição".[46]

O almirante valeu-se da intermediação de sua compatriota Maria Graham para convencer Carvalho a partir. Nas suas notas, ela referirá haver visitado o presidente por duas vezes para convencê-lo da inutilidade da resistência, prometendo-lhe, em nome de Cochrane, que, caso se rendesse, se lhe daria e a seus conselheiros a oportunidade de se retirarem do Império com suas famílias e haveres.[47] Já formulado no ultimato, o oferecimento nada continha de novo. Mas a emissária deve ter insinuado algo mais, ou Carvalho entendeu algo mais do que ela dissera, pois em carta a Cochrane ele escrevia que o chefe da esquadra, dispondo, "como é natural e me afirmou Mrs. Graham", de instruções *para entrar em acordo*, solicitava-lhe que confirmasse a informação, a fim de se nomearem os negociadores da convenção a ser submetida a um Grande Conselho. "Entrar em acordo" poderia significar somente os entendimentos relativos à capitulação; e é assim que tem sido interpretada. Contudo, mesmo ao gorar a ideia de entrevista, devido à recusa de Carvalho, que alegou a oposição popular a que deixasse o Recife, ele insistiu na nomeação de comissários, *reiterando a exigência de Constituinte fora do Rio*, o que não teria cabida caso as negociações devessem versar apenas sobre as condições de uma pura e simples rendição.[48]

Carvalho podia desistir da Confederação em favor da reconvocação da Constituinte, mas não aceitar uma revisão constitucional que, limitada a alguns pontos, deixaria intocado o arcabouço da Constituição outorgada. Nos termos do mecanismo que ela previra para esse fim, a reforma, na melhor das hipóteses, levaria cinco anos, sem a menor garantia de que se viesse a concretizar. Como vimos, já havia o precedente da rejeição das reivindicações baianas de modificação de dois artigos. Nessas circunstâncias, Carvalho procurou resistir, explorando, em proclamação aos soldados, a relativa generosidade da promessa de Cochrane no tocante aos cabeças da insurreição comparada ao tratamento que imaginava seria dispensado à tropa, "desarmada, tratada como rebelde e expulsa do serviço nacional como traidora". Ele não subscreveria "vossa ignomínia, minha desonra e a do povo pernambucano".[49]

Cochrane limitou o bombardeio do Recife (28.8.1824), infligindo danos menores, suficientes, contudo, para provocar o "mata mata marinheiro" que deixou mais de uma dezena de vítimas e saqueou estabelecimentos portugueses. Em seguida, ele zarpou para Salvador a pretexto de reparos, só regressando após a queda de Carvalho. Se o exército de Lima e Silva não tivesse sido apoiado por nova flotilha vinda do Rio sob o comando de Jewett, o ataque por terra ao Recife poderia ter malogrado. Para explicar a partida intempestiva de Cochrane, imputaram-lhe frustrações profissionais com o tratamento dispensado à esquadra e com seu papel subordinado relativamente a Lima e Silva. O almirante dará outros motivos para sua moderação: sem falar em que "o espírito democrático dos pernambucanos não era coisa com que se brincasse", a província merecia toda a compreensão, pois fora prejudicada pelos "transtornos procedentes da cabala portuguesa", por cujos desacertos responsabilizava-se o imperador, "de sorte que o povo prejudicado arguia que melhor lhe teria sido continuar sendo colônia de Portugal do que colônia do governo do Rio de Janeiro". Segundo Cochrane, d. Pedro fora ludibriado, de vez que a rebelião não era meramente recifense, opinião que Lima e Silva compartilhava, ao afirmar que o governo imperial subestimara a extensão do movimento. Daí que ambos os chefes alimentassem o receio de que Carvalho prolongasse a luta, retirando-se para o interior e proclamando a abolição, como já suspendera o tráfico negreiro.[50]

A moderação de Cochrane, sua partida para a Bahia e a intermediação confiada a Mrs. Graham confirmavam as suspeitas do Rio. Armitage admitirá que ele não atuara com a sua costumeira energia. Que a atitude de Cochrane foi equívoca é o que afirmará Lima e Silva, ao ter em mãos a correspondência do almirante com Carvalho, que transmitiu ao governo imperial. Lima e Silva acusou-o de aterrá-lo em sua marcha através do sul da província, exagerando as dificuldades da operação, prevendo que as hostilidades ainda se prolongariam por muito tempo e informando-o de estar iminente a chegada da Armada portuguesa para atacar Pernambuco. Lima e Silva assinalou também que a atitude conciliatória de Cochrane produzira "os mais terríveis entraves em minha marcha política", alusão à insistência do carvalhismo moderado, após a ocupação do Recife pelo exército imperial (17.9.1824), de obter uma rendição negociada. As desconfianças seriam reforçadas em 1825 pelas revelações de Jewett a Maciel da Costa e ao imperador, embora Tobias Monteiro as considere infundadas: Cochrane estivera "decidido a proteger o sistema republicano, se fosse declarado", e lhe propusera mesmo reunir a esquadra para velejar até Cabo Frio, de onde cominariam o imperador a pagar-lhes o restante da dívida das presas. Já no Maranhão, de onde regressará diretamente à Inglaterra após demitir-se da chefia da esquadra, Cochrane receberá recado da imperatriz Leopoldina que, através de Maria Graham, aconselhava-o a não retornar ao Rio enquanto seus inimigos estivessem no poder.[51]

Àquela altura, Cochrane temia as indiscrições da escritora, que assumira o posto de governanta da princesa imperial. A Chamberlain, cônsul britânico no Rio, ele escreveu para dissociar-se de Mrs. Graham, afirmando, o que era falso, que suas relações se haviam limitado a trazê-la do Chile para o Rio em 1823, e que ela só lhe dera aborrecimentos. E, a certo médico inglês da corte, pedia que intercedesse junto à compatriota, que, embora bem-intencionada, poderia prejudicar sua posição. Em 1825, ela será descrita, pelo almirante inglês que veio ao Rio buscar o tratado de reconhecimento da Independência negociado por Sir Charles Stuart, em termos de uma mulher bastante inconvencional, misto de vedete, ecologista e virago: durante certa reunião social, "a célebre Mrs. Graham [...] esforçou-se em monopolizar toda a conversação e pareceu-me ser ou meio maluca ou meio confusa". Ela habitava em Laranjeiras

> uma pequena cabana, no exato sentido da palavra, consistindo somente de dois quartos que estão cheios de toda sorte de coisas: sua cama, livros, peles de cobras e de répteis de diferentes espécies, um retrato de Lord Cochrane, um do seu finado marido, comandante Graham, um gato e muitos outros artigos. A luz transparece através das telhas e, de fato, é como se estivesse vivendo ao ar livre.

G. E. Hamond concluía: "Não aprecio esta mulher-homem. Ela está sempre fora do seu caráter natural".[52]

Nos primeiros dias de setembro, Carvalho ainda pensava em resistir. O Recife achava-se bem abastecido e dispunha-se de tropas suficientes para obrigar d. Pedro a reconhecer a Confederação e de dinheiro com que pagá--las. Sua estratégia consistia em resistir por terra, de vez que não possuía força naval com que enfrentar a do imperador, cuja eficácia estava limitada ao litoral. Em terra, sua preocupação era menos com o exército de Lima e Silva, o qual, segundo fontes inglesas da praça, trouxera apenas trezentos soldados, informação equivocada, do que com o centro da província, que contava dobrar com o auxílio militar do Ceará. Ali, as proclamações de 2 de julho haviam decidido o governo: a 26 de agosto reuniu-se o Grande Conselho, que aderiu a Pernambuco e escolheu seus representantes ao Grande Conselho do Recife, autorizando-os a apoiar o sistema confederal e aprovar a Constituição provisória. Filgueiras marcharia com 2 mil milicianos para atacar o centro de Pernambuco, com o quê, "vencidos os nossos matutos [previa Carvalho], vencidos ficam os imperiais". Quanto às guerrilhas morgadistas, que na Mata Sul assediavam a retaguarda da Divisão Constitucional, planejava colocá-las entre dois fogos, lançando as guardas cívicas. Do projeto de seguir para o interior, ele desistiu em face da oposição dos radicais, temerosos de que, na sua ausência, sobreviesse a contrarrevolução no Recife.[53] Houve mesmo quem apostasse numa intervenção militar de Bolívar, e até, segundo o sarcasmo de Lopes Gama, "quem visse a guarda avançada já de caminho e nas cabeceiras do nosso rio de São Francisco".[54]

Quando Carvalho transportou-se a bordo de navio de guerra inglês, fê--lo na convicção de que se iria encontrar com Cochrane, graças à mediação do comandante da *Tweed* e à pressão do comércio britânico do Recife. Era sua intenção obter um acordo pelo qual entregar-se-ia a província às autoridades imperiais em troca de anistia geral para todos, civis e militares, exceto para ele, Carvalho, que seria o único a partir. Na véspera do encontro, porém, Cochrane partira para Salvador inesperadamente, o que não deixa de ser revelador quando sabemos que blefava, pois não dispunha de poderes para negociar. Só então o comandante da *Tweed* transmitiu a Jewett, que substituíra o almirante à frente das operações navais, os termos do presidente, que foram repelidos por Lima e Silva, que também rejeitou um pedido de trégua feito pela Câmara de Olinda. Como ela não tivesse poder sobre a tropa para fazê-la aceitar a capitulação, o brigadeiro consentiu em cartear-se, desde que as propostas não envolvessem questões constitucionais. À reivindicação de anistia geral, Lima e Silva respondeu concordando no tocante à tropa, mas excluindo os chefes militares e civis, cuja sorte ficava dependente do imperador. Inconformada, parte do exército carvalhista seguiu para a Mata Norte, para, como em 1817, continuar a resistência nas províncias vizinhas; e, reunida no engenho Poço Comprido, recusou a oferta de Lima e Silva, a menos que o exército fosse evacuado do Recife e se instalasse a Constituinte fora da corte.[55] A torrente carvalhista retornara a seu leito moderado.

É notável a semelhança entre o desfecho militar em Dezessete e em Vinte e Quatro. Em ambas as ocasiões, o Recife achou-se submetido a bloqueio naval e atacado por terra a partir de Alagoas. Como em Dezessete, em Vinte e Quatro a Mata Úmida cooperou com a marcha do exército imperial. Um senhor de engenho de Una já alertara Carvalho para a intensidade do sentimento monárquico na região: "Vossa excelência não sabe esses povos do mato cá do sul o como são com o nome d'el-rei". Em Alagoas, a força de Lima e Silva agregou a tropa de Pais Barreto, a que se havia reunido quantidade de portugueses refugiados, além de contingentes alagoanos e índios de Jacuípe. Sua vanguarda compunha-se sobretudo de morgadistas que trajavam os mesmos uniformes dos efetivos de Carvalho. Lima e Silva se vangloriará de que "nós fomos senhores de todo o sul da província de Pernambuco até o Cabo sem darmos ou recebermos um só tiro".[56]

Como a marcha do general Congominho em Dezessete, o avanço de Lima e Silva foi facilitado pelas guerrilhas imperiais que atuavam na retaguarda do contingente carvalhista imobilizado na fronteira alagoana. Segundo seu comandante, José Antônio Ferreira, a Divisão Constitucional era por elas atacada "em todo o lugar e hora", pois como se constituía de "matutos criados nesta parte da província, metem a cabeça no mato donde a seu salvo nos fazem fogo sem lhe podermos ser bons". A dificuldade em "bater as tropas do morgado", assinalava outro oficial, consistia em que elas faziam "a guerra do país", enquanto os confederais faziam-lhes "a dos europeus ou portugueses". Devido às guerrilhas, a Fortaleza de Tamandaré rendeu-se antes mesmo da entrada do exército de Lima e Silva em Pernambuco. Contra elas, nada puderam os contingentes de segunda linha sob o comando de Barros Falcão, aquartelados em Ipojuca, a meio caminho entre o Recife e a fronteira, de vez que não se atreveram a avançar em terreno desconhecido, nem lograram comunicar-se com a Divisão Constitucional.

Esta teve de abandonar a posição e de regressar à praça pelo interior das matas, sendo perseguida até o Cabo pelos guerrilheiros, o que obrigou Barros Falcão a recuar para Prazeres, principal acesso meridional ao Recife, que foi contornado pela tropa de Lima e Silva numa operação de surpresa que lhe deu acesso à praça.[57]

Contra esses corpos volantes, os carvalhistas não contaram com as unidades da guarda cívica recrutadas no interior, que desatenderam ao chamado, malgrado adiantamento do soldo. Tampouco produziram resultado as represálias ordenadas por Carvalho contra os senhores de engenho que apoiavam a causa do imperador. Barros Falcão pretenderá que elas não chegaram a ser executadas, mas não é o que afirmavam Cochrane e Mayrink. Graças à sua eficácia, as operações das guerrilhas imperiais na Mata Sul e no centro da província impediram a reunião do Grande Conselho da província e do Grande Conselho confederal, pois, estando amotinada a população interiorana, "por causa das quadrilhas de ladrões [sic], que têm assolado povoações inteiras", estorvando o trânsito para o Recife, Carvalho teve de ordenar às autoridades locais que permanecessem a postos para fazerem face à desordem.[58] Filgueiras marchou com efeito para o Crato, com parte da tropa de primeira linha, mas não passou do Icó, quando Cochrane já bloqueava Fortaleza.

Ao invés do que asseverou Gláucio Veiga, os "homens de 1817" não foram todos "homens de 24".[59] Há tempos, Adelino de Luna Freire assinalou que muitos dos que se haviam distinguido na primeira revolução não tomaram parte na segunda. Se em Dezessete preexistia a clivagem entre monárquicos e republicanos, a verdade é que, a partir de 1822, com a vitória constitucionalista em Portugal e o projeto emancipacionista de d. Pedro, ela se tinha aprofundado. A recíproca, porém, é verdadeira: quase todos os homens de Vinte e Quatro haviam feito Dezessete. Numa lista de 33 dezessetistas que viriam a ter papel destacado posteriormente, apenas um terço entrara na Confederação do Equador, enquanto dois terços haviam apoiado o imperador. Como frisará Lopes Gama em 1845, "dos homens que hoje se acham colocados na mais elevada posição social, poucos haverá que se possam dizer limpos e escoimados da pecha de desordeiros", uma vez que muitos se haviam envolvido "na nossa rebelião de 1817, outros na de 1824, outros em tais e tais rebuliços e sedições que apareceram pelas províncias e até na corte".[60] Devido a essa comum origem sediciosa, a elite política pernambucana, mesmo dividida, continuará a ser olhada de esguelha no Rio até os primeiros decênios do Segundo Reinado, inclusive os conservadores ou "guabirus", de cuja fidelidade à união do Império duvidou-se abertamente na corte, em particular no período 1844-8, em que foram alijados do poder provincial em favor dos liberais da Praia.

Ao concluir-se em 1824 a Independência em Pernambuco, o *Diário Fluminense* publicou matéria que formulava um programa de repressão para a província, alertando para que a sua tranquilidade "é momentânea [...] é o sono do leão adormecido por enfraquecimento e pela perda de sangue. Repousou seis anos depois da primeira queda. Como se levantou? Mais atrevido, mais insultador do que nunca". É que a punição em 1817 só atingira os cabeças.

> Enforcaram-se vigários [...] porém ficaram os sacristães; fuzilaram-se coronéis, porém não se procuraram os sargentos; mestres de retórica, mas não se foi atrás dos discípulos [...] feriu-se o que fazia mais estrondo e não se desceu ao conhecimento dos condutos por onde se espalhava o fogo revolucionário; mataram-se alguns leões e não se fez caso dos leõezinhos. Estes cresceram, deitaram de fora as unhas e empreenderam vingar pelos insultos contra a monarquia imperial a memória de seus antepassados. É de absolutíssima necessidade que se faça uma transplantação e uma dispersão na parte mais instrutiva [isto é, instruída] daquele povo; que uns vão fundar uma nova Scythia, outros uma nova Assíria; que se separem os gregos, dos romanos; os cismáticos, dos apóstatas. É necessário ver os berços da nova geração, as escolas públicas, examinar mui circunspectamente a capacidade dos mestres, o plano da instrução, inspecionar a marcha da religião, reparar as brechas que lhe deixaram os indignos ministros do santuário. É indispensável sobretudo que a força física, que serviu tão mal à nação, vá aprender a servir debaixo de outros mestres e em outros climas, do contrário teremos daqui a alguns anos nova estralada.[61]

O governo imperial não fez caso do prognóstico, optando pela linha de ação que lhe sugeriu Lima e Silva. Em 1825, embora fosse ainda "mui notável a prevenção que ainda conservam os habitantes desta praça e mais províncias do Norte contra o ministério do Rio de Janeiro", ele opinava que "o sistema de rigorismo, bem longe de firmar a integridade do Império e consolidar a paz, promoverá o ódio e acenderá de novo o facho da discórdia". Urgia, por conseguinte, não repetir o erro cometido em 1817. Então, fora "uma facção europeia" que promovera a rebelião, entenda-se a maçonaria inglesa, mas a excessiva severidade com que se procedera contra os sediciosos chocara a fidelidade monárquica da grande maioria da população, desencadeando uma onda de simpatia em favor deles.[62]

A política preconizada por Lima e Silva provará ser mais adequada aos interesses do Império do que a aventada no *Diário Fluminense*. Apreciando, já no período regencial, "o quadro histórico das revoluções" por que passara a província, Lopes Gama admirava-se de

> ver homens que tanto se influíram e entraram nesses devaneios, homens que queriam a Confederação do Equador sem pés nem cabeça, fazendo a cama sem ver a noiva, homens que eram mesmo umas republicazinhas ambulantes e de tarraxa [...] hoje tão trocados de sentimentos, hoje tão convertidozinhos, que não sofrem a mais leve reforma na Constituição.

Que exemplo mais eloquente que o do próprio Manuel de Carvalho? Em 1834, exercendo novamente a presidência,

> já não é aquele que em Vinte e Quatro por se deixar levar de conselhos imprudentes e alvitres de cérebros desmiolados, arruinou a sua fortuna, viu-se na dura necessidade de arrancar-se dos braços de sua consternada família, depois de ver com mágoa que a revolução era feita em seu nome, ao mesmo passo que a gente mais louca e furiosa era a que tinha tomado a iniciativa no desgoverno da província.

E, com efeito, a Praia e o movimento de 1848 terão, como percebeu Nabuco, "uma história política singular". Os praieiros já não serão doutrinários à maneira de 1817 ou de 1824, movimentando-se com desenvoltura na política imperial, apoiando no Rio a chamada "facção áulica" e até votando as leis que restringiam as conquistas liberais do período regencial.[63] Mas essa é outra história.

Apêndice

As proclamações de Manuel de Carvalho a partir do 2 de julho de 1824 foram recolhidas por Ulysses Brandão, *A Confederação do Equador*, Recife, 1924, pp. 201 ss. A seguir publicam-se os manifestos mais importantes anteriores àquela data, ainda não recolhidos.

1. Manifesto de Manuel de Carvalho Pais de Andrade aos pernambucanos, 27 de abril de 1824[1]

Iludidos pernambucanos! E até quando sereis insensíveis aos clamores da razão e da experiência, que uma com suas altas vozes e outra com sua muda porém enérgica eloquência, vos bradam incessantemente que deveis desconfiar, que deveis estar em contínua vigia dos inimigos internos que diariamente nos atraiçoam? Tendes porventura necessidade de provas do que acabo de dizer-vos? Vós vedes a cada instante as traições que nos fazem, os laços que nos urdem, os precipícios que nos cavam. Tendes porventura precisão de conhecê-los? Os seus fatos infames e pérfidos, suas ações vergonhosas para todo o homem de bem vê-los dão a conhecer. Pernambucanos! E ainda tereis confiança nos protestos e juramentos dos portugueses? O melhor deles é o nosso menor inimigo. E acreditareis que esses lobos, que há pouco nos devoraram como tímidas ovelhas quando o despotismo europeu nos calcara, esses mesmos que há pouco nem nos julgavam dignos de beijar o pó de seus pés, possam ser nossos amigos, possam coadjuvar-nos na causa de nossa Independência e Liberdade? Não conheceis o coração do homem e mui principalmente do homem europeu? A perfídia e a crueldade são as duas notas que distinguem os portugueses dos outros povos da Europa, e a barbaridade e o amor à escravidão foi o que lhes coube em partilha. Não vos deixeis iludir. Vós não vistes ainda há poucos dias que aqueles portugueses que tanto estimávamos, em quem confiávamos tanto que lhes havíamos entregue o comando de nossos vasos de guerra, a direção de nossas fortificações e a quem com mão larga franqueávamos os nossos tesouros, tão vergonhosa e covardemente nos abandonaram? Que penhor nos poderão eles dar de sua adesão à nossa causa? O juramento cívico? Não, eles o escarnecem, eles zombam da Divindade que tomam por testemunha porque não conhecem outro Deus que não seja o seu sórdido e o seu vil interesse. As ternas esposas? Não, eles as maltratam, eles as odeiam e menoscabam. Os caros filhos? Não, eles lhes dão a existência a seu pesar, eles os aborrecem sem outro motivo mais do que terem nascido no Brasil, e haverá tal que os devore como Saturno, ainda ao nascedouro.

Pernambucanos! Não vos deixeis iludir, não vos entregueis nas mãos de vossos capitais inimigos. Ainda gotejam as feridas que eles nos abriram em 1817, ainda fumega o heroico sangue que eles fizeram derramar no Campo do Erário, os manes dos imortais Antônio Henrique, Domingos Teotônio, João Ribeiro, José de Barros Lima e outros ainda nos bradam, ainda nos exortam a acautelarmo-nos de sua perfídia, de suas traições e de seus embustes. Pérfidos! Com o mel nos lábios, com o veneno no coração não perdem momento de atraiçoar-nos. Não vos fieis em suas vozes, não deis crédito às suas palavras, não creiais seus protestos, eles são mais falazes que os que faziam os cartagineses.

Pernambucanos! O áspide se oculta debaixo das mais belas flores e o mais cruel veneno se propina de mistura com os mais agradáveis manjares. Quem nos traiu uma vez, não nos deve trair jamais, e se é de uma alma cândida e ingênua o iludir-se, ser enganado segunda vez pelo mesmo sujeito é imprudência indesculpável. Os portugueses se têm dado a conhecer: em 1654, quando militávamos contra a Holanda, a nação mais poderosa nos mares, a Inglaterra daqueles tempos, os portugueses nos desempararam por ordem do rei; em 1710, nos fizeram por muitos meses a mais cruenta guerra e as recompensas que então tiveram eles foram tenças e comendas, e nós, prisões, cadeias e desterros; em 1817 vós ainda sois testemunhas do que sofremos; e em 1821, debaixo do rei dos déspotas, do infame sultão Luís do Rego, dizei vós mesmos o que sentistes, dizei vós mesmos o que experimentastes. E quem em 1654 nos quis sacrificar ao poder dos batavos? Os portugueses. Quem nos lançou os ferros em 1710? Os portugueses. Quem fez derramar o nosso sangue em 1817? Os portugueses. Quem nos oprimiu, quem fez viúvas as nossas esposas e órfãos os nossos filhos? Os portugueses. E ainda amareis os portugueses? Ainda confiareis em seus juramentos e protestos?

Pernambucanos! Não creiais todavia que do centro daquela Babilônia não possa nascer uma Fênix. No meio dos animais mais ferozes têm aparecido alguns humanos; no meio dos povos mais bárbaros tem-se visto alguns dóceis, e entre as nações mais escravas têm brilhado homens livres. Vós vistes Bolívar em Caracas, Morelos no México, Washington em Boston. Entre nós mesmos, ainda que mui raros, aparecem portugueses dignos de ter nascido em New York ou Filadélfia; vós os conheceis, vós os conheceis, torno a dizer-vos.

Pernambucanos! Só nos restam dois meios: liberdade constitucional e honrosa, escravidão ou morte vergonhosa e vil. Escolhei.

2. Manifesto de Manuel de Carvalho Pais de Andrade às províncias do Norte do Império do Brasil, em 1º de maio de 1824[2]

Habitantes das províncias do Norte do Império do Brasil.

Chegou a época desastrosa, marcada pelo despotismo, para arrastarem os infames ferros do mais vergonhoso cativeiro os valorosos povos que povoam o diamantino Brasil. Principiou no dia 12 de novembro passado o Século de Ferro, mais lastimoso do que aquele em que perdendo a liberdade os filhos de Rômulo serviram de brinco aos atrabiliários déspotas de Roma.

A facção portuguesa, declarada inimiga da nossa independência, invejosa da nossa futura grandeza e felicidade, dolorosa da queda e aniquilação do caduco Portugal, depois de intrigar quanto pôde na Europa em nosso dano, destacou emissários para o nosso Brasil, que com sucesso têm dado conta da sua tarefa. Conseguiram estes pérfidos que sua majestade imperial, que acaba de receber da nossa generosidade o trono mais elevado do mundo, o cetro mais brilhante e decoroso, e que muitas vezes nos havia dito que pelo nosso bem e felicidade daria os últimos bocejos, que com juramento nos havia prometido sustentar a nossa independência e liberdade, e estabelecer neste vasto território o Império da filosofia, da virtude, da luz, o Império constitucional, faltasse a tão solenes promessas e sem a menor sombra de justiça, arrogando-se uma atribuição que lhe não competia, derribasse por terra o augusto padrão da nossa soberania, o sustentáculo da nossa liberdade, o coração da nossa vitalidade, o respeitoso Senado dos nossos representantes, a soberana Assembleia Constituinte do Brasil. Dia nefasto nos anais do nosso Império foi o dia 12 de novembro do ano passado.

Este passo, o mais difícil de vencer no plano dos celerados, foi outro Rubicão para César, cujo trânsito lhe infundiu valor para não retrogradar na marcha contra a pátria. Vencida esta passagem, disseram entre os nossos inimigos "Tudo mais está concluído". Coerentes no seu projeto, têm empregado todos os meios de conseguirem os seus fins danados. Receando o primeiro choque da reação dos povos, trataram de amaciar a escabrosidade do seu atentado, e em nome de sua majestade imperial, de quem eles têm usado como de testa de ferro, atacaram de novo com razões vazias de verdade a virtude, a probidade e a honra dos nossos representantes, alterando de propósito a cronologia dos fatos que tiveram lugar naqueles dias, para parecerem efeitos da Soberana Assembleia, o que nada menos era que o plano, de muito concertado, para sua dissolução.

Sem jamais haver tenção séria de que se verificasse, no mesmo dia da dissolução da Assembleia, convocou-se outra, que trabalharia sobre um projeto de Constituição oferecido pelo imperador, com a ilusória promessa de ser duplicadamente mais liberal do que aquele que se discutia na Assembleia extinta. Eis um novo absurdo, que na sua cegueira não conheceram os infames áulicos que precipitaram o imperador, jovem inexperto, ou que esperavam de nós tanta ignorância, que deixássemos passar esta monstruosidade. A soberania é da nação, só à nação compete escolher a matéria do pacto social, projetar e constituir.

Não se passaram muitos dias que se não manifestasse o laço, estendido ao crédulo Brasil, que na sua sinceridade se havia entregado todo às mãos de seus arteiros inimigos. O projeto, que de princípio devia ser oferecido à nova Assembleia Constituinte para ser discutido, foi declarado que as Câmaras [sic] das províncias do Império o examinariam e ofereceriam a seus povos, para fazerem suas reflexões, as quais deveriam de ser entregues aos deputados, para fazerem delas o uso conveniente quando reunidos em Assembleia. Não há uma contradição tão palmar.

Pouco antes, em uma proclamação (de agosto de 1823) se haviam taxado de absurdas as pretensões de algumas Câmaras do Norte de prescreverem, com suas instruções, leis àqueles que as deviam fazer. Agora os mesmos que deviam fazer as leis, se hão de cingir às reflexões da Câmara! Esta contradição, que devia pejar a qualquer particular, trazia o fito em outro alvo mais alto, ou era outro passo para a escravidão do Brasil, o qual não pode escapar a qualquer que refletir com atenção. Logo se conheceu que isto queria dizer que, depois das Câmaras darem seus votos sobre o projeto, se julgaria supérflua a celebração da nova Assembleia. Dito e feito.

O Senado do Rio de Janeiro, por induções do ministro França (que andou por casas particulares pedindo a seus amigos que fossem e levassem consigo mais alguns, à Câmara, para pedirem que se jurasse o projeto), nada achou que notar no projeto e pediu ao imperador que o jurasse e o mandasse jurar como Constituição do Império. Imediatamente se mandou suspender a convocação da nova Assembleia, por se fazerem neste caso menos necessárias novas Cortes, como detrimentosas e dispendiosas aos povos e perigosas à independência do Império e seu reconhecimento pelas nações estrangeiras, por causa da demora das suas deliberações.

Antes de se obter este assento do Senado, empregou-se outra arma para se não verificar a convocação de novas Cortes Constituintes. Antes das eleições dos eleitores paroquiais, andaram emissários, Fernando Carneiro [Leão], Berquó, Gordilho, rogando a seus amigos que não levassem listas, pelo que em algumas freguesias como de Inhaúma, não houve eleições, por aparecerem somente cinco listas, e em Guaratiba, que no ano passado deu trezentos e tantas listas, neste só deu 71, e à proporção todas as demais.

Era preciso que as províncias, acompanhando a corte nestes mesmos desejos, formassem o espírito geral da nação brasileira, [e] para isto se mandaram procuradores por todas as províncias do Império, para reunirem todos os votos. A Bahia havia feito estremecer o coração do Império com o espírito e opinião pública que fez aparecer na chegada dos seus deputados Calmons, e apesar de se haver acalmado algum tanto, contudo ainda não estava no pé que era conveniente do Rio de Janeiro, por isso foi para ela despachado a toda pressa Felisberto Caldeira, que em uma vereação extraordinária de 10 de fevereiro deste ano, fez que naquela cidade se repetisse o mesmo que havia dito o Senado do Rio, por meio de seduções, aliciações e temores.

Pernambuco, há muito infamado de desejos de um sistema republicano, não devia ficar sem os pregadores do despotismo, e foi uma das províncias que mais cuidado deu ao ministério, pois segundo se escreve daquela corte, o ministério estava de alcateia com esta província. Certo o ministério da influência que costuma ter quem governa sobre os governados, tratou de eleger um presidente e não achando outro algum mais capaz do que o morgado do Cabo, Francisco Pais Barreto, pelos atentados já praticados nas pessoas dos deputados Barata, Francisco Agostinho Gomes e capitão João Mendes Viana, o nomeia presidente da província. Mas, por felicidade da província, quando aqui chegou a carta imperial, já este em 13 de dezembro do ano passado, se havia demitido do governo, por haver perdido a opinião pública e força moral, e me achava ele na presidência, eleito no conselho de 13 de dezembro e reeleito pelo colégio eleitoral da província a 8 de janeiro deste ano, o qual colégio (por já correr o boato da eleição do morgado) suplicou a sua majestade a minha confirmação, e mostrou as razões pelas quais não era aceitável a eleição do morgado. Porém o que era útil à província não era dos interesses da facção portuguesa do Rio de Janeiro. E como de muito tempo a firme constância de Pernambuco nos princípios constitucionais e a sua resolução de derramar até a última gota de sangue pela liberdade assustavam o ministério, o qual receava alguma demonstração mais forte pelo atentado da dissolução da Assembleia e olhava para ele como o farol das províncias do Norte, trataram logo de o oprimir, e aprontando com a maior parte os vasos de guerra que podiam, os dirigiram a este porto, com o destino de fazer empossar ao morgado ou bloquear-nos no caso da repugnância, não se esquecendo de fingir não haver recebido o imperador as reclamações da província remetidas pelo governo e Câmara da capital, para que esta medida não parecesse premeditada, caprichosa e despótica. Este bloqueio veio achar a província em uma grande agitação, porquanto havendo o morgado recebido o diploma imperial da sua presidência, oficiou-me e à Câmara da capital, para lhe darmos posse; e eu e ela lhe respondemos que este negócio estava afeto a sua majestade imperial pela representação do colégio eleitoral de 8 de janeiro e que se devera sobrestar na execução desta carta até final resposta de sua majestade. A outro qualquer homem que não tivesse uma ambição tão desmarcada quanto o morgado, isto era suficiente para se remeter aos termos da modéstia e não procurar tantos perigos à sua pátria. Porém, de uma parte o seu desejo ardente de governar, de outra os maus conselhos dos que o rodeavam, o fizeram ultrapassar os limites do seu dever. Dirigiu-se ao comandante das armas, pedindo a sua cooperação e responsabilizando-o por todos os males que sobreviessem à província pela falta de execução das ordens imperiais. O comandante das armas, chamando o conselho de oficiais superiores e comandantes de corpos a 13 de fevereiro, decidiram unanimemente que a força armada não devia tomar parte nesta questão.

Esta decisão era para mais exacerbar a vaidosa vontade do morgado, o qual, progredindo no seu intento, ameaçou ao comandante das armas com dirigir-se aos comandantes dos corpos, como fez, e instando cada vez mais comigo, deu lugar a convocar um conselho de todas as Câmaras da província para opinarem sobre isto. Celebrou-se a 21 do mesmo mês este conselho e unanimemente se reconheceu ser vontade geral das Câmaras e de todos os povos dos seus respectivos distritos que eu continuasse a ser presidente, visto não ter lugar a posse pretendida pelo capitão-mor Francisco Pais Barreto, por estar este negócio afeto a sua majestade imperial.

Foi uma verdadeira desgraça que os esforços do morgado crescessem à proporção das negativas da sua posse. Contava-se com a sua acomodação e todos se enganaram, porque aparecendo aqui uma carta do marechal Felisberto Caldeira ao sr. Francisco Muniz Tavares, na qual persuadia a adoção do projeto da Constituição e a presidência do morgado, entraram os espíritos em uma efervescência tal que os majores Lamenha e Seara, comandantes interinos do 1º e 3º Batalhões de Caçadores, em contradição manifesta daquilo que haviam assinado a 13 de fevereiro, na manhã de 20 de março marcharam para o pátio do palácio do governo com pouco mais ou menos de duzentos soldados dos seus batalhões e faltando com o maior escândalo ao respeito e obediência ao comandante das armas, prenderam-me na Fortaleza do Brum.

O 2º Batalhão, sempre atento ao seu dever, unido às guerrilhas da praça e ao povo em massa que se armou, o regimento de artilharia e a Câmara da capital requisitaram a minha soltura, que teve lugar mesmo antes da resposta à requisição, por dois oficiais de artilharia, que para restabelecer a ordem na província e evitar as consequências da anarquia, se expuseram a todo risco e levaram-me para a cidade de Olinda, para onde marcharam imediatamente duzentos homens do 2º Batalhão, as guerrilhas e o povo do Recife.

É natural conceber-se a perturbação, o remorso e a desesperação dos facciosos, vendo abortado o seu projeto com a minha soltura. Não lhes restou outro meio que a fuga, a qual teve efeito nesta mesma tarde, procurando o sul. Dirigindo-se ao engenho Velho do Cabo, onde se achava o morgado, no dia 22 do mesmo mês na Câmara daquela vila instalaram um governo, de que era presidente o morgado, e elegeram um conselho, fizeram uma promoção militar e deram vistas de se fortificarem e sustentarem naquele ponto.

Conhecendo-se quanto aquele foco de desordens era ruinoso, destacaram-se contra ele forças suficientes que os fizeram desamparar aquele lugar e passarem-se na sua fuga para a província das Alagoas, depois da deserção da maior parte dos soldados, prisão de alguns oficiais e outras pessoas e algumas mortes, incomodando-se a província toda com as marchas das tropas, paradas dos trabalhos da agricultura e mais que tudo com a divergência das opiniões, própria do povo, mormente nestas comoções, divergência inteiramente oposta à nossa liberdade e segurança, e por isso procurada e fomentada pelo Rio de Janeiro, que sempre tem usado da máxima detestável de Maquiavel "dividir para reinar", pois que de outra maneira não poderá subjugar e lançar ferros no brioso e valoroso povo brasileiro.

Nesta circunstância de coisas e encoberta com a fictícia ignorância dos novos sucessos desta província e suas reclamações, a atrocidade contra um povo constitucional que em todos os tempos tem dado provas de sua adesão às pessoas dos que o governam soberanamente e que tem derramado por muitas vezes o seu sangue, em defesa dos direitos majestáticos, apresentou-se no porto principal da província João Taylor, capitão de mar e guerra, comandando as fragatas *Piranga* e *Niterói*, com ordens positivas de empossar na presidência a Francisco Pais Barreto e levar presos para o Rio de Janeiro a mim e a outros.

Fundeadas as fragatas, foi o seu comandante cumprimentado por mim, que rogando-lhe a comunicação das ordens imperiais, tive em resposta que vinha fazer empossar de seus empregos os despachados por sua majestade imperial; que não reconhecia nem reconheceria outro algum presidente da província que não fosse o morgado; e que se eu quisesse ir pessoalmente relevar-me com sua majestade da presidência, por me julgar nela de boa-fé, estaria pronto um navio de guerra para levar-me com decência. Requisitava no entanto do intendente da Marinha aguada, sortimento de boca, certos utensílios para a chamada esquadra. Tudo lhe foi denegado, pois a Intendência não podia dispor sem as ordens do governo que o comandante naval não reconhecia.

Abriu este uma comunicação com o governador das armas, o coronel José de Barros Falcão de Lacerda, requisitando-lhe cooperação para a posse do morgado e prisão minha. Levando o comandante das armas esta comunicação ao meu conhecimento, assentou-se de chamar, como meio de se tratar da segurança da província e sua tranquilidade, um Conselho Geral da província, composto de todas as Câmaras ou seus procuradores, do comandante das armas e oficialidade da primeira e segunda linha, de capitães para cima, clero, corpo literário, empregados públicos de todas as repartições, repúblicos e homens bons da cidade [e] do Recife, e foi assinado o dia 7 de abril para este ajuntamento, do qual se deu parte ao comandante naval, que sendo convidado para ele, anuiu e mandou seu delegado o capitão de fragata Luís Barroso Pereira, acompanhado de um primeiro-tenente, Camilo de...

Chegado o dia 7, celebrou-se conselho com a melhor ordem e sossego, e depois de proposta a matéria e suficientemente discutida, se assentou que

se continuasse na suspensão da posse do morgado, por ser negócio já afeto à sua majestade pelo colégio eleitoral de 8 de janeiro e pelo conselho dos procuradores das Câmaras da província de 21 de fevereiro, quando com a chegada do diploma imperial o morgado quis tomar posse, e que de novo se rogasse a sua majestade o recolhimento do diploma do morgado e nunca este fosse presidente, não só pelos muitos males que já havia causado no seu primeiro governo, como pela guerra civil que ele mesmo havia rompido, querendo empossar-se à força de armas, pelo que estava toda a província em comoção com as marchas dos corpos para o sul, perturbação das famílias, mortes de pernambucanos e gastos da fazenda pública, para dissolver o partido que se havia declarado pelo morgado; que se pedisse à sua majestade houvesse de confirmar-me na presidência política, na forma das outras decisões antecedentes, e que como sua majestade se chamava à ignorância dos acontecimentos de Pernambuco e nova ordem de coisas, se lhe mandasse uma deputação composta de três membros do clero, tropa e povo, a fim de que levando segundas e terceiras vias das antigas reclamações e as primeiras deste último Conselho, não passassem estas pelo descaminho inculcado das outras.

Comunicou-se este resultado ao comandante naval, por um ofício do presidente do Conselho e cópia da ata. Quando se esperava que o comandante naval à vista do voto geral da província emitido naquele Conselho e sabendo dos últimos sucessos desastrosos do morgado, que ele mesmo estranhara, mandando-lhe apartar de si os soldados que o acompanhava, se reduzisse à estrada da retidão, atendendo à tranquilidade do país e sossego de seus povos, pois que outro fim não deviam ter as instruções de sua majestade, se viu com espanto declarar este comandante no dia seguinte bloqueado o porto do Recife e os mais adjacentes, consentindo, porém, na saída da embarcação que levasse os deputados da província a sua majestade imperial. Este fato só é mais que bastante para se conhecer que a causa deste bloqueio não era a falta de obediência inculcada às ordens de sua majestade, nem à sustentação do respeito ao mesmo senhor como primeiro magistrado da Nação e chefe do Executivo, porque o bloqueio só poderia ter lugar no caso de rebeldia, a qual jamais existe enquanto se representa, se requer e se espera pela decisão superior e todos os negócios seguem seu andamento, debaixo das mesmas leis e em nome do mesmo soberano, muito principalmente no atual sistema de governo em que o direito de petição é um direito constitucional, inauferível de um povo livre.

Porém para se dar a este negócio um grau maior de luz, lembramos que quando o comandante naval havia dado ao comandante das armas da província e mesmo à Câmara da capital sua palavra de honra de esperar pela decisão do Conselho Geral do dia 7, nesse mesmo dia, contra todo o direito das gentes, por uma nota oficial, declarou aos cônsules das nações estrangeiras aqui residentes, que se achava o porto do Recife em bloqueio, e dias antes pretendeu, por meio da intriga, romper a união e concórdia das vontades em que se achavam os povos desta província, por meio de proclamações e ofícios dirigidos às Câmaras e emissários para o sul e norte, dos quais este foi preso pela Câmara de Igaraçu e remetido ao governo, encaminhando-se tudo a acender entre nós o facho da guerra civil.

Com estes fatos diante dos olhos, vede, valentes e guerreiros paraibanos, fluminenses do Norte, cearenses, maranhotos e paraenses, vede a procela que vos ameaça e vai a cair sobre vós. Conhecei o fim de tantos fatos monstruosos, a doblez do ministério e a perfídia dos seus satélites.

Não se trata de punir réu algum, criminoso ou rebelde, porque nenhum há. Trata-se de destruir o sistema constitucional, que o Brasil e o imperador jurou [sic], destruindo as pessoas liberais mais corajosas e aterrando as fracas. O fim é plantar o absolutismo e depois a descolonização do Brasil e sua sujeição ao antigo e despótico Portugal.

Os papéis públicos da Europa, mormente O [Investigador] Português, da Inglaterra, têm tirado o véu a esta perfídia. Eles nos dizem que os déspotas da Santa Aliança, a rogos do rei de Portugal (que se acha de mãos dadas com o nosso imperador, quem o crerá?) se coligam para subjugar de novo o Brasil. Já apareceu o plano desta tentativa apresentado ao governo desta província pelo dr. João Fernandes Tavares, brasileiro, natural do Rio de Janeiro, há pouco chegado a este porto na galera francesa *Apolo*, encarregado desta participação pelo comendador Domingos Borges de Barros, natural da cidade da Bahia e residente em França. Já não há mais dúvida sobre esta traição do ministério.

O predomínio dos portugueses no Rio de Janeiro, a nulidade a que estão reduzidos os brasileiros, a intriga que, dizem, se mandou fazer aos marinheiros de todas as tomadias feitas por Cochrane, dando-se aos ingleses 1 milhão, a prisão de 38 pessoas mais distintas da província de São Paulo, as baterias feitas entre Rio e Minas, a prisão de Pedroso e outros muitos pernambucanos existentes no Rio de Janeiro, o recebimento de uma carta de Luís XVIII, de França, ao nosso imperador, na qual o tratava de "Monsieur" príncipe d. Pedro, príncipe regente de Portugal, a falta onímoda de moeda metálica do Rio, porque todo o ouro cunhado desaparece e vai para São Cristóvão, e se indeniza aos proprietários com apólices de papel, são fatos que vós deveis saber para refletirdes sobre eles e tirardes vossas consequências de segurança, a favor da nossa independência e liberdade política.

A dissolução despótica da nossa Assembleia Constituinte e a proibição das eleições de deputados para outra se dirige unicamente a não termos representação entre as nações do universo. O projeto dado por sua majestade, ou melhor pela facção portuguesa em seu nome, é amoldado a este fim perverso. O seu monstruoso Poder Moderador é a chave mestra deste ruinoso labirinto. Meditai sobre ele e reconhecei se poderá haver independência do Império, liberdade política, Cortes legislativas, uma vez que pelo poder moderado pode o imperador a seu bel-prazer tudo desfazer e desmanchar.

A primeira coisa de que precisamos são Cortes Constituintes, que em virtude da nossa soberania projetem a nossa Constituição e nos constituam, como ele mesmo diz "Raiou o grande dia (13 de maio) para este Império, que fará época na sua história: Está junta a Assembleia para constituir a nação. Que prazer, que fortuna para todos nós". O imperador é criatura da nação, desta deve ele receber a Constituição e não dar-lha. Fora deste princípio tudo o mais é insubsistente, ilusório e irrisório. O Brasil proclamou a sua independência e se declarou nação livre, e porque sua majestade se uniu conosco, o Brasil levantou o seu trono, lhe ofereceu e lhe declarou que ele seria o nosso imperador, porém debaixo da forma de um governo constitucional. Sua majestade aceitou a oferta e jurou sacrificar-se todo pela monarquia constitucional em que consiste a nossa felicidade, a qual não pode subsistir sem Cortes Constituintes.

Sua majestade, porém, arrastado dos enganos e seduções da facção portuguesa, à força de armas, sem a menor espécie de poder, dissolveu as Cortes soberanas e não quer convocar outras. Que se segue daqui? Nenhuma outra coisa que a dissolução do pacto pelo qual ele seria o nosso imperador de fato e de direito, e já sobre o Brasil não conserva aquela mesma autoridade provisória que lhe deu a aclamação em imperador para poder obrar enquanto se não reunia a Assembleia Constituinte, como ele mesmo confessou na sua fala na abertura da Assembleia: "Bem custoso me tem sido ver-me eu, por força das circunstâncias, obrigado a tomar algumas medidas legislativas, mas nunca parecerão que foram tomadas por ambição de legislar, arrogando um poder no qual somente devo de ter parte".

O título de imperador que lhe damos não traz determinadamente esta ou aquela atribuição, por que se julgue com direito de dissolver a Assembleia Constituinte. As suas atribuições são aquelas que esta lhe der. Nos diversos povos da terra, os mesmos títulos dos imperantes têm diferentes atribuições, conforme o pacto que eles fazem com os povos. O título de imperador não traz consigo o direito de governar sem Constituição nem ao arbítrio daquele que o tem. Isto é tanto verdade que o ministério, quando tem querido justificar muitas das coisas que se não podem deduzir dos direitos de imperador constitucional, lança mão da âncora sagrada de defensor perpétuo do Brasil, como se a este título estivesse anexo um poder que se não compreendia naquele. Isto é um novo absurdo, o mais ruinoso da liberdade da nação, quando parece querer estabelecer que sua majestade, como defensor perpétuo do Brasil, [pode] aquilo que não pode como imperador constitucional. O poder do imperador constitucional, com as atribuições que as Cortes declararem, é o único poder que terá sua majestade dado pela soberania da nação, poder maior que o de defensor perpétuo do Brasil, legítimo e oficial, do contrário se iludiria o poder soberano da nação.

Portanto, é indispensável que se celebrem Cortes soberanas que nos constituam e declarem aquelas atribuições com que sua majestade deve imperar entre nós. É quanto basta para sermos felizes. Se não previrdes o futuro tenebroso que vos espera se vos remeterdes ao silêncio, ou vos entregardes ao temor pânico, sereis desgraçados, indignos do nome de brasileiros e [entregues] à execração dos vindouros. Lembrai-vos por último que hoje quer o imperador fazer valer os seus despachos por serem estribados na soberania nacional, que lhe concedeu a atribuição de eleger presidentes para as províncias, e ele mesmo foi aquele que contra todo o direito e à força de armas dissolveu a representação desta mesma soberania. Sede coerentes em vossos princípios, jurastes a independência e a liberdade da pátria, ou sistema constitucional, cumpri com vossos juramentos. Sede dignos do nome de brasileiros.

3. Manifesto de Manuel de Carvalho Pais de Andrade aos alagoanos[3]

Honrados compatriotas alagoenses!

Passou o tempo dos prestígios, da dissimulação e do engano: falemos claro. Apartai a venda que vos não deixa ver a luz da verdade, que o despotismo querendo, bem que inutilmente, encobrir no sul do Império Brasílico, vê a seu pesar lançar os mais brilhantes esplendores no Norte, e se ir propagando por toda parte. Proclamastes e jurastes a independência do Império e sua liberdade política como único remédio para os males de três séculos e fonte inexaurível da maior felicidade e glória mais esplêndida no meio das nações do orbe. Contastes (e devíeis contar) com esta ventura se a nossa Soberana Assembleia Constituinte continuasse em seus augustos trabalhos. Mas o despotismo sempre fértil em seus perversos estratagemas, achou um para iludir-nos e escravizar-nos; e com promessas, que nunca se hão de cumprir, pretende pôr os pés de ferro no pescoço à liberdade política, para depois com as mãos sanguinárias estrangular a nossa Independência e voltarmos ao antigo detestável jugo dos portugueses. Não lhe tem esquecido os meios de surpreender-nos e subjugar-nos. Por todas as províncias do Império, traz indignos emissários, assalariados com promessas de títulos, comendas, hábitos, postos e outras coisas desta qualidade, para trabalharem no estabelecimento do absolutismo e sustentação deste monstro sanguinário, nascido na Ásia, nutrido na Europa e transferido para o nosso inocente Brasil. Em Pernambuco, província vossa limítrofe, encomendou esta atrocidade a este infame morgado do Cabo, que ora tendes em vosso território para vossa desonra; e na vossa província os espúrios Mendonças, que quais víboras mortíferas criastes e afagastes em vosso seio para depois vos ferirem o singelo e incauto coração. Melhor do que alguns outros, vós, alagoenses, sabeis a influência com que estes malvados têm transformado a paz e a boa ordem de vossa pátria e quanto o vosso atual governo lhes é sujeito e escravo.

O estado mísero da vossa pátria, onde o vosso governo parece ter tomado por timbre exceder aos seus antecessores em violências, arbitrariedades e despotismo, é um quadro verdadeiramente doloroso. A virtude perseguida, a honra ultrajada, a propriedade sem respeito, a justiça calcada aos pés, a morte e o roubo destruindo os vossos irmãos e compatriotas, arrancando lágrimas às esposas, prantos aos filhos, famílias desolando, tem tocado os corações mais ferrenhos, e vossos conterrâneos, os pernambucanos, sensíveis a tantos males, estão às vossas portas para ajudar-vos a sacudir um jugo tão horroroso e maléfico. Aproveitai-vos desta oportunidade. Sacudi o governo tirânico que de mãos dadas com os espúrios Mendonças, quer escravizar-nos ao otomânico ministério do Rio de Janeiro. Outras não são as vistas destes celerados. Atentai ao acolhimento e auxílio que o vosso governo, de acordo com eles, há dado aos desertores de Pernambuco, que ali pretendiam levantar o trono de ferro da tirania. Pesai os fatos desta escória do Brasil, e conhecei que a outro alvo não atiram suas setas que não seja sustentar hoje o império do absolutismo, para amanhã vos fazer arrastar os ferros de Tomar e de Penela.

E sereis vós, alagoenses, os únicos de todo o Brasil a quem não corem as faces de trazerem os pulsos pisados e roxos das algemas, as costas rotas e ensanguentadas dos látegos e dos açoites? Notai os sentimentos honrosos de vossos irmãos do Ceará, que protestam morrer antes que arrastar os novos ferros da escravidão. Lede suas patrióticas gazetas, eternos monumentos de sabedoria, de patriotismo e de honra. Vede o pequeno e fraco povo do Rio Grande, protestando um esteio contra a tirania e protestando bater a estrada da honra, que encetou Pernambuco. Lançai os olhos sobre a Paraíba e vereis as briosas vilas do Pilar, da Campina Grande, do Brejo da Areia, de Mamanguape, com as armas nas mãos sustentando seus direitos com um governo já eleito, a seu contento, marchando para a capital e está opondo--se ao apóstolo do ministério, Felipe Néri Ferreira, que pretendia auxiliar o pirata João Taylor. Vede como já treme o indigno opressor daquela nobre cidade e no maior do seu tremor suplica a retirada em paz e a vida. Vede a coragem de vossos irmãos pernambucanos, os sacrifícios a que se destinam pela liberdade, a santidade com que desempenham o seu juramento de serem independentes e livres ou morrerem no campo da honra. E vós sereis menos justos, menos briosos, menos acessíveis aos estímulos da boa fama e ao esplendor da glória à face das nações do orbe, no conceito da justiceira posteridade? Não o cremos. Recordai-vos de vossos antepassados, que tudo sacrificaram para vos deixarem exemplos que emulásseis. Sacudi o jugo que vos oprime, misturai vossas forças com as nossas, pugnemos todos pela vossa felicidade. Abaixo o infame governo que vos escraviza, abaixo os infames Mendonças, abaixo os servis desertores que vos contaminam e desonram. Levante-se o vosso espírito patriótico, arda o vosso amor da pátria e as suas labaredas abrasem a todos os seus inimigos. Viva a Santa Religião Católica Apostólica Romana! Viva a grande Nação brasileira, livre e independente! Viva as futuras Cortes Constituintes Soberanas do Brasil! Viva o imperador constitucional! Vivam os alagoenses liberais e constitucionais! Execração e morte aos servis e absolutos!

Abreviaturas

ABN: *Anais da Biblioteca Nacional do Rio de Janeiro.*

ACI: Arquivo da Casa Imperial, Petrópolis.

AJM: Antônio Joaquim de Mello, *Biografia de Gervásio Pires Ferreira* (Recife: M. Figueiroa de Faria & Filhos, 1895).

ANRJ: Arquivo Nacional do Rio de Janeiro.

Apensos: Antônio Joaquim de Mello, *Apensos à biografia de Gervásio Pires Ferreira* (Recife: [s.n.], 1895).

ARCO: Arquivo Cochrane, Serviço de Documentação da Marinha, Rio de Janeiro.

Atas: *Atas do Conselho do Governo de Pernambuco*, 2 v. (Recife: Assembleia Legislativa do Estado de Pernambuco; Arquivo Público Estadual Jordão Emerenciano, 1997).

BNRJ: Biblioteca Nacional do Rio de Janeiro.

CWM: "Correspondência do barão Wensel de Mareschal", RIHGB.

CCF: "Correspondance consulaire, Pernambouc, 1820-1824", Ministério dos Negócios Estrangeiros, Paris.

CCF-RJ: "Correspondance consulaire, Rio de Janeiro, 1822-1823", Ministério dos Negócios Estrangeiros, Paris.

CCNA: "Despatches from United States Consuls in Pernambuco, 1817-1836", The National Archives, Washington, D.C.

DH: *Documentos históricos da Biblioteca Nacional do Rio de Janeiro.*

FC: *Frei Joaquim do Amor Divino Caneca* (São Paulo: Ed. 34, 2001).

Folhas esparsas (redigidas por Pedro Alexandrino de Barros Cavalcanti de Lacerda, filho de Barros Falcão), IAHGP, A, 14.

IAHGP: Instituto Arqueológico, Histórico e Geográfico Pernambucano.

IHGB: Instituto Histórico e Geográfico Brasileiro.

Itinerário cronológico: "Itinerário cronológico da revolução de 1824", IAHGP, A, 14.

LRGP: "Livro de registro dos ofícios do governo provisório de Pernambuco", IAHGP.

Manning: William R. Manning (Org.), *Diplomatic Correspondence of the United States Concerning the Independence of Latin American Nations*, 2 v. (Nova York: Oxford University Press, 1925).

Memória: Bernardo José da Gama, *Memória sobre as principais causas por que deve o Rio de Janeiro conservar a união com Pernambuco* (Rio de Janeiro: Imprensa Nacional, 1823).

PAN: "Publicações do Arquivo Nacional", Rio de Janeiro.

Peças: "Peças oficiais relativas às revoluções de Pernambuco, 1817-1824", Biblioteca Pública do Recife. (Coleção de impressos do período 1817 a 1824, reunidos por Antônio Joaquim de Mello e catalogados por Alfredo de Carvalho em RIAP, XII [1904], pp. 614-40. A numeração adotada ora corresponde aos documentos, ora às páginas.)

RIAP: *Revista do Instituto Arqueológico, Histórico e Geográfico Pernambucano.*

RIHGB: *Revista do Instituto Histórico e Geográfico Brasileiro.*

Notas

Prefácio: História não é destino [pp. 9-16]

1. Evaldo Cabral de Mello, "Iluminismo envergonhado: Por que nossa Independência foi uma transação e não uma revolução". *Folha de S.Paulo*, 14. jun. 2003. Jornal de Resenhas, p. 3.
2. Evaldo Cabral de Mello, "O mimetismo revolucionário". *Folha de S.Paulo*, 19 nov. 2000. Mais!, pp. 14-5. Ver também: "Entrevista com Evaldo". In: Lilia M. Schwarcz e Heloisa M. Starling (Orgs.), *Três vezes Brasil: Alberto da Costa e Silva, Evaldo Cabral de Mello, José Murilo de Carvalho*. Rio de Janeiro: Bazar do Tempo, 2019, p. 116.
3. Evaldo Cabral de Mello, *A ferida de Narciso: Ensaio de história regional*. São Paulo: Editora Senac, 2001, pp. 69 ss.
4. Para decretos e disputa política entre Lisboa e o Rio de Janeiro no projeto de reorganização do Império português, ver: Hélio Franchini Neto, *Independência e Morte: Política e guerra na emancipação do Brasil 1821-1823*. Rio de Janeiro: Topbooks, 2019.
5. Evaldo Cabral de Mello, *A outra Independência: O federalismo pernambucano de 1817 a 1824*. São Paulo: Ed. 34, 2004. Ver também: "Entrevista com Evaldo", op. cit., p. 116; Lilia M. Schwarcz, "O avesso do avesso ou a história vista pelo outro lado". In: Lilia M. Schwarcz (Org.), *Leituras críticas sobre Evaldo Cabral de Mello*. São Paulo; Belo Horizonte: Editora Fundação Perseu Abramo: Editora UFMG, 2008.
6. Para a posição estratégica da Bahia, ver: Hélio Franchini Neto, op. cit.
7. Para o significado de Independência, ver: Lúcia M. Bastos Pereira das Neves e Guilherme Pereira das Neves, "Independência". In: João Feres Júnior (Org.), *Léxico da história dos conceitos políticos do Brasil*. Belo Horizonte: Editora UFMG, 2014.
8. José Geraldo Vinci de Moraes e José Márcio Rego, "Evaldo Cabral de Mello". In: *Conversas com historiadores brasileiros*. São Paulo: Ed. 34, 2002, p. 145
9. Para a trilogia, ver: Evaldo Cabral de Mello. *A guerra holandesa: Conflito. Negociação. Imaginário*. São Paulo: Penguin Classics Companhia das Letras, 2021.
10. *Typhis Pernambucano*, n. XXI, 10 jun. 1824. In: Evaldo Cabral de Mello (Org.), *Frei Joaquim do Amor Divino Caneca*. São Paulo: Ed. 34, 2001, pp. 463-4 (grifos no original).
11. Para a narrativa de Evaldo Cabral de Mello, ver: Luiz Felipe de Alencastro, "Desagravo de Pernambuco e glória do Brasil: A obra de Evaldo Cabral de Mello". In: Lilia M. Schwarcz (Org.), *Leituras críticas sobre Evaldo Cabral de Mello*, op. cit.; Pedro Puntoni, "A história na sua casa: Causalidade histórica e narratividade na obra de Evaldo Cabral de Mello". In: Lilia M. Schwarcz e Heloisa M. Starling (Orgs.), op. cit.
12. Rafael Cariello, "O Casmurro". *piauí*, n. 104, p. 49, maio 2015. Para o verso de Bandeira, ver: Manuel Bandeira, "Pneumotórax". In: *Manuel Bandeira: Poesia completa e prosa*. Rio de Janeiro: Nova Aguillar, 1986, p. 206.

13. In: Lilia M. Schwarcz e Heloisa M. Starling, "O acaso não existe: Entrevista de Evaldo Cabral de Mello". In: Lilia M. Schwarcz (Org.), *Leituras críticas sobre Evaldo Cabral de Mello*, op. cit., p. 168.

1. Dezessete [pp. 29-60]

1. Joaquim Dias Martins, *Os mártires pernambucanos*. Recife: [s.n.], 1853, p. 112; António H. de Oliveira Marques, *História da maçonaria em Portugal*, parte I, *Das origens ao triunfo*. Lisboa: Presença, 1990, pp. 82, 429. Francisco de Paula será nomeado capitão-mor de Olinda e o próprio José Francisco, mercê das suas proteções maçônicas, governador do Rio Grande do Norte, de São Miguel (Açores) e de Moçambique. Koster conheceu-o em Natal, em 1810, quando José Francisco lhe declarou que o episódio de 1801 não passara de falsa denúncia apresentada por inimigo da família: Henry Koster, *Travels in Brazil* (Londres: [s.n.], 1816), p. 70. Um reexame do assunto em Guilherme Pereira das Neves, "A suposta conspiração de 1801 em Pernambuco: Ideias ilustradas ou conflitos tradicionais?" (*Revista Portuguesa de História*, Coimbra, v. 33, pp. 439 ss., 1999).
2. Ver a respeito Evaldo Cabral de Mello, *A fronda dos mazombos: Nobres contra mascates, Pernambuco, 1666-1715*, 2. ed. (São Paulo: Ed. 34, 2003), pp. 325-7.
3. DH, v. CX, pp. 20, 31, 62, 151, 156, 175; Maximiano Lopes Machado, notas a Francisco Muniz Tavares, *História da revolução de Pernambuco em 1817*, 2. ed. Recife: [s.n.], 1884, p. xxiii; Ângelo Pereira, *D. João VI, príncipe e rei: A Independência do Brasil*. Lisboa: Empr. Nacional de Publicidade, 1956, p. 277; Jeanine Potelet, "Projets d'expéditions et d'attaques sur lês cotes du Brésil (1796-1800)". *Caravelle*, Toulouse, v. 54, pp. 209-22, 1990; István Jancsó, *Na Bahia, contra o Império: História do ensaio de sedição de 1798*. São Paulo: Hucitec, 1996, p. 148; Alfredo de Carvalho, *Aventuras e aventureiros no Brasil*. Rio de Janeiro: Paulo, Pongetti, 1929, pp. 291-2.
4. ABN, 43-44, p. 59; Afonso de Albuquerque Melo, *A liberdade no Brasil: Seu nascimento, vida, morte e sepultura*, 2. ed. Recife: Massangana, 1989, p. 39. A primeira edição é de 1864.
5. Ver a respeito Maria de Lourdes Viana Lyra, *A utopia do poderoso Império* (Rio de Janeiro: Sette Letras, 1994).
6. Roderick J. Barman, *Brazil: The Forging of a Nation, 1798-1852*. Redwood City: Stanford University Press, 1988, p. 47.
7. Maria Odila Silva Dias, "A interiorização da metrópole, 1808-1853". In: Carlos Guilherme Mota, *1822: Dimensões*. São Paulo: Perspectiva, 1972, pp. 164, 171-3.
8. João Luís Fragoso, *Homens de grossa aventura: Acumulação e hierarquia na praça mercantil do Rio de Janeiro, 1790-1830*, 2. ed. Rio de Janeiro: Arquivo Nacional, 1998, p. 103.
9. ABN, 43-44, p. 60.
10. João Armitage, *História do Brasil*. São Paulo: Martins, 1972, p. 10.
11. PAN, 7, p. 127; Caio Prado Júnior, *Evolução política do Brasil e outros estudos*, 8. ed. São Paulo: Brasiliense, 1972, pp. 185-6.
12. RIAP, 29-30 (1883), pp. 58 ss.; Henry Koster, *Travels in Brazil*, op. cit., pp. 54-5; Francisco Muniz Tavares, *História da revolução de Pernambuco em 1817*, 4. ed. Recife: Governo do Estado de Pernambuco, 1969, p. 112. Ver Maria de Lourdes Viana Lyra, *Centralisation, système fiscal et autonomie provinciale dans l'Empire brésilien: La Province de Pernambuco, 1808-1835* (Paris: Université Paris X-Nanterre, 1985). Tese (Doutorado em História).

13. RIAP, 29-30 (1883), pp. 66-9; Louis-François de Tollenare, *Notes dominicales*, 3 v. Paris: PUF, 1971-3, v. II, pp. 453-4, 464; *Correio Braziliense*, Londres, n. 18, p. 470, [s.d.]; Francisco Augusto Pereira da Costa, *Anais pernambucanos*, 2. ed., 10 v. Recife: Governo de Pernambuco, 1983-7, v. VIII, p. 17.

14. Johann J. Sturz, *A Review, Financial Statistical & Commercial, of the Empire of Brazil and Its Resources*. Londres: E. Wilson, 1837, pp. 2-8.

15. ABN, 40, pp. 1 ss.

16. Irineu Ferreira Pinto, *Datas e notas para a história da Paraíba*, 2 v. Cidade da Paraíba: Imprensa Oficial, 1908, v. I, p. 207; CCF, 24.10.1826.

17. José Jobson de A. Arruda, *O Brasil no comércio colonial*. São Paulo: Ática, 1980, pp. 209-11; Valentim Alexandre, *Os sentidos do Império: Questão nacional e questão colonial na crise do Antigo Regime português*. Lisboa: Afrontamento, 1993, p. 66; Marcus J. M. Carvalho, *Liberdade: Rotinas e rupturas do escravismo, Recife, 1822-1850*. Recife: Ed. UFPE, 2001, p. 126.

18. C. F. Lumachi de Melo, *Resumo da importação e exportação da província de Pernambuco*. Recife, 1823; RIAS, 29-30 (1883), p. 69.

19. RIHGB, v. 51, p. 372; DH, v. CIX, p. 263.

20. João Armitage, *História da Brasil*, op. cit., p. 79.

21. RIAP, 52 (1979), p. 192; Sérgio Buarque de Holanda, "A herança colonial — sua desagregação". In: *História geral da civilização brasileira: O Brasil monárquico*, v. I. São Paulo: Difel, 1962, p. 13; Denis Antônio de Mendonça Bernardes, *O patriotismo constitucional: Pernambuco, 1820-1822*. São Paulo: FFLCH-USP, 2001, p. 192. Tese (Doutorado em História Social).

22. *O Conciliador Nacional*, Recife, 4.7.1822.

23. DH, v. CIII, pp. 109-10; CV, pp. 234, 258; CVI, pp. 201-2; CVII, pp. 201-2, 234, 240, 258; Joaquim Dias Martins, *Os mártires pernambucanos*, op. cit., p. 258.

24. António H. de Oliveira Marques, *História da maçonaria em Portugal*, op. cit., parte I, p. 109; RIHGB, v. 30, I, p. 143; Gláucio Veiga, *História das ideias da Faculdade de Direito do Recife*, v. I. Recife: Ed. UFPE, 1980, p. 196.

25. António H. de Oliveira Marques, *História da maçonaria em Portugal*, op. cit., parte I, pp. 195-6, 288-9, 291; Graça e José S. da Silva Dias, *Os primórdios da maçonaria em Portugal*, v. I, t. 2. Lisboa: Instituto Nacional de Investigação Científica, 1980, pp. 510, 654; Valentim Alexandre, *Os sentidos do Império*, op. cit., pp. 392-410; Ângelo Pereira, *D. João VI, príncipe e rei*, op. cit., v. III, pp. 310-5.

26. DH, v. I, p. 126; Louis-François de Tollenare, *Notes dominicales*, op. cit., v. II, pp. 548, 550, 592, 610; Joaquim Dias Martins, *Os mártires pernambucanos*, op. cit., pp. 5, 51; Francisco Muniz Tavares, *História da revolução de Pernambuco em 1817*, op. cit., p. 83.

27. Francisco Muniz Tavares, *História da revolução de Pernambuco em 1817*, op. cit., pp. 58-60; DH, v. CVI, p. 71.

28. DH, v. CVII, p. 214; FC, p. 58.

29. RIHGB, v. 30, I, p. 141.

30. DH, v. CV, pp. 96-7; CVIII, p. 232; FC, p. 141; Francisco Muniz Tavares, *História da revolução de Pernambuco em 1817*, op. cit., pp. 60-1.

31. DH, v. CVIII, pp. 70, 89; Louis-François de Tollenare, *Notes dominicales*, op. cit., v. II, p. 576; RIHGB, v. 29, pp. 284-5.

32. RIHGB, v. 30, pp. 117-8, 121-2, 161-2; João Alfredo Correia de Oliveira, *Minha meninice e outros ensaios*. Recife: Massangana, 1988, p. 64; Joaquim Dias Martins, *Os mártires*

pernambucanos, op. cit., p. 13; Francisco Solano Constâncio, *História do Brasil*, 2 v. Paris: J.-P. Aillaud, 1839, v. II, p. 207; Francisco Muniz Tavares, *História da revolução de Pernambuco em 1817*, op. cit., p. 174; DH, v. CIV, p. 154.

33. Louis-François de Tollenare, *Notes dominicales*, op. cit., v. III, pp. 863, 897.

34. Alexandre J. de Mello Moraes, *História do Brasil-Reino e do Brasil-Império*, 2. ed., 2 v. Belo Horizonte: Itatiaia, 1982, v. I, pp. 456-7, 464-6; João F. de Almeida Prado, *D. João VI e o início da classe dirigente do Brasil, 1815-1889*. São Paulo: Companhia Editora Nacional, 1968, p. 112.

35. Joaquim Dias Martins, *Os mártires pernambucanos*, op. cit., p. 320; Manuel Arruda da Câmara, *Obras reunidas*. Recife: Fundação de Cultura Cidade do Recife, 1982, p. 259.

36. Joaquim Dias Martins, *Os mártires pernambucanos*, op. cit., p. 321.

37. Gonçalo de Mello Mourão, *A Revolução de 1917 e a história do Brasil*. Belo Horizonte: Itatiaia, 1996, p. 148.

38. Os vocábulos "separatismo" e "separatista" foram utilizados ao tempo da Independência exclusivamente no tocante à separação do Brasil e de Portugal.

39. Louis-François de Tollenare, *Notes dominicales*, op. cit., v. III, pp. 857-8, 863; Gerald S. Graham e Robin A. Humphreys, *The Navy and South America*. Londres: Navy Records Society, 1962, p. 187; Gonçalo de Mello Mourão, *A Revolução de 1817 e a história do Brasil*, op. cit., pp. 258, 260.

40. Roderick J. Barman, *Brazil: The Forging of a Nation, 1798-1852*, op. cit., p. 59.

41. DH, v. CIII, pp. 110, 127; Louis-François de Tollenare, *Notes dominicales*, op. cit., v. II, p. 596, v. III, p. 662; RIAP, 42 (1948-1949), p. 92; Evaldo Cabral de Mello, *Rubro veio: O imaginário da restauração pernambucana*, 2. ed. Rio de Janeiro: Topbooks, 1997, pp. 127 ss.

42. DH, v. CIII, pp. 39-40.

43. Tratava-se da tradução francesa da "Coleção das leis constitutivas das colônias inglesas confederadas sob a denominação de Estados Unidos da América Setentrional", publicada originalmente na Filadélfia em 1778 e que já circulara entre os inconfidentes mineiros: Kenneth Maxwell, *A devassa da devassa: A Inconfidência Mineira — Brasil e Portugal, 1750-1808*, 3. ed. (Rio de Janeiro, 1985), pp. 147, 162.

44. Louis-François de Tollenare, *Notes dominicales*, op. cit., v. II, p. 568, v. III, pp. 664, 854.

45. Sobre a utilização do termo "classe" em Dezessete, Carlos Guilherme Mota, *Nordeste, 1817* (São Paulo: Perspectiva, 1972), pp. 104 ss.

46. Oliveira Lima, notas a Francisco Muniz Tavares, *História da revolução de Pernambuco em 1817*, op. cit., pp. 317-8.

47. Ibid., pp. 151-2; DH, v. CVIII, pp. 277-8; Joaquim Dias Martins, *Os mártires pernambucanos*, op. cit., p. 318.

48. DH, v. CIV, pp. 16-23.

49. Francisco Muniz Tavares, *História da revolução de Pernambuco em 1817*, op. cit., pp. 152-3; DH, v. CIV, p. 95; Joaquim Dias Martins, *Os mártires pernambucanos*, op. cit., p. 54. A consulta às Câmaras sobre o projeto de lei orgânica realizou-se nos primeiros dias de abril, enquanto a declaração sobre os escravos havia sido feita dias depois do 6 de março; Louis-François de Tollenare, *Notes dominicales*, op. cit., v. II, p. 568.

50. Francisco Muniz Tavares, *História da revolução de Pernambuco em 1817*, op. cit., p. 152; Joaquim Dias Martins, *Os mártires pernambucanos*, op. cit., p. 318.

51. Louis-François de Tollenare, *Notes dominicales*, op. cit., v. II, pp. 568, 575; Pierre Rosanvallon, *Le Sacre du citoyen*. Paris: Gallimard, 1992, pp. 98-100; François Furet e Mona

Ozouf, *Dictionnaire critique de la Révolution française*, *Acteurs*. Paris: Flammarion, 1992, verbete "Condorcet".

52. Rosanvallon, *Le Sacre du citoyen*, op. cit., pp. 46 ss. Condorcet viria a admitir que o proprietário de imóvel urbano pudesse ser assimilado ao proprietário rural.

53. Joaquim Dias Martins, *Os mártires pernambucanos*, op. cit., p. 320; Francisco Muniz Tavares, *História da revolução de Pernambuco em 1817*, op. cit., pp. 114-5, 153-4; DH, v. CII, p. 10; CIV, p. 87.

54. Joaquim Nabuco, *Um estadista do Império*, 4. ed. Rio de Janeiro: Nova Aguilar, 1975, p. 113; Fernando de Azevedo, *Canaviais e engenhos na vida política do Brasil*, 2. ed. São Paulo: Melhoramentos, 1958, pp. 119-20. Carlos Guilherme Mota também encara a açucarocracia como a base social do movimento: *Nordeste, 1817*, op. cit., p. 93.

55. ABN 43-44, p. 62.

56. Louis-François de Tollenare, *Notes dominicales*, op. cit., v. III, p. 647.

57. DH, v. CVII, p. 231; FC, pp. 253-6; J. A. Gonsalves de Mello, "Nobres e mascates na Câmara do Recife, 1713-1738", RIAP, 53 (1981), pp. 146-7; Gilberto Freyre, *Sobrados e mucambos*, 8. ed. Rio de Janeiro: José Olympio, 1990, p. 574; *O Carapuceiro*, Recife, 17.6.1837.

58. *Aurora Pernambucana*, Recife, 29.4.1821; Oliveira Lima, *D. João VI no Brasil*, 2 v. Rio de Janeiro: Typ. do Jornal do Commercio, 1908, v. II, p. 819; Joaquim Dias Martins, *Os mártires pernambucanos*, op. cit., p. 328.

59. Alexandre J. de Mello Moraes, *História do Brasil-Reino e do Brasil-Império*, op. cit., v. I, p. 471. A linguagem dessa proclamação, redigida pelo padre Miguelinho, é, aliás, reminiscente da que empregara Arruda da Câmara na sua carta de 1810 ao padre João Ribeiro, ao incitá-lo e aos seus amigos a que "não se importem com essa acanalhada e absurda aristocracia cabundá": Manuel Arruda da Câmara, *Obras reunidas*, op. cit., p. 264.

60. Alexandre J. de Mello Moraes, *História do Brasil-Reino e do Brasil-Império*, op. cit., v. I, p. 476. Por erro provavelmente de copista, a proclamação aparece dirigida aos "pernambucanos do norte", quando, na realidade, destinava-se aos do sul, como se infere do contexto e das próprias circunstâncias de Dezessete e confirma o depoimento de Antônio Carlos Ribeiro de Andrada, que se refere à proclamação "dirigida aos habitantes do Ceará e aos do sul", da lavra do padre Miguel Joaquim de Almeida e Castro, RIHGB, v. 30, p. 136.

61. Francisco Muniz Tavares, *História da revolução de Pernambuco em 1817*, op. cit., pp. 174-5; Louis-François de Tollenare, *Notes dominicales*, op. cit., v. III, p. 641; Joaquim Dias Martins, *Os mártires pernambucanos*, op. cit., p. 59.

62. Rachel Caldas Lins e Gilberto Osório de Andrade, *As grandes divisões da Zona da Mata pernambucana*. Recife: Grupo dos Estudos do Açúcar, 1964.

63. John H. Galloway, *Pernambuco, 1770-1920: An Historical Geography*. Londres: University of London, 1965. Tese (Doutorado em Geografia).

64. RIAP, 29-30 (1883), p. 60.

65. Guillermo Palácios, *Cultivadores libres, Estado y crisis de la esclavitud en Brasil en la época de la Revolución Industrial*. Cidade do México: Fondo de Cultura Económica, 1998, pp. 121 ss.; John H. Galloway, *Pernambuco, 1770-1920*, op. cit., p. 251; DH, v. CIII, pp. 259-60.

66. Henry Koster, *Travels in Brazil*, op. cit., pp. 66, 198, 201, 206, 215, 242, 366; Louis-François de Tollenare, *Notes dominicales*, op. cit., v. II, p. 435.

67. Charles K. Webster (Org.), *Britain and the Independence of Latin America, 1812-1830*, 2 v. Londres: Oxford University Press, 1938, p. 171; Valentim Alexandre, *Os sentidos do*

Império, op. cit., p. 35; C. F. Lumachi de Melo, *Resumo da importação e exportação da província de Pernambuco*, op. cit.; Henry Koster, *Travels in Brazil*, op. cit., p. 10; Carlos Guilherme Mota, *Nordeste, 1817*, op. cit., pp. 42-3.

68. CCF, 17.1.1821.

69. Na realidade, o montante situava-se em 1822 em 17%: Jurgen Schneider, *Handel und Unternehmer im franzosischen Brasiliengeschaft, 1815-1848* (Colônia: Böhlau, 1975), p. 379.

70. Joseph C. Miller, *Way of Death: Merchant Capitalism and the Angolan Slave Trade, 1730--1830*. Madison: University of Wisconsin Press, 1988, pp. 360, 458, 506-7, 351; Manuel dos Anjos da Silva Rebelo, *Relações entre Angola e Brasil, 1808-1830*. Lisboa: Agência-Geral do Ultramar, 1970, pp. 102, 218 e quadro 4.

71. ABN, 40, pp. 22, 25-6, 31; Henry Koster, *Travels in Brazil*, op. cit., pp. 229, 259-60, 270, 272, 297; Louis-François de Tollenare, *Notes dominicales*, op. cit., v. II, pp. 361-2; Jerônimo M. Figueira de Melo, *Ensaio sobre a estatística civil e política da província de Pernambuco*. Recife: [s.n.], 1852; Maria de Lourdes Viana Lyra, *Centralisation, système fiscal et autonomie provinciale dans l'Empire brésilien*, op. cit., p. 106.

72. Henry Koster, *Travels in Brazil*, op. cit., pp. 52, 230; Louis-François de Tollenare, *Notes daminicales*, op. cit., v. II, p. 405; ABN, 40, p. 46.

73. Ver a respeito Dirceu Lindoso, *A utopia armada: Rebeliões de pobres nas matas do Tombo Real (1832-1850)* (Rio de Janeiro: Paz e Terra, 1983).

74. Descontada, portanto, a extensa região da margem esquerda do São Francisco, que será amputada a Pernambuco por d. Pedro I em 1824 e posteriormente anexada à Bahia.

75. John H. Galloway, *Pernambuco, 1770-1920*, op. cit., pp. 248-9, 255-6, 262-5, 270, 274, 308, 310.

76. CCF, 4.8.1821; *Aurora Pernambucana*, Recife, 26.8.1821.

77. PAN 22, p. 131.

2. A junta de Gervásio [pp. 61-98]

1. *Memória justificativa sobre a conduta do marechal-de-campo Luís do Rego Barreto*. Lisboa: [s.n.], 1822, pp. 22-3; RIAP, 52 (1979), p. 192.

2. *Aurora Pernambucana*, Recife, 23 e 29.4.1821.

3. CCF, 4 e 27.3.1821; RIAP, 52i (1979), pp. 192-3; *Aurora Pernambucana*, Recife, 31.3 e 7.4.1821.

4. *Memória justificativa sobre a conduta do marechal-de-campo Luís do Rego Barreto*, op. cit., pp. 29-30; CCF, 4.4.1821.

5. CCF, 4 e 8.4 e 9.7.1821; *Aurora Pernambucana*, Recife, 7.4, 9 e 10.5.1821. A gazeta, primeira a ser editada em Pernambuco, era redigida por Rodrigo da Fonseca Magalhães, que, fugindo para o Recife à raiz da conspiração de Gomes Freire de Andrade, fora protegido por Luís do Rego, casando-se com filha sua. Nos meados do século XIX, ele será uma das primeiras personalidades da cena política portuguesa.

6. CCF, 13 e 23.7 e 20.9.1821; *Aurora Pernambucana*, Recife, 23.8 e 2.9.1821; *Memória justificativa sobre a conduta do marechal-de-campo Luís do Rego Barreto*, op. cit., pp. 37-40.

7. CCF, 20.9.1821; RIAP, 13 (1908), pp. 7-9, 61; Antônio Joaquim de Mello, *Biografias de alguns poetas e homens ilustres da província de Pernambuco*, 3 v. Recife: Typ. Universal, 1856-9, v. III, pp. 43, 46-7; Conrado Jacob de Niemeyer a Luís do Rego Barreto, 3.ix.1821, Arquivo Público de Pernambuco, Obras Públicas, 1817-1828; *Memória justificativa sobre a conduta do marechal-de-campo Luís do Rego Barreto*, op. cit., passim; *Pernambuco no*

movimento da Independência. Recife: Estado de Pernambuco, Conselho Estadual de Cultura, 1972, passim; Denis Antônio de Mendonça Bernardes, *O patriotismo constitucional: Pernambuco, 1820-1822*, op. cit., pp. 301 ss.

8. O qual, contudo, fora sogro de Domingos José Martins, embora se dissesse haver sido coagido a concordar com o casamento. Bento José da Costa tinha a reputação de ser o mais rico comerciante do Recife: sua fortuna, calculada em 1,5 milhão de cruzados, compunha-se de "embarcações, prédios urbanos e rústicos, inclusive engenhos, fazendas de gado, gêneros de comércio, etc., tem sempre moeda para comprar quanto intenta e fazer quantos negócios se lhes oferecem", DH, v. CV, p. 242.

9. Joaquim Dias Martins, *Os mártires pernambucanos*, op. cit., pp. 177-8; AJM, pp. 13-4; *Carta primeira escrita ao senhor redator da "Segarrega" pernambucana*. Lisboa: [s.n.], 1822; *O Espelho*, Rio de Janeiro, 12.12.1821.

10. Antônio Joaquim de Mello, *Biografias de alguns poetas e homens ilustres da província de Pernambuco*, op. cit., v. III, p. 49; *Atas*, I, pp. 41, 44, 53, 58; CCF, 3 e 9.12.1821; *Elogio histórico de Luís do Rego Barreto, por G. X. S.* Coimbra: Imprensa da Universidade, 1822, pp. 53-6; *Ecos das vozes dos europeus emigrados de Pernambuco*. Lisboa: [s.n.], 1822.

11. *Peças*, n. 10, 12, 14-6; FC, pp. 53-99. Ver a respeito Maria de Lourdes Viana Lyra, "Pátria do cidadão. A concepção de pátria/nação em frei Caneca". RIHGB, v. 393, pp. 1021-40.

12. RIAP, 3 (1908), p. 44; CCF, 27.10, 7 e 12.11.1821, 23.1, 9.2 e 11.3.1822; *Atas*, I, pp. 24, 36; *Elogio histórico de Luís do Rego Barreto, por G. X. S.*, op. cit., pp. 55-6, 58; Denis Antônio de Mendonça Bernardes, *O patriotismo constitucional: Pernambuco, 1820-1822*, op. cit., p. 538. Para a etimologia de "puça" e "puçalhada", RIAP, 34 (1936), *sub voce*.

13. *O Conciliador Nacional*, Recife, 4.9.1822.

14. AJM, p. 219; *Apensos*, p. 221; Alfredo de Carvalho, *Estudos pernambucanos*. Recife: Cultura Acadêmica, 1907, pp. 319-20.

15. Gladys Sabina Ribeiro, *A liberdade em construção: Identidade nacional e conflitos antilusitanos no Primeiro Reinado*. Rio de Janeiro: Relume Dumará, 2002, p. 260. No seu *Folclore pernambucano* (Rio de Janeiro: Imprensa Nacional, 1908), pp. 160-3, Francisco Augusto Pereira da Costa recolheu o texto de dois dos hinos constitucionais cantados em Pernambuco. Ver também *O Volantim*, 12.9.1822.

16. CCF, 29.12.1821 e 29.1 e 9.3.1822; *Memória*, pp. 9-10; *Elogio histórico de Luís do Rego Barreto, por G. X. S.*, op. cit., p. 57.

17. CCF, 9.3 e 4.4.1822; *Alegação do brigadeiro José Correia de Melo*. Lisboa: [s.n.], 1822, pp. 15, 17; *Elogio histórico de Luís do Rego Barreto, por G. X. S.*, op. cit., p. 58; DH, v. II, p. 41, e CVI, pp. 246-7. A população do Recife nos três bairros, o portuário, Santo Antônio e Boa Vista, era estimada em 30 mil, mas na realidade era um pouco inferior, pois recenseamento de 1828 a calculará em cerca de 27 mil pessoas. Marcus Carvalho sugere que, se computarmos a população dos arredores do Recife, haveria perto de 100 mil pessoas: Marcus Carvalho, *Liberdade*, op. cit., pp. 44, 48, 50, 52, 54. Cerca de 31% dos habitantes eram de condição servil.

18. CCF, 22.2 e 9.3.1822; ABN, 13, pp. 24-6.

19. Os deputados pernambucanos haviam sido eleitos pelas comarcas de Olinda e do Recife, compreendendo a Mata Norte e a Mata Sul, respectivamente. Os dois deputados do centro (Agreste e Sertão) foram escolhidos posteriormente, mas apenas um deles tomou assento, em agosto de 1822, um ano depois da posse dos colegas de bancada: Manuel Emílio Gomes de Carvalho, *Os deputados brasileiros nas Cortes de 1821*, 2. ed. Brasília: Senado Federal, 1978, pp. 69, 254.

20. ABN, 13, pp. 6, 24-6; BNRJ, II — 32, 33, 44; CCF, 22.2 e 9.3.1822; Roderick J. Barman, *Brazil: The Forging of a Nation, 1798-1852*, op. cit., p. 81; Márcia Regina Berbel, *A nação como artefato: Deputados do Brasil nas Cortes portuguesas, 1821-1822*. São Paulo: Hucitec, 1999, pp. 91-3, 99-103, 109-10, 198; Valentim Alexandre, *Os sentidos do Império*, op. cit., pp. 577, 586-7, 590, 593-4.

21. CCNA, 9.3.1822; CCF, 20.2.1822; *Gazeta do Rio*, p. 804, 1822.

22. *Segarrega*, Recife, 9.3.1822; AJM, p. 69. Grifos do autor.

23. ABN, 13, p. 16; CCF, 9.3 e 18.4.1822; Alexandre J. de Mello Moraes, *História do Brasil-Reino e do Brasil-Império*, op. cit., v. I, p. 475; Sérgio Buarque de Holanda, "A herança colonial — sua desagregação", op. cit., p. 16; Oliveira Lima, *D. João VI no Brasil*, op. cit., v. II, p. 797.

24. Roderick J. Barman, *Brazil: The Forging of a Nation, 1798-1852*, op. cit., p. 77; Márcia Regina Berbel, *A nação como artefato*, op. cit., pp. 136, 198; Carlos H. Oberacker Júnior, *O movimento autonomista no Brasil: A província de São Paulo de 1819 a 1823*. Lisboa: Cosmos, 1977, pp. 138, 147.

25. Roderick J. Barman, *Brazil: The Forging of a Nation, 1798-1852*, op. cit., pp. 76, 87; AJM, pp. 74-6.

26. *Revérbero Constitucional Fluminense*, 12.1.1822; *Cartas e mais documentos dirigidos à sua majestade e senhor d. João VI pelo príncipe real*. Lisboa: [s.n.], 1822, p. 11; CWM, RIHGB, v. 319, p. 339; Maria de Lourdes Viana Lyra, *Centralisation, système fiscal et autonomie provinciale dans l'Empire brésilien*, op. cit., pp. 182-4.

27. Para a lenda de dissimulação de Gervásio, muito contribuiu o fato de ele haver permanecido mudo ao longo dos seus anos de prisão na Bahia e mesmo nos primeiros dias após sua eleição para a presidência da junta, exprimindo-se por escrito numa lousa, o que lhe valerá, aliás, o apelido de "O mudo de Pernambuco" que lhe deu uma verrina lisboeta. A própria família de Gervásio ignorava se a mudez resultara de problema nervoso ou de cálculo: AJM, p. 22; ABN, 13, p. 16.

28. Oliveira Lima, *O movimento da Independência: 1821-1822*, 6. ed. Rio de Janeiro: Topbooks, 1997, pp. 286-7; Lúcia Maria Bastos Pereira das Neves, *Corcundas e constitucionais: A cultura política da Independência*. Rio de Janeiro: Revan, 2003, passim; AJM, pp. 192-4. A argumentação de Antônio Joaquim de Melo foi reiterada por Barbosa Lima Sobrinho, *Pernambuco: Da Independência à Confederação do Equador* (Recife: Fundação de Cultura Cidade do Recife, 1979) e por José da Costa Porto, *Os tempos de Gervásio Pires* (Recife: Governo do Estado de Pernambuco, Secretaria de Educação e Cultura, 1978).

29. Brian Vale, "A ação da Marinha nas guerras da Independência". In: *História naval brasileira*, v. III, t. I. Rio de Janeiro: Serviço de Documentação Geral da Marinha, 2002, p. 118. Ver, do mesmo autor, *Independence or Death! British Sailors and Brazilian Independence, 1822-1825* (Londres: I. B. Tauris, 1996), pp. 112-3.

30. *Segarrega*, Recife, 3.7.1822.

31. Ver o artigo de Jacqueline Hermann "Sebastianismo e sedição: Os rebeldes do Rodeador na 'Cidade do Paraíso Terrestre', Pernambuco — 1817-1820" (*Tempo*, Niterói, v. 6, n. 11, pp. 131-42, 2001).

32. CCF, 20.9.1821; Antônio Joaquim de Mello, "Introdução". In: *Obras políticas e literárias de frei Joaquim do Amor Divino Caneca*, 2 v. Recife: Typ. Mercantil, 1875, v. I, p. 15.

33. Alexandre J. de Mello Moraes, *História do Brasil-Reino e do Brasil-Império*, op. cit., v. I, pp. 252-3.

34. Eugène de Monglave, *Correspondance de D. Pèdre Premier, empereur constitutionnel du Brésil, avec le feu roi de Portugal Don Jean VI, son père, durant le troubles du Brésil.* Paris: Tenon, 1827, pp. 349-50; *Recordações ao governo da província de Pernambuco por um seu compatriota.* Rio de Janeiro: [s.n.], 1822, pp. 13-4.

35. AJM pp. 66-73. Não era ociosa a menção ao marquês de Penalva, pai de Antônio Teles. Penalva fora o autor da *Dissertação a favor da monarquia* (1799), sendo considerado o grande doutrinário português da Contrarrevolução: Fernando Augusto Machado, *Rousseau em Portugal: Da clandestinidade setecentista à legalidade vintista* (Porto: Campo das Letras, 2000), p. 527.

36. *Memória*.

37. PAN, 7, p. 255; *Correio Braziliense*, Londres, n. 28, p. 717, [s.d.].

38. AJM, pp. 74-6, 78-9, 81; Denis Antônio de Mendonça Bernardes, *O patriotismo constitucional: Pernambuco, 1820-1822*, op. cit., p. 475.

39. *Correio Braziliense*, Londres, n. 28, pp. 283, 367-8, 717, [s.d.]; *Ecos das vozes dos europeus emigrados de Pernambuco*, op. cit., pp. 5, 8, 10-1; Valentim Alexandre, *Os sentidos do Império*, op. cit., pp. 651, 656-7, 664-5.

40. *Segarrega*, Recife, 24.4, 4 e 20.5.1822.

41. *O Espelho*, Rio de Janeiro, 21.6.1822.

42. *Segarrega*, Recife, 6.1.1822; AJM, p. 181; FC, p. 315; CCF, 10.6.1822.

43. *Atas*, I, pp. 45, 49, 52; *Alegação do brigadeiro José Correia de Melo*, p. 64; Manuel Emílio Gomes de Carvalho, *Os deputados brasileiros nas Cortes de 1821*, op. cit., p. 76; Denis Antônio de Mendonça Bernardes, *O patriotismo constitucional: Pernambuco, 1820-1822*, op. cit., pp. 307-8, 388-9, 393.

44. *Atas*, I, pp. 47, 49, 94-5, 98; *Arquivo diplomático da Independência*, 6 v. Rio de Janeiro: Lytho-typo. Fluminense, 1922, v. I, pp. 176, 178; *Ofícios e documentos dirigidos ao governo pela junta provisória da província de Pernambuco.* Lisboa: Imprensa Nacional, 1822, pp. 9-11; *O Conciliador Nacional*, Recife, 3.5.1823; ABN, 13, p. 28; AJM, pp. 160-5; *Alegação do brigadeiro José Correia de Melo*, op. cit., pp. 23, 48; *Memória*, pp. 11-2.

45. *Correio Braziliense*, Londres, n. 28, p. 718, [s.d.]; *A Malagueta Extraordinária*, Rio de Janeiro, 5.6.1823.

46. AJM, p. 89; ABN, 13, pp. 2, 7, 16-8, 43; José A. Gonsalves de Mello (Org.), *O Diário de Pernambuco e a história social do Nordeste*, 2 v. Recife: O Cruzeiro, 1975, v. II, p. 961. Na véspera do pronunciamento do 1º de junho, Menezes, por medida de segurança, pernoitou em navio inglês: Eugène de Monglave, *Correspondance de D. Pèdre Premier*, op. cit., pp. 351-2. Em 1832, em discurso na Câmara, Martim Francisco referirá que Menezes havia escapado "por duas vezes aos tiros de seus covardes inimigos": *Anais da Câmara dos Deputados*, 1832, I, p. 184. Nas "Anotações", Menezes nada alegou a respeito. Por sua vez, Bernardo José da Gama acusou-o de haver recebido polpuda quantia do Tesouro para sua missão em Pernambuco, o que ele desmentirá, dizendo-a custeada pelo Clube e por outro irmão, também detentor de importante cargo oficial.

47. *Segarrega*, Recife, 3.7.1822. O artigo, assinado por Filarete, dando a versão da junta de Gervásio acerca do 1º de junho, foi considerado pelo cônsul francês *"assez remarquable"* para que o fizesse traduzir e enviar ao Quai d'Orsay.

48. *Segarrega*, Recife, 6.1, 3.7 e 6.8.1822; CCF, 6.5 e 10.6.1822; *As câmaras municipais e a Independência*, 2 v. Brasília: Conselho Federal de Cultura e Arquivo Nacional, 1973, v. I, pp. 110-1; *Alegação do brigadeiro José Correia de Melo*, op. cit., pp. 52-5; AJM, pp. 84-95; *Brasil Histórico*, 15, p. 2.

49. AJM, pp. 84-95; *Segarrega*, Recife, 3.7.1822; Alexandre J. de Mello Moraes, *História do Brasil-Reino e do Brasil-Império*, op. cit., v. II, p. 338; ABN, 13, p. 20.

50. *Memória*, pp. 13, 20; CCF, 10.6.1822; AJM, I, pp. 95-104; Denis Antônio de Mendonça Bernardes, *O patriotismo constitucional: Pernambuco, 1820-1822*, op. cit., pp. 484, 486.

51. AJM, pp. 107-11; *Segarrega*, Recife, 3.7.1822.

52. *As câmaras municipais e a Independência*, op. cit., v. I, pp. 110-2; *O Espelho*, Rio de Janeiro, 21.6.1822; CCF-RJ, 29.6 e 2.7.1822; *Correio Braziliense*, Londres, n. 28, p. 208, [s.d.].

53. *Memória*, p. 12; AJM, p. 100; Barbosa Lima Sobrinho, *Pernambuco: Da Independência à Confederação do Equador*, op. cit., p. 67.

54. Charles K. Webster (Org.), *Britain and the Independence of Latin America, 1812-1830*, op. cit., v. I, p. 217; CCF, 10 e 19.6 e 5.7.1822.

55. *Atas*, I, pp. 109-10; *Peças*, n. 24. No memorial de 1825 ao imperador, Gervásio mencionará, entre as medidas indispensáveis à prosperidade do Império, a necessidade de os artigos similares aos produzidos no exterior e dentro do Brasil serem submetidos a direitos de entrada, de modo que cada província pudesse desenvolver suas atividades peculiares, sem que fosse sufocada pela concorrência estrangeira e pela das outras: *Apensos*, pp. 251-2.

56. *O Conciliador Nacional*, Recife, 16.9.1822; *Correio Braziliense*, Londres, n. 28, pp. 58-9, 716, [s.d.]; Valentim Alexandre, *Os sentidos do Império*, op. cit., pp. 680-1; Tobias Monteiro, A *elaboração da Independência*. Rio de Janeiro: Briguiet, 1927, pp. 594-6.

57. AJM, pp. 119-21, 123, 133-41; *Peças*, n. 60; Denis Antônio de Mendonça Bernardes, *O patriotismo constitucional: Pernambuco, 1820-1822*, op. cit., pp. 514-8. Apenas seis províncias enviaram procuradores: Rio Grande do Sul, Santa Catarina, Espírito Santo, Paraná, Minas Gerais e São Paulo.

58. Francisco Augusto Pereira da Costa, *Anais pernambucanos*, op. cit., v. VIII, p. DXI; *Apensos*, pp. 102-17, 122-6; Denis Antônio de Mendonça Bernardes, *O patriotismo constitucional: Pernambuco, 1820-1822*, op. cit., p. 409.

59. Seus tios eram notórios pela falta de escrúpulos. Um deles, que denunciara Gervásio à Alçada de 1817, ficara conhecido por tentar apropriar-se do encapelado do Porto de Galinhas, que devia reverter à Coroa em decorrência da extinção da linhagem instituidora. Outro, José Fernandes Gama, um dos chefes da facção unitária, atritara-se com Gervásio, que tentara moralizar a Alfândega do Algodão, de que ele era superintendente. Outrora, demitido pelo bispo governador, d. José Joaquim de Azeredo Coutinho, do cargo de professor de gramática, José Fernandes Gama estipendiara moleques para insultá-lo publicamente pelas ruas de Lisboa. Transferido para Alagoas, traduzira A *arte de amar*, de Ovídio, o que lhe valera as iras do Santo Ofício. Feito juiz da Alfândega do Algodão, fora suspenso por Luís do Rego devido a irregularidades e enviado preso ao Rio, de onde logrou regressar, denunciando uma conspiração do governador e do conde dos Arcos para retirar Pernambuco da obediência a d. João VI e aclamar o príncipe d. Pedro: DH, v. CVIII, p. 134; Severino Leite Nogueira, *O Seminário de Olinda e seu fundador, o bispo Azeredo Coutinho*. Recife: Governo de Pernambuco, Secretaria de Turismo, Cultura e Esportes, 1985, pp. 128 ss.; RIAP, 52 (1979), pp. 130, 138, 145, 203; FC, pp. 123 ss.

60. Alexandre J. de Mello Moraes, *História do Brasil-Reino e do Brasil Império*, op. cit., v. II, pp. 13-6; *Recordações ao governo da província de Pernambuco por um seu compatriota*, op. cit., p. 11. Gama, aliás, que não deixava de mencionar seus mais modestos serviços à causa imperial, não reivindica a autoria da representação dos pernambucanos, que Oliveira

Lima atribui a Manuel Caetano de Almeida e Albuquerque: *O movimento da Independência*, op. cit., p. 286.

61. *Memória*, pp. 39-40; AJM, pp. 118-9; PAN, 7, p. 262; *Gazeta Pernambucana*, Recife, 11.9.1822 e 5.3.1823; FC, pp. 124, 132; ABN, 13, pp. 18-9; Alexandre J. de Mello Moraes, *História do Brasil-Reino e do Brasil-Império*, op. cit., v. II, p. 355; Francisco Adolfo de Varnhagen, *História da Independência do Brasil*, 3. ed. São Paulo: Melhoramentos, 1957, p. 298.

62. AJM, pp. 123-30, 132-3, 135; RIAP, 43 (1893), pp. 97-8.

63. No seu projeto de Constituição, Hipólito previra a criação de juntas provinciais, cujos membros seriam eleitos pelas Câmaras Municipais para mandatos de três anos, sendo seu presidente de nomeação imperial. Cada Câmara far-se-ia representar por um deputado, com o quê o número de membros igualaria o das Câmaras existentes em cada província: *O Regulador Brasileiro*, Rio de Janeiro, 25.12.1822.

64. *O Maribondo*, Recife, 17.7 e 12.8.1822; *Memória*, pp. 67-75, 99.

65. PAN, 7, pp. 254-5, 259.

66. *Peças*, n. 26; *Memória*, p. 24; Joaquim Dias Martins, *Os mártires pernambucanos*, op. cit., p. 171; *Folhas esparsas*, IAHGP. Conhece-se o texto de quatro pareceres, todos redigidos por unitários, os de Gama, Barros Falcão, Garcia de Almeida e Manuel Inácio Cavalcanti de Lacerda, três magistrados e um oficial do Exército.

67. *Peças*, n. 28; CCF, 18.8.1822.

68. *Peças*, n. 29.

69. *Apensos*, pp. 147-51; *Memória*, pp. 25-6; CCF, 30.7 e 18.8.1822; AJM, p. 144; *Atas*, I, p. 117; *Documentos do Arquivo Público de Pernambuco*, IV-V, Recife, 1950, pp. 192-3; IHGB, 103, 26, fls. 128v.-129, 134.

70. CCF, 18.8.1822; AJM, pp. 143-8, 150-1, 157; *Memória*, pp. 25-6; *Peças*, n. 30; ACI, XLVIII, doc. n. 2.169.

71. CCF, 18.8.1822; AJM, pp. 143-5, 148-60; ACI, XLVIII, doc. n. 2169; IHGB, 103, 26, fls. 134v.--136; *Memória*, pp. 27-9; *Atas*, I, pp. 120-1, 124-6; *Peças*, n. 31.

72. ABN, 13, p. 27; Alexandre J. de Mello Moraes, *História do Brasil-Reino e do Brasil-Império*, op. cit., v. II, pp. 356-8, 360; AJM, p. 174; BNRJ, II — 33, 5, 34; Octavio Tarquinio de Sousa, *A vida de d. Pedro I*, 2 ed., 3 v. Rio de Janeiro: José Olympio, 1960, v. II, p. 408. Mello Moraes atribui a Felipe Néri dois diferentes textos, mas é possível que o segundo tenha sido declamado por outro membro da delegação, Francisco Afonso, de vez que também constam as palavras do capitão João do Rego Dantas Monteiro.

73. *Coleção das leis do Império do Brasil de 1822*. Rio de Janeiro: Typ. Nacional, 1887, v. II, pp. 71-2; ABN, 13, p. 28; BNRJ, II — 33, 5, 34; Alexandre J. de Mello Moraes, *História do Brasil-Reino e do Brasil-Império*, op. cit., v. II, pp. 360-2.

74. Valentim Alexandre, *Os sentidos do Império*, op. cit., pp. 615-6, 628, 691-2; *Peças*, n. 32; ACI, XLVIII, doc. n. 2169.

75. AJM, pp. 174-8.

76. *Segarrega*, Recife, 17.7 e 7.9.1822; AJM, pp. 166-71; Junta de Gervásio ao regente, 26.8. 1822, LRGP, IAHGP.

77. BNRJ, II — 33, 5, 34; Alexandre J. de Mello Moraes, *História do Brasil-Reino e do Brasil--Império*, op. cit., v. II, pp. 362-3; *Documentos para a história da Independência*. Rio de Janeiro: Biblioteca Nacional, 1922, p. 397; Manoel Joaquim de Menezes, *Exposição histórica da maçonaria no Brasil*. Rio de Janeiro: Empreza Nacional do Diario, 1857, pp. 36, 47, 64.

78. *O Maribondo*, Recife, 22.8.1822; *Gazeta Pernambucana*, Recife, 1.9.1822; FC, pp. 133-4.

79. José A. Gonsalves de Mello (Org.), *O Diário de Pernambuco e a história social do Nordeste*, op. cit., v. II, p. 902; Hélio Vianna, *Vultos do Império*. São Paulo: Companhia Editora Nacional, 1968, pp. 37-8, 41; IHGB, 67, I; *As juntas governativas e a Independência*, 3 v. Rio de Janeiro: Conselho Federal de Cultura, 1973, v. II, pp. 677-8; *Memória*, p. 30.

80. Joaquim Dias Martins, *Os mártires pernambucanos*, op. cit., p. 309; Francisco Muniz Tavares, *História da revolução de Pernambuco em 1817*, op. cit., pp. 166-8; DH, v. CIII, p. 83; Francisco Augusto Pereira da Costa, *Dicionário biográfico de pernambucanos célebres*. Recife: Typ. Universal, 1882, p. 761; FC, pp. 123, 142; RIAP, 14 (1909), p. 471; *Gazeta Pernambucana*, Recife, 18.4.1823; Francisco P. do Amaral, *Escavações: Fatos da história de Pernambuco*, 2. ed. Recife: Arquivo Público Estadual, 1974, p. 151; CWM, 80, pp. 83-4, 901; Denis Antônio de Mendonça Bernardes, *O patriotismo constitucional: Pernambuco, 1820--1822*, op. cit., p. 160.

81. Segundo dirá, para viajar à Bahia ou, como se pretendeu, ao Rio a fim de reclamar ao regente: *Apensos*, pp. 224-6. Na sua defesa em Lisboa, Gervásio afirmará que seu destino fora Salvador, onde pretendia cobrar débitos de comerciantes da praça. Negociantes reinóis do Recife, que ali se haviam refugiado, obtiveram da junta local a prisão de Gervásio a bordo do navio inglês, em violação do direito internacional, o que provocou protesto do governo do Rio ao encarregado de negócios britânico.

82. *Coleção das leis do Império do Brasil de 1822*, op. cit., v. II, pp. 43-4; AJM, pp. 180-6; *Apensos*, pp. 224-5; *Peças*, n. 33, 34; *Memória*, p. 84; CCF, 30.9.1822; FC, pp. 124-5; *As juntas governativas e a Independência*, op. cit., v. II, pp. 677-8; *Gazeta Pernambucana*, Recife, 12.10.1822; *O Espelho*, Rio de Janeiro, 29.10.1822; IHGB, 103, 26, fls. 136v.-137.

83. *O Conciliador Nacional*, Recife, 4 e 16.9.1822, 3.5.1823; *Gazeta Pernambucana*, Recife, 15.3.1823; *Peças*, n. 83.

84. *O Espelho*, Rio de Janeiro, 29.10.1822; CCF, 30.9.1822; FC, pp. 160, 456-7; *Segarrega*, Recife, 7.9.1822.

85. *As juntas governativas e a Independência*, op. cit., v. II, p. 696.

86. José A. Gonsalves de Mello (Org.), *O Diário de Pernambuco e a história social do Nordeste*, op. cit., v. II, pp. 661-2.

3. O governo dos matutos [pp. 129-69]

1. Para não confundi-lo com seu pai homônimo, o coronel Suassuna, nem com Francisco de Paula Gomes dos Santos, Francisco de Paula Cavalcanti de Albuquerque será doravante designado pelo seu futuro título nobiliárquico de Suassuna, nome do seu engenho em Jaboatão.

2. Joaquim Dias Martins, *Os mártires pernambucanos*, op. cit., pp. 11-5, 17, 80-2, 140-2, 463-4.

3. FC, p. 316.

4. CCF, 30.9.1822; RIAP, 14 (1909), p. 410; *O Conciliador Nacional*, Recife, 9.11.1822; FC, pp. 124-6.

5. *Peças*, n. 36, 37; *O Conciliador Nacional*, Recife, 23.1.1823; *O Regulador Brasileiro*, Rio de Janeiro, 29.1.1823; *Diário da Junta do Governo*, 8.2.1823; FC, pp. 101-19; *Atas*, I, p. 33; *Documentos do Arquivo Público de Pernambuco*, IV-V, p. 201; Antônio Joaquim de Mello, "Introdução", op. cit., v. I, pp. 19-20. Sublinhado por A. J. Mello.

6. FC p. 511; CCF, 15.11.1822.

7. *Peças*, n. 31; FC, p. 316; *Atas*, I, pp. 134-6, 138-9; *Diário do Governo Provisório*, 26.10.1822; *O Conciliador Nacional*, Recife, 10.11.1882; *Diário da Junta do Governo*, 26.2.1823; BNRJ, 3, 4, 18; *As juntas governativas e a Independência*, op. cit., v. II, pp. 680, 691; CCF, 26.10.1822.

8. *O Conciliador Nacional*, Recife, 16.9.1822; *Diário da Junta do Governo*, 18 e 26.2.1823; Alexandre J. de Mello Moraes, *História do Brasil-Reino e do Brasil-Império*, op. cit., v. II, p. 62; Walter Costa Porto, *O voto no Brasil*. 2. ed. Rio de Janeiro: Topbooks, 2002, pp. 30, 32.

9. "Instruções relativas à Constituição dadas pela Câmara de Olinda, capital da província", *Gazeta Pernambucana*, 15.1.1823. É provável que o texto tenha sido preparado ao tempo da junta de Gervásio ou nas primeiras semanas do governo dos matutos, de vez que ainda se refere a d. Pedro I como sua alteza real. Para as instruções da Câmara do Recife, Manuel Caetano de Almeida e Albuquerque, *Análise das instruções das Câmaras municipais aos eleitos deputados à Constituinte* (Rio de Janeiro: [s.n.], 1823). Segundo Frei Caneca, o documento de Olinda fora inspirado pelos Gama: FC, p. 126.

10. A Câmara de Olinda tinha, aliás, enviado textos adicionais ao deputado Araújo Lima: *Anais da Constituinte*, II, p. 61, mas tratar-se-ia seguramente da segunda parte das instruções, denominada "Providências de leis", com as recomendações sobre melhoramentos provinciais previstas pelo regulamento eleitoral: *Gazeta Pernambucana*, Recife, 17.2.1823. A Câmara reivindicava universidade, que num primeiro momento tivesse ao menos faculdades de leis e matemáticas, além do estabelecimento de fábricas de vidros e tecidos, colonização estrangeira, casa de moeda provincial, indústria naval, desobstrução dos rios Beberibe e Capibaribe e transposição das águas do São Francisco para as cabeceiras do rio Jaguaribe, no Ceará; derrogação dos privilégios dos senhores rurais de não serem executados na fábrica dos seus engenhos e perdão das dívidas e juros da extinta Companhia de Comércio de Pernambuco e Paraíba.

11. *Gazeta Pernambucana*, Recife, 5.1.1823; CWM, 313, p. 171; Manuel Caetano de Almeida e Albuquerque, *Análise das instruções das Câmaras municipais aos eleitos deputados à Constituinte*, op. cit.

12. *Gazeta Pernambucana*, Recife, 15.1.1823.

13. Ibid.; *Diário da Junta do Governo*, 26.2.1823.

14. *As juntas governativas e a Independência*, op. cit., v. II, pp. 686, 688-9. Embora a junta solicitasse à Câmara de Olinda os nomes dos suplentes mais votados, a substituição dos dois membros não se verificou, de modo que até junho, quando Suassuna finalmente assumiu, ela funcionou com apenas cinco vogais, embora nunca se reunissem regularmente mais de três.

15. Junta dos matutos a d. Pedro, 2.10.1822; idem a João Vieira de Carvalho, 10.11.1822; idem a José Bonifácio, 6.3.1823, LRGP, IAHGP; FC, p. 302; PAN, 22, pp. 5-6; Junta dos matutos a José Bonifácio, 10.10.1822; *As juntas governativas e a Independência*, op. cit., v. II, p. 691; *Atas*, I, p. 133; *Diário do Governo*, 9.1.1823; *Correio do Rio de Janeiro*, 30.8 e 1.9.1823; *As câmaras municipais e a Independência*, op. cit., v. I, pp. 114-6.

16. Junta dos matutos a José Bonifácio, 6.3.1823, LRGP, IAHGP; FC, pp. 142-3; RIAP, 13 (1908), pp. 578-9.

17. CCF, 19.12.1822; FC, pp. 283-4; *As juntas governativas e a Independência*, op. cit., v. II, p. 697.

18. *Gazeta Pernambucana*, Recife, 3.1, 4.2, 15.3 e 29.4.1823; CCF, 19 e 25.12.1822, 4.2 e 29.4.1823; Junta dos matutos a José Bonifácio, 23.12.1822 e 6.3.1823, LRGP, IAHGP; *Atas*, I, pp. 151-9; FC, pp. 128, 143; BNRJ, II — 32, 33, 44, e II — 33, 5, 20, n. 5; *Peças*, n. 40-5;

263

RIAP, 13 (1908), p. 581, e 14 (1909), pp. 401-2, 442; Francisco Augusto Pereira da Costa, *Pernambuco nas lutas emancipacionistas da Bahia*. Recife: [s.n.], 1900, p. 37; Francisco P. do Amaral, *Escavações*, op. cit., p. 155; PAN, XXII, p. 32; Alfredo de Carvalho, *Estudos pernambucanos*, op. cit., pp. 293-6.

19. BNRJ, 3, 4, 18; *Memória*, p. 94; *Gazeta Pernambucana*, Recife, 15.3.1823; CCF, 24.2.1823; RIAP, 13 (1908), pp. 579-82; Junta dos matutos a José Bonifácio, 6.3.1823, LRGP, IAHGP; *Peças*, n. 51; PAN, 22, pp. 3-4, 9-10; FC, p. 145; Alfredo de Carvalho, *Estudos pernambucanos*, op. cit., pp. 302-10.

20. FC, p. 316; Junta dos matutos a José Bonifácio, 6.3.1823, LRGP, IAHGP; PAN, 22, p. 28; RIAP, 13 (1908), pp. 581-4; CCF, 24.2 e 15.3.1823; BNRJ, 3, 4, 18; *Peças*, n. 52; Alfredo de Carvalho, *Estudos pernambucanos*, op. cit., pp. 319-21, 324-6. Segundo a junta, houve cinco mortes de ambos os lados, mas no Rio, Gama a acusará de haver consentido que "os seus partidistas entrassem pelo Recife matando gente pacífica que encontravam pelas ruas", *Memória*, p. 95.

21. *Peças*, n. 53-4; *Diário do Governo*, 25.6.1823. Em junho, a devassa foi enviada pelo imperador ao ouvidor do crime da corte para julgamento. A pretexto de doença, Paula Gomes retirou-se, contra a ordem do governo, para seu engenho, de onde evadiu-se ao saber das conclusões do inquérito: Paula Gomes à junta dos matutos, 13.3.1823, LRGP, IAHGP; *Peças*, n. 57; PAN, 22, pp. 34-5; BNRJ, 3, 4, 18; CCF, 29.4.1823. Quanto ao secretário José Mariano, também ligado a Pedroso, mas que se dissociara da Pedrosada, sua eleição como constituinte pelo Ceará facilitou seu afastamento, sendo substituído pelo padre José Marinho Falcão Padilha: BNRJ, II — 33, 5, 20, n. 3; *Peças*, n. 50; *Atas*, I, p. 164.

22. Junta dos matutos a João Vieira de Carvalho, 17.5.1823, e idem a José Bonifácio, 6.3.1823, LRGP, IAHGP; BNRJ, 3, 4, 18; *Atas*, I, p. 168; CCF, 15.3 e 7.9.1823.

23. IHGB, 103, 26, fls. 139v.-140; *Memória*, pp. 89-91; *Gazeta Pernambucana*, Recife, 15.3.1823; Alexandre J. de Mello Moraes, *História do Brasil-Reino e do Brasil-Império*, op. cit., v. II, p. 554. Gama menciona a existência de carta régia ordenando a eleição de nova junta, alegação que parece falsa, embora em março circulasse no Recife o boato de haverem chegado instruções para a realização do prélio: CCF, 15.3.1823. Gama contradiz-se ao afirmar na *Memória* que a decisão de substituir a junta teria sido tomada na conferência, enquanto assegurara no parecer que a ordem já fora despachada; e falta à verdade, ao asseverar que havia opinado contra a substituição do governo, malgrado seus defeitos. O provável é que, se a carta régia chegara a ser redigida, José Bonifácio a tenha sustado, em decorrência da política que, como veremos, adotará em Pernambuco.

24. PAN, 22, p. 36; *Coleção das decisões do governo do Império do Brasil de 1822*. Rio de Janeiro: [s.n.], 1887, pp. 94-5.

25. BNRJ, 5, I, 43. Além de Cipriano Barata, também Bernardo José da Gama refere-se ao assunto, *Memória*, pp. 93-4. João Xavier Carneiro da Cunha, o emissário da Câmara do Recife, tornara-se agente do governo imperial, que lhe abonou recursos do fundo secreto, PAN, 22, p. 36, e 26, p. 348. Os Andradas desconfiavam de José Mariano, donde, à sua chegada ao Rio como constituinte pelo Ceará, ter sido objeto de espionagem governamental: Tobias Monteiro, *A elaboração da Independência*, op. cit., pp. 695-6.

26. Junta dos matutos a José Bonifácio, 12.3.1823, LRGP, IAHGP; *Diário do Governo*, 24.4.1823.

27. Quando da aclamação imperial (8.12.1823), ainda não se conhecia em Pernambuco o novo estandarte, motivo pelo qual o ato comportara, "entre outros fatos quase inconcebíveis", o uso do pendão português, seu substituto só sendo finalmente desfraldado

sete dias depois, o que ocorrera igualmente no Rio, onde a bandeira só fora hasteada a 10 de novembro: CCF, 12.12.1822; Lúcia Maria Bastos Pereira das Neves, *Corcundas e constitucionais*, op. cit., p. 388.

28. BNRJ, II — 32, 33, 46; *Memória*, p. 92; FC, p. 168; *Peças*, n. 39.

29. CCF, 12.4, 13.8 e 2.9.1823; *Atas*, I, pp. 166, 170; *Memória*, p. 92; *Arquivo diplomático da Independência*, op. cit., v. I, pp. 241, 243, 257-8, 260; Junta dos matutos a Martim Francisco, 8.4.1823, LRGP, IAHGP.

30. *Coleção das decisões do governo do Império do Brasil de 1822*, op. cit., p. 31; *Diário do Governo*, 27.6.1823 e 12.1.1824; Governo dos matutos a Martim Francisco, 10.2.1823, LRGP, IAHGP; *Sentinela da Liberdade*, Recife, 12.7.1823; FC, pp. 199-201. D. Tomás só assumirá em 1825 e o desembargador André Alves Pereira Ribeiro e Cirne, em dezembro de 1824, recém-dominada a Confederação do Equador. Sobre ambos, Lino do Monte Carmelo Luna, *Memória histórica e biográfica do clero pernambucano*, 2. ed. (Recife: Governo do Estado de Pernambuco, Secretaria de Educação e Cultura, 1976), p. 62; José Ferraz Ribeiro do Valle, *Uma Corte de justiça do Império: O Tribunal da Relação de Pernambuco*. Recife: Tribunal de Justiça, 1983, pp. 235-6, 241-2.

31. FC, pp. 145-6; BNRJ, II — 33, 5, 34; *Peças*, n. 60; PAN, 22, pp. 38, 41; *Sentinela da Liberdade*, Recife, 19.11.1823; Alexandre J. de Mello Moraes, *História do Brasil-Reino e do Brasil-Império*, op. cit., v. II, pp. 363-4; Alfredo de Carvalho, *Anais da imprensa periódica pernambucana (1821-1908)*, Recife: [s.n.], 1908, p. 76; Isabel Lustosa, *Insultos impressos: A guerra dos jornalistas na Independência, 1821-1823*. São Paulo: Companhia das Letras, 2000, p. 317. Para o jornalista baiano, Marco Morel, *Cipriano Barata na Sentinela da Liberdade* (Salvador: Academia de Letras da Bahia, 2001).

32. CCF-RJ, 29.6.1823; CCF, 7.9.1823; Manning, v. II, pp. 763-4; José da Silva Lisboa, *Apelo à honra brasileira contra a facção federalista de Pernambuco*. Rio de Janeiro: [s.n.], 1824, p. 20.

33. ACI, XLIX, doc. n. 2289; PAN, 26, pp. 343, 351-2, 382-4; CWM, 314, p. 311; Tobias Monteiro, *A elaboração da Independência*, op. cit., p. 695. A implantação da "Jardineira" no Recife datava de 1821. Fundada em Coimbra, tinha por objetivo a reforma da maçonaria luso-brasileira: FC, pp. 275-6.

34. *Diário do Governo*, 28.4.1823; *Anais da Constituinte*, I, pp. 120-1; CWM, 313, p. 205.

35. *Anais da Constituinte*, I, pp. v., 52-7, IV, pp. 157-8, 166; *Gazeta Pernambucana*, Recife, 27.11. 1822; *O Conciliador Nacional*, Recife, 23.1.1823.

36. *Memória*, pp. 99-101, 103-6. A *Memória* foi publicada no primeiro semestre de 1823, pois no segundo número de "O caçador atirando à *Arara Pernambucana*", de julho, Frei Caneca já se refere a ela: FC, p. 160. Existe texto revisto e anotado pelo autor: IHGB, 103, 26. O escrito deve ser lido com cautela em face das frustrações políticas e nobiliárquicas do personagem, agraciado apenas com a Ordem do Cruzeiro, que José Bonifácio impediu que transferisse ao irmão que financiara suas atividades em Pernambuco. O ambicionado título de visconde de Goiana só seria obtido em 1830, ao se tornar ministro nos dois últimos gabinetes de d. Pedro I: Hélio Vianna, *Vultos do Império*, op. cit., pp. 42, 50.

37. CCF, 3.5.1823. Para gáudio dos federalistas, espalhou-se também que o imperador esbofeteara o deputado da província, padre Francisco Ferreira Barreto, notório pelas convicções absolutistas e que louvara em dois sonetos o governador Luís do Rego: *Peças*, n. 83; *Obras religiosas e profanas do vigário Francisco Ferreira Barreto*, 2 v. Recife: Typ. Mercantil, 1874, pp., 15-6.

38. *Análise ao decreto de 1º de dezembro de 1822*. Bahia: [s.n.], 1823, pp. 11, 18-9, 22; *Argos Pernambucano*, Recife, 29.6.1824.

39. FC, p. 170.

40. CCF, 3.5.1823. Sublinhado pelo autor.

41. Junta dos matutos a José Bonifácio, 23.5.1823, LRGP, IAHGP.

42. PAN, 22, pp. 39-40.

43. Da sua prisão na Ilha das Cobras, no Rio, José Fernandes Gama editava um periódico intitulado *Arara Pernambucana*, destinado a denunciar o republicanismo dos adversários, contando com a colaboração de Bernardo José da Gama, que assinava suas matérias sob o pseudônimo de "Açoite de Democratas": FC, p. 151. Do jornal, de que não se conhece coleção alguma, foram publicados ao menos cinco números.

44. FC, pp. 136-7.

45. Ibid., pp. 140-2.

46. O Rio já tentara aliciar Barata, concedendo-lhe a comenda do Cruzeiro do Sul, no mesmo dia da criação da Ordem, mas o jornalista a recusara: CWM, 313, p. 228; Francisco Adolfo de Varnhagen, *História da Independência do Brasil*, op. cit., p. 301. Para Antônio Teles da Silva, futuro marquês de Rezende, Octavio Tarquinio de Sousa, *Fatos e personagens em torno de um regime* (Rio de Janeiro: José Olympio, 1960), pp. 167-71.

47. FC, p. 317; BNRJ, 5, 1, 43; PAN, 22, p. 38; CCF, 6.6.1823; *Gazeta Pernambucana*, Recife, 15.3.1823; *Diário da Junta do Governo*, 20.10.1823; *O Espelho*, Rio de Janeiro, 8.4 e 17.6.1823; *Atas*, I, p. 173; Junta dos matutos a João Vieira de Carvalho, 7.6.1823, LRGP, IAHGP; CCF-RJ, 14.9.1823.

48. *Diário do Governo*, 22.9.1823; *Peças*, n. 69; BNRJ, 5, 1, 43; *Sentinela da Liberdade*, Recife, 2.7 e 17.9.1823; FC, p. 317; Junta dos matutos a João Vieira de Carvalho, 30.7.1823, LRGP, IAHGP; *Atas*, I, pp. 177-8.

49. CCF, 30.6 e 18.9.1823.

50. Manning, v. II, pp. 754-5, 758.

51. CCF, 6.6, 12.7, 13.8 e 2.9.1823; *Sentinela da Liberdade*, Recife, 2.7.1823; *Diário do Governo*, 28.8.1823; Junta dos matutos a Luís da Cunha Moreira, 30.7.1823, LRGP, IAHGP; *Peças*, n. 64; Thomas Cochrane, *Narrativa dos serviços no libertar-se o Brasil da dominação portuguesa*. Rio de Janeiro: [s.n.], 1859, p. 59; ABN, 60, p. 236; *Anais da Constituinte*, IV, p. 166, VI, pp. 78-9; Brian Vale, *Independence or Death!*, op. cit., pp. 113-4. Segundo outra fonte, a tropa lusitana despachada por Cochrane somaria 1078 pessoas: *Gazeta Pernambucana*, Recife, 7.8.1823.

52. FC, pp. 205-8.

53. Ibid., pp. 210 ss.

54. Oliveira Lima, *Dom Pedro e Dom Miguel: A querela da sucessão (1826-1828)*. São Paulo: Melhoramentos, 1925, pp. 16-7, 37.

55. *Atas*, I, pp. 179-80; *Anais da Constituinte*, IV, p. 166; *Peças*, n. 67-8; Junta dos matutos a José Bonifácio, 30.7.1823, LRGP, IAHGP; *Correio do Rio de Janeiro*, 6.9.1823.

56. CCF, 12.4, 12.5, 13.8 e 18.9.1823; *Peças*, n. 67; *Sentinela da Liberdade*, Recife, 30.7 e 19.11.1823; *Anais da Constituinte*, IV, p. 166; *Diário da Junta do Governo*, 27.5.1823.

57. FC, p. 281; *Escudo da Liberdade*, Recife, 12.8.1823; *Sentinela da Liberdade*, Recife, 3.5, 16 e 24.6, 9.7 e 13.9.1823; *Correio do Rio de Janeiro*, 30.8.1823; CWM, 80, p. 137; 313, pp. 210, 228; 314, p. 343; e 315, p. 322.

58. *Sentinela da Liberdade*, Recife, 23.4, 1, 6 e 24.6, 9 e 16.7.1823; FC, pp. 196, 199-201; Agenor de Roure, *Formação constitucional do Brasil*. Rio de Janeiro: Typ. do Jornal do Commercio, 1914, p. 67.

59. *Gazeta Pernambucana*, Recife, 18.9.1823.

60. *Anais da Constituinte*, I, p. 23, III, p. 61, VI, pp. 188, 215; *Atas*, I, p. 145; Junta dos matutos a Muniz Tavares, 23.5.1823, IAHGP, A, 11; *Peças*, n. 84.

61. José da Silva Lisboa, *Apelo à honra brasileira contra a facção federalista de Pernambuco*, op. cit., p. 14; *Anais da Constituinte*, II, pp. 76-7, V, pp. 94, 112-20.

62. *Anais da Constituinte*, V, pp. 146-7, 161, 164, VI, pp. 188, 215; *O Tamoio*, Rio de Janeiro, 23.10.1823; CCF, 21.10.1823; *Sentinela da Liberdade*, Recife, 8.10.1823. Muniz Tavares reagiu, testando a Assembleia Geral, a quem solicitou dispensa, que previsivelmente foi rejeitada. No Rio, ele tornara-se membro do Apostolado: ACI, XLIX, doc. n. 2289.

63. *Sentinela da Liberdade*, Recife, 8,19 e 25.10.1823; CCF, 5.11.1823.

64. *Sentinela da Liberdade*, Recife, 8.10, 1 e 5.11.1823.

65. Roderick J. Barman, *Brazil: The Forging of a Nation, 1798-1852*, op. cit., p. 111.

66. *Anais da Constituinte*, I, pp. 60, 120, 132, II, pp. 54-7, 63, 65, III, pp. 12, 25; *Sentinela da Liberdade*, Recife, 2.8.1823.

67. CWM, 314, pp. 327, 347; e 315, p. 366.

68. *Sentinela da Liberdade*, Recife, 19.7, 13, 17 e 24.9.1823; CCF, 2 e 15.9.1823.

69. *Anais da Constituinte*, V, p. 99; Tobias Monteiro, *A elaboração da Independência*, op. cit., p. 772; CWM, 315, pp. 307-8.

70. CCF, 12.7, 13.8, 2 e 7.9.1823; *Sentinela da Liberdade*, Recife, 5.11.1823; Junta dos matutos a João Vieira de Carvalho, 24.5.1823, e Junta dos matutos a d. Pedro I, 7.6.1823, LRGP, IAHGP. A questão das promoções, que, como vimos, arrastava-se desde 1821, será finalmente regulada pela provisão do ministro da Guerra, de 25.6.1824, que declarou nulas as patentes que os governos provisórios das províncias haviam conferido: José Carlos Mayrink a João Vieira de Carvalho, 15.7.1825, ANRJ, Confederação do Equador, 1695.

71. *Peças*, n. 70; *Atas*, I, pp. 185-6; *Sentinela da Liberdade*, Recife, 17 e 27.9.1823; Junta dos matutos ao imperador, 18.9.1823, LRGP, IAHGP. Pretende o cônsul francês que se os levantados haviam arvorado bandeiras lusitanas, devera-se apenas a que o pavilhão imperial ainda era inexistente por aquelas bandas: CCF, s.d., anexo ao despacho de 18.9.1823.

72. *Sentinela da Liberdade*, Recife, 24.9 e 1.10.1823; *Atas*, I, pp. 174-5, 186; Junta dos matutos ao imperador, 18.9.1823, LRGP, IAHGP; FC, pp. 260-1, 280-1; *Peças*, n. 72; BNRJ, 3, 4, 18.

73. BNRJ, 3, 4, 18, BNRJ, II — 32, 33, 47 e II — 32, 33, 49; *Atas*, I, pp. 188-91, 200; FC, pp. 317, 541; PAN, 22, p. 54; CCF, s.d., mas anexo ao despacho de 8.9, e 5.12.1823; *Peças*, n. 66, 77; *Exposição dos serviços prestados pelo coronel José de Barros Falcão de Lacerda*, p. 12; Francisco Augusto Pereira da Costa, *Pernambuco nas lutas emancipacionistas da Bahia*, op. cit., pp. 244, 254-6.

74. *Sentinela da Liberdade*, Recife, 27.9.1823; *Diário do Governo*, 13.9.1823; CCF, 21.10.1823; *Peças*, n. 78; *Atas*, I, pp 194-5, 197, 199, 200-1, 205, 209; FC, pp. 263-9; Junta dos matutos ao imperador, 6.10.1823, IAHGP, LRGP; PAN, 22, pp. 55-6, 59; CWM, 313, p. 206.

75. *Anais da Constituinte*, VI, pp. 71, 130; CWM, 315, pp. 375-6; Manning, v. II, p. 763.

76. Junta dos matutos a José Bonifácio, 25.5.1823, IAHGP, LRGP; PAN, 22, p. 47; AJM, pp. 236, 239; BNRJ, 5, 1, 43; *Anais da Constituinte*, VI, p. 130; *O Tamoio*, Rio de Janeiro, 16.9.1823; *Sentinela da Liberdade*, Recife, 19.11.1823; Manning, v. II, pp. 763-4; Isabel Lustosa, *Insultos impressos*, op. cit., p. 392.

77. *Peças*, n. 75, 80, 82; CCF, 20.11 e 5.12.1823; *Sentinela da Liberdade*, Recife, 5 e 19.11.1823; FC, pp. 282-3, 541; AJM, pp. 233-5; *Atas*, I, pp. 206, 208; ACI, L, doc. n. 2289.

78. CCF, 31.10, 20.11 e 5.12.1823.

79. ACI, L, docs. n. 2289 e 2306; FC, pp. 282-3, 541; BNRJ, II — 33, 5, 20, n. 2; *Peças*, n. 74, 76, 77, 95; *Atas*, I, pp. 210-3; CCF, 5.12.1823; *Sentinela da Liberdade*, Recife, 5.11.1823; ARCO, 5/5/465/7; Francisco Augusto Pereira da Costa, *Pernambuco nas lutas emancipacionistas da Bahia*, op. cit., pp. 77, 259.

80. CCF, 15.11.1823; Roderick J. Barman, *Brazil: The Forging of a Nation, 1798-1852*, op. cit., p. 121.

81. CCF, 25.12.1823; CCNA, 14.12.1823; PAN, 22, pp. 169-70; CWM, 315, p. 385. Eram oito os signatários; quatro pernambucanos: Andrade Lima, Inácio de Almeida Fortuna, Muniz Tavares, Venâncio Henriques de Rezende; três paraibanos: Augusto Xavier de Carvalho, Joaquim Manuel Carneiro da Cunha e José da Cruz Gouveia; e um cearense, o padre José Martiniano de Alencar.

82. A tropa, que totalizava oitocentos homens, inclusive duzentos paraibanos, seguira para a Bahia em três levas: a 13 de setembro e a 21 de dezembro de 1822 e em princípios de maio de 1823: Francisco Augusto Pereira da Costa, *Pernambuco nas lutas emancipacionistas da Bahia*, op. cit., pp. 13, 49.

83. Manning, v. II, pp. 754-5, 758; *Exposição dos serviços prestados pelo coronel José de Barros Falcão de Lacerda*, pp. 12-3; *Itinerário cronológico*, IAHGP. Ao redigir as recordações em que procurará limpar a barra com d. Pedro II, Barros Falcão criticará a junta por haver renunciado apesar de dispor da força armada.

84. PAN, 22, pp. 67-8; BNRJ, I — 31, 22, I e II — 33, 5, 20, n. 2.

85. CCF, 15.12.1823.

86. *Peças*, n. 86; BNRJ, II — 33, 5, 20, n. 2; *Atas*, I, pp. 214-8.

87. CCNA, 14.12.1823; CCF, 15.12.1823, BNRJ, I — 28, 32, 39.

88. *Peças*, n. 108.

4. Vinte e Quatro (1) [pp. 171-203]

1. Ulysses Brandão, *A Confederação do Equador*. Recife: Inst. Arqueológico, Histórico e Geográfico de Pernambuco, 1924, pp. 194, 239; *Itinerário cronológico e Folhas esparsas*; Maria Graham, *Diário de uma viagem ao Brasil*. São Paulo: Companhia Editora Nacional, 1956, pp. 389, 392; *Brasil Histórico*, 3, p. 79; PAN, 22, pp. 315, 317; CCNA, 5.8.1824.

2. ABN, 13, p. 16; CCF, 25.12.1823; João Armitage, *História do Brasil*, op. cit., pp. 79-81; *Atas*, I, pp. 222, 227, 289; CCF, 16 e 25.2.1824; *Arquivo Histórico da Independência*, V, p. 127; ARCO, 7/6/ 243/380; Brian Vale, *Independence or Death!*, op. cit., p. 130.

3. Joaquim Dias Martins, *Os mártires pernambucanos*, op. cit., pp. 56-7; *Gazeta Pernambucana*, Recife, 25.3 e 14.8.1823.

4. BNRJ, II — 33, 5, 20, n. 2; CCF, 25.12.1823; *Peças*, n. 86, 88, 90, 91; *Atas*, I, passim; Francisco Augusto Pereira da Costa, *Anais pernambucanos*, op. cit., v. IX, pp. 28-9. Carvalho antecipou-se de pouco à ordem imperial, de 3 de janeiro de 1824, relativa à expulsão dos portugueses que não tivessem jurado fidelidade à causa do Brasil.

5. FC, p. 357; CWM, 315, pp. 311, 356, 365; Alexandre J. de Mello Moraes, *História do Brasil-Reino e do Brasil-Império*, op. cit., v. II, p. 563; *Arquivo diplomático da Independência*, op. cit., v. III, p. 248.

6. *Diário do Governo*, 12.12.1823; *Peças*, n. 93.

7. *Peças*, n. 93.

8. FC, p. 436.

9. Ibid., p. 337.

10. *Peças*, n. 93; CCF, 19.1.1824.

11. CCF, 19.1.1824; CWM, 319, p. 352; 323, p. 189; FC, pp. 341-3.

12. José da Silva Lisboa, *Apelo à honra brasileira contra a facção federalista de Pernambuco*, op. cit., p. 18; Agenor de Roure, *Formação constitucional do Brasil*, op. cit., pp. 197 ss.; Octavio Tarquinio de Sousa, *Vida de d. Pedro I*, op. cit., v. II, pp. 597-600.

13. FC, pp. 381-2.

14. Ibid., p. 353; *Argos Pernambucano*, Recife, 31.5 e 29.6.1824.

15. Gláucio Veiga, *História das ideias da Faculdade de Direito do Recife*, op. cit., v. I, p. 68; Graça e José S. da Silva Dias, *Os primórdios da maçonaria em Portugal*, op. cit., v. I, t. II, pp. 587-626.

16. Não, porém, sem criar dificuldades ao governo em face do confisco da carga de navio dinamarquês com mercadorias destinadas a comerciantes franceses do Recife; e do sequestro de importante soma enviada em navio português por uma casa de Londres à sua correspondente recifense.

17. *Atas*, I, pp. 219-20; ARCO, 5/5/465/10, 5/5/465/11, 5/5/465/6-7, 1/5/440/15; CCF, 25.12.1823 e 19.1, 26 e 29.2.1824; Thomas Cochrane, *Narração dos serviços no libertar-se o Brasil da dominação portuguesa*, op. cit., pp. 122-3; *Diário do Governo*, 31.1 e 3.2.1824; CWM, 319, pp. 344-5, 350-1; Brian Vale, *Independence or Death!*, op. cit., pp. 114-5.

18. Primo homônimo do representante do Império em Londres.

19. BNRJ, I — 31, 22, 1 e I — 28, 32, 39; Ignacio Accióli de Cerqueira e Silva, *Memórias históricas e políticas da província da Bahia*, 2. ed. Salvador: Imprensa Oficial do Estado, 1933, v. IV, pp. 180-1, 194, 248, 260; Katia de Queiroz Mattoso, "O consulado francês na Bahia em 1824", *Anais do Arquivo Público da Bahia*, 39, pp. 1.55-6; Francisco Augusto Pereira da Costa, *Pernambuco nas lutas emancipacionistas da Bahia*, op. cit., pp. 50, 177-9; Tobias Monteiro, *A elaboração da Independência*, op. cit., pp. 585 ss.

20. CCF, 1 e 16.2.1824; ACI, L, doc. n. 2289; Luís Caldas Lins a Barros Falcão, 14.1.1824, IAHGP, A, 14; Antônio Joaquim de Mello, "Introdução", op. cit., v. I, p. 48; *Peças*, n. 94, 95, 101; PAN, 22, pp. 205-7; Francisco Augusto Pereira da Costa, *Anais pernambucanos*, op. cit., v. IX, pp. 7-8.

21. CCF, 29.12.1823 e 25.2.1824; *Atas*, I, pp. 229, 231-2; BNRJ, I — 28, 32, 39 e I — 31, 22, 1; *Peças*, n. 95, 102.

22. FC, pp. 384-5; *Peças*, n. 111, 120; CCF, 12 e 16.2.1824; PAN, 22, pp. 226, 243; BNRJ, I — 31, 22, 1 e I — 32, 1, 24, n. 1; João Armitage, *História do Brasil*, op. cit., p. 80; Francisco Augusto Pereira da Costa, *Pernambuco nas lutas emancipacionistas da Bahia*, op. cit., p. 25.

23. Futuro visconde de Albuquerque e líder liberal na Regência e no Segundo Reinado.

24. PAN, 22, pp. 360, 362-4, 367, 403; *Atas*, I, p. 245; FC, pp. 384-5, 390, 407, 411-2, 423-6; BNRJ, I — 28, 32, 39; CCF, 15.5.1824; "Atestados provando que o padre Francisco Muniz Tavares depois de dissolvida a primeira Constituinte [sic] sempre empregou esforços aconselhando a adoção do projeto de Constituição", IAHGP, A, 11; *Diário do Governo* [Rio de Janeiro], 1, 8 e 10.4.1824. Para Elias Coelho Cintra, DH, CV, p. 246; e Marcus Carvalho, *Liberdade*, op. cit., pp. 1578, que assinala a conexão entre os negreiros e os unitários da província.

25. *Folhas esparsas*; *Peças*, n. 113-8; PAN, 22, pp. 223-4, 226; BNRJ, I — 31, 22, 1.

26. CCF, 28.2.1824; *Peças*, n. 119, 121, 129; Léon Bourdon, *José Correa da Serra, ambassadeur du Royaume-Uni de Portugal et Brésil à Washington, 1816-1820*. Paris: Touzot, 1975, p. 265.

27. *Peças*, n. 130, 131; PAN, 22, pp. 167-70, 226-8, 248-50; FC, pp. 404-7. Frei Caneca afirma que o governo do morgado compunha-se de irmãos Suassuna, do deão da Sé, o dr. Portugal, de José Carlos Mayrink e de Manuel Inácio de Carvalho: FC, p. 420. Nessa hipótese, Carvalho teria sido abandonado por dois membros do Conselho Governativo, Portugal e Manuel Inácio, mas não existe fonte coeva que corrobore a afirmação. Pelo contrário, a representação do cabido de Olinda, de abril de 1824, em defesa do presidente, foi assinada entre outros pelo deão Portugal: PAN, 22, pp. 178-80. E Manuel Inácio receberá delegação de Carvalho para tocar a rotina administrativa. No manifesto de 1º de maio, Carvalho refere que o morgado formara conselho para o assessorar, mas não alude a nomes: ver apêndice 2.

28. FC, p. 552; João Craveiro Costa, "A Confederação do Equador e a província das Alagoas". *Revista do Instituto Arqueológico e Geográfico Alagoano*, v. 10, pp. 10, 17, 1925.

29. *Atas*, I, pp. 239, 244, 246, 250, 274-5, 282; José da Silva Lisboa, *Rebate brasileiro contra o "Typhis Pernambucano"*. Rio de Janeiro: Typ. Nacional, 1824, pp. 4-5, 7-10; id., *História curiosa do mau fim de Carvalho e companhia à bordoada de pau-brasil*. Rio de Janeiro: [s.n.], 1824, p. 2.

30. Manning, v. II, pp. 777-8.

31. CWM, 319, p. 357; Tobias Monteiro, *O Primeiro Reinado*. São Paulo: Edusp, v. I, pp. 144-5.

32. Thomas Cochrane, *Narração dos serviços no libertar-se o Brasil da dominação portuguesa*, op. cit., pp. 118, 126-7, 131, 142; *Documentos para a história da Independência*, p. 457; ABN, 60, pp. 126-7; ARCO, 7/6/243/147-149; CWM, 319, pp. 361-3, 369, 371; BNRJ, I — 31, 22, 1; *Diário do Governo*, 19.5.1824; Lucas A. Boiteux, "A armada imperial contraposta à Confederação do Equador". *Navigator — Subsídios para a História Marítima do Brasil*, Rio de Janeiro, v. 13, p. 38, 1955. Para a disputa em torno das presas, Brian Vale, "O almirante Cochrane e a questão das presas" (*Navigator — Subsídios para a História Marítima do Brasil*, Rio de Janeiro, v. 8, pp. 63-74, 1973); e *Independence or Death!*, op. cit., pp. 97 ss.

33. CWM, 320, p. 409; *Peças*, n. 141-3; Manning, v. II, p, 777; FC, p. 418.

34. O futuro almirante Barroso, que havia participado da expedição naval de 1817 contra Pernambuco.

35. *Peças*, n. 142-144; RIAP, 22 (1920), pp. 137-43; *Itinerário cronológico*; PAN, 22, pp. 229-37; *O Propugnador*, [s.l.], 13.7.1824. Na eventualidade de Carvalho não ser confirmado, a representação enfatizava a necessidade de que não fosse punido, pois não cometera crime.

36. *Peças*, n. 146.

37. Embora insinuassem, como fará Carvalho no manifesto de 1º de maio, a incoerência do imperador ao querer executar lei votada pela Constituinte que ele próprio dissolvera.

38. *Peças*, n. 136-141; FC, pp. 537-43, 626-8; CCF, 8.4.1824; RIAP, 6 (1890), pp. 26-8; BNRJ, II — 32, I, II; *O Propugnador*, [s.l.], 7.4.1824; Teotônio Meireles da Silva, *Apontamentos para a história da Marinha de guerra brasileira*, 3 v. Rio de Janeiro: Typ. Perseverança, 1881-3, v. II, pp. 280-5. Embora Barroso refira-se a 180 pessoas presentes à reunião, a correspondente ata contém 319 assinaturas.

39. *Peças*, n. 145, 160; BNRJ, II — 32, I, II; PAN, 22, pp. 178, 181-4, 238, 308-10; CCF, 8.4.1824; *Atas*, I, p. 248; ARCO, 7/6/244/60-61.

40. ARCO, 7/6/244/60-61, 1/5/449/30-33, 1/5/449/25-7; Lucas A. Boiteux, "A armada imperial contraposta à Confederação do Equador", op. cit., pp. 54-5, 57, 61.

41. CWM, 320, pp. 396, 399-400, 405; Manning, v. II, pp. 778, 790-1; José da Silva Lisboa, *Rebate brasileiro contra o "Typhis Pernambucano"*, op. cit., p. 14; Thomas Cochrane, *Narração dos serviços no libertar-se o Brasil da dominação portuguesa*, op. cit., pp. 140-2, 150; *Diário Fluminense*, Rio de Janeiro, 7.12.1824; Tobias Monteiro, *O Primeiro Reinada*, op. cit., v. I, pp. 144-5.

42. *Peças*, n. 153; Joaquim Dias Martins, *Os mártires pernambucanos*, op. cit., pp. 173-4; *Atas*, I, pp. 31, 36; Barbosa Lima Sobrinho, *Pernambuco: Da Independência à Confederação do Equador*, op. cit., p. 186; José da Costa Porto, *Pequena história da Confederação do Equador*. Recife: Governo do Estado de Pernambuco, Secretaria de Estado de Educação e Cultura, 1974, p. 53; Edgardo Pires Ferreira, *A mística do parentesco*. São Paulo: Linear B, 1987, v. I, p. 7.

43. Paulo Bonavides e Roberto Amaral (Orgs.), *Textos políticos da história do Brasil*, 3. ed. Brasília: Senado Federal, 2002, v. I, pp. 766-8; *Brasil Histórico*, 3, pp. 80, 103-4; FC, p. 480; *Diário Fluminense*, Rio de Janeiro, 22.5 e 2.6.1824. A alegação acerca de Silva Lisboa não parece procedente, pois ao saber da chegada da deputação, ele escrevia que o governo imperial deveria ouvi-la: *Rebate brasileiro contra o "Typhis Pernambucano"*, op. cit., p. 15.

44. *Brasil Histórico*, 3, p. 104; RIHGB, v. 29, II, 2, p. 89; ARCO, 5/5/465/79.

45. FC, p. 459.

46. Ibid., pp. 463-5.

47. CWM, 320, pp. 409, 411; Octavio Tarquinio de Sousa, *A vida de d. Pedro I*, op. cit., v. II, p. 604.

48. FC, p. 463; *Revista do Instituto do Ceará*, Fortaleza, tomo especial (1924), pp. 358-9; Tobias Monteiro, *O Primeiro Reinado*, op. cit., v. I, passim.

49. *Peças*, n. 155. Ver apêndice 1.

50. Manning, v. II, p. 798. O texto do manifesto de 1º de maio (ver apêndice 2) é extremamente raro *et pour cause*. Só o encontrei em cópia manuscrita na Biblioteca Nacional do Rio de Janeiro, II — 32, 1, 11, e, em tradução francesa, na correspondência do cônsul Mahélin, CCF, 15.5.1824. Embora tivesse sido publicado, não se encontra sequer nas *Peças* coligidas por Antônio Joaquim de Mello, além de que o *Typhis Pernambucano*, de número 17, publicado nos primeiros dias de maio, é o único a faltar na coleção da gazeta organizada também por Mello, que observava "ser a falta originária e não consequente de posterior descaminho", FC, p. 439. A censura pós-Confederação do Equador esmerou-se em destruir os exemplares do documento com uma sanha que não dispensou às demais proclamações.

51. Segundo Carvalho, a existência do plano fora-lhe confirmada recentemente por brasileiro desembarcado no Recife, portador de mensagem de Borges de Barros, representante do Império em Paris. João Fernandes Tavares, de viagem ao Rio, recebera do diplomata a incumbência de comunicar às autoridades dos portos de escala a notícia de que o governo francês recebera pedido de ajuda de Lisboa para a expedição contra o Brasil. Tavares, porém, desmentirá Carvalho, negando que a França já houvesse anuído, quando, na realidade, ela limitara-se a responder que consultaria a Rússia e a Prússia antes de tomar uma decisão: *Diário Fluminense*, Rio de Janeiro, 10.6.1824. Ao ministro dos Negócios Estrangeiros, Borges de Barros também desmentirá que tivesse denunciado um plano da Santa Aliança e de d. João VI para, de acordo com d. Pedro, submeterem o Brasil. Apenas, tendo sabido de Lisboa que se aprestava secretamente um navio norte-americano visando a executar um plano contra o imperador,

encarregara Fernandes Tavares de alertar as autoridades locais: *Arquivo diplomático da Independência*, op. cit., v. III, p. 152.

52. FC, pp. 110-1; CCF, II.v. 1824; *Peças*, n. 156-9; BNRJ — II, 32, 1, 24, n. 4; *Atas*, I, pp. 268--70; *Folhas esparsas*.

53. Para o percurso de revolucionário romântico do português João Guilherme Ratcliff, Octavio Tarquinio de Sousa, *Fatos e personagens em torno de um regime*, op. cit., pp. 147 ss.

54. BNRJ, I — 31, 22, 1; CCF, 25.5.1824; *Itinerário cronológico*; FC, p. 473; *Revista do Instituto do Ceará*, Fortaleza, tomo especial (1824), pp. 390-1. Derrotada a Confederação do Equador, os morgadistas intrigarão para dar posse a Pais Barreto ou substituir Mayrink pelo dr. Tomás Xavier Garcia de Almeida, que fora o guru de Pais Barreto: Tobias Monteiro, *O Primeiro Reinado*, op. cit., v. I, pp. 225 ss.

55. *Peças*, n. 163-7; BNRJ, I — 31, 22, 1; e I — 33, 22, 1.

56. *Itinerário cronológico* e *Folhas esparsas*.

57. ARCO, 7/6/244/56-57; Lucas A. Boiteux, "A armada imperial contraposta à Confederação do Equador", op. cit., pp. 72-4, 76.

58. CCF, 9.6.1824; BNRJ, I — 31, 22, 1 e I — 28, 32, 39; Paulo Bonavides e Roberto Amaral (Orgs.), *Textos políticos da história do Brasil*, op. cit., v. I, pp. 766-8; *Diário Fluminense*, Rio de Janeiro, 26.5.1824; FC, pp. 446-53, 473, 623-6; PAN, 23, pp. 143-4.

59. Ignacio Accióli de Cerqueira e Silva, *Memórias históricas e políticas da província da Bahia*, op. cit., v. IV, p. 172; ARCO, 7/6/244/58-9.

60. *Argos Pernambucano*, Recife, 31.5, 9, 15 e 29.6, 22.7 e 11.8.1824.

61. *Peças*, n. 128; PAN, 23, p. 144.

62. FC, pp. 559-66, 623-4; *Peças*, n. 122-8.

63. Francisco Augusto Pereira da Costa, *Anais pernambucanos*, op. cit., v. IX, p. 126.

64. CCF, 16 e 20.2, 27.6 e 8.7.1824; *Arquivo diplomático da Independência*, op. cit., v. II, p. 476; Francisco Augusto Pereira da Costa, *Anais pernambucanos*, op. cit., v. IX, pp. 41-3, 59-62; PAN, 23, p. 215.

5. Vinte e Quatro (2) [pp. 205-31]

1. CWM, 320, p. 413; Tobias Monteiro, *O Primeiro Reinado*, op. cit., v. I, pp. 133-6; Brian Vale, "A ação da Marinha na Confederação do Equador". In: *História naval brasileira*, v. III, t. I. Rio de Janeiro: Serviço de Documentação Geral da Marinha, 2002, p. 141.

2. CWM, 320, pp. 411, 414; Manning, v. II, pp. 795, 798-9; Tobias Monteiro, *O Primeiro Reinado*, op. cit., v. I, pp. 149-50.

3. *Desengano aos Brasileiros*, Recife, 3 e 4.7.1824; João Soares Lisboa, português de nascimento, fora o redator do *Correio do Rio de Janeiro* e, malgrado seu apoio inicial a d. Pedro, terminaria por ser alvo da perseguição do ministério por suas posições liberais. Em fevereiro de 1824, havendo sido intimado a regressar à Europa, desembarcou no Recife, onde se fez amigo íntimo de Carvalho, redigindo de junho a agosto os seis números de *Desengano aos Brasileiros*. Ver Isabel Lustosa, *Insultos impressos*, op. cit., passim.

4. . José J. dos Reis e Vasconcelos (Org.), *Despachos e correspondência do duque de Palmela*. Lisboa: Imprensa Nacional, 1851, v. I, pp. 440, 463; CWM, 320, p. 418; Charles K. Webster (Org.), *Britain and the Independence of Latin America, 1812-1830*, op. cit., v. II, p. 246.

5. *Documentos para a história da Independência*, pp. 102, 109-11. Para a instrumentalização por Portugal do autonomismo pernambucano a fim de demonstrar à Europa a

impossibilidade de o Brasil sobreviver politicamente independente, ver Glacyra Lazzari Leite, "A Confederação do Equador no processo de independência do Brasil", em Manuel Correia de Andrade (Org.), *Confederação do Equador* (Recife: Massangana, 1988), pp. 35-45.

6. FC, pp. 503-4; *Desengano aos Brasileiros*, Recife, 19.6.1824.

7. PAN, 22, pp. 125-6; *Peças*, n. 142; José da Silva Lisboa, *Apelo à honra brasileira contra a facção federalista de Pernambuco*, op. cit., p. 18.

8. Manning, v. II, pp. 798-9.

9. BNRJ, II — 32, 1, 7; Francisco Augusto Pereira da Costa, "Confederação do Equador. Investigações históricas sobre o dia preciso em que teve lugar a sua proclamação em Pernambuco no ano de 1824", RIAP, 13 (1908), p. 277; Barbosa Lima Sobrinho, *Pernambuco: Da Independência à Confederação do Equador*, op. cit., pp. 197-8.

10. RIAP, 13 (1908), pp. 341-2; BNRJ, I — 31, 22, 1.

11. *Itinerário cronológico* e *Folhas esparsas*; *Desengano aos Brasileiros*, Recife, 4.7.1824.

12. *Itinerário cronológico*.

13. *Itinerário cronológico* e *Folhas esparsas*; José Maria Ildefonso Jácome da Veiga Pessoa, "Dissertação sobre o movimento revolucionário de 1824", IAHGP, A, 14. Trechos da "Dissertação" foram reproduzidos em RIAP, 8 (1895), pp. 209-300.

14. FC, pp. 505-7; Evaldo Cabral de Mello, *Rubro veio*, op. cit., pp. 141-3.

15. O texto das proclamações em *Peças*, n. 138, 139, 145. A primeira, datada de 2 de julho, foi dirigida aos nortistas; as duas outras não contêm data, mas foram divulgadas naquele mesmo dia ou nos que imediatamente se seguiram, pois, como demonstrou Pereira da Costa, não foram publicadas a 24 de julho, como haviam pensado Abreu e Lima e Antônio Joaquim de Mello: Francisco Augusto Pereira da Costa, "Confederação do Equador", op. cit., pp. 272-342. A questão seria rediscutida em 1917, em sentido favorável à tese de Pereira da Costa, quando da polêmica entre Gonçalves Maia e Oliveira Lima: J. Gonçalves Maia, *Uma data histórica: Polêmica com Oliveira Lima sobre a data da proclamação da Confederação do Equador* (Recife: Imprensa Industrial, 1918).

16. Manuel de Carvalho a Alencar Araripe, 15.8.1824; e a Luís Carlos Carvalho da Silveira, 6.8.1824, ANRJ, Confederação do Equador, 1694.

17. Barbosa Lima Sobrinho, *Pernambuco: Da Independência à Confederação do Equador*, op. cit., p. 200; Renato Lopes Leite, *Republicanos e libertários*. Rio de Janeiro: Civilização Brasileira, 2000, p. 42.

18. Alfredo de Carvalho, *Estudos pernambucanos*, op. cit., pp. 197-207; Francisco Augusto Pereira da Costa, "Confederação do Equador", op. cit., pp. 305-6; CCF, 25.2.1824; Manuel de Carvalho a Luís Carlos Carvalho da Silveira, 6.8.1824, ANRJ, Confederação do Equador, 1694.

19. Data escolhida por ser a da vitória das Tabocas sobre os holandeses (1645), que, no imaginário nativista, fora obtida exclusivamente pela gente da terra, sem auxílio de Portugal: Evaldo Cabral de Mello, *Rubro veio*, op. cit., pp. 112-3.

20. *Argos Pernambucano*, Recife, 29.6.1824; Francisco Augusto Pereira da Costa, "Confederação do Equador", op. cit., pp. 211, 315-7; Ulysses Brandão, *A Confederação do Equador*, op. cit., p. 211; CCF, 8.7.1824; *Itinerário cronológico*; José Maria Ildefonso Jácome da Veiga Pessoa, "Dissertação", IAHGP, A, 14. As revoluções a que aludia Silva Lisboa eram a revolta da nobreza em 1710, a revolução de 1817 e a Confederação do Equador: *Pesca de tubarões do Recife em três revoluções dos anarquistas de Pernambuco* (Rio de Janeiro: Biblioteca Nacional, 1824).

21. *Desengano aos Brasileiros*, Recife, 3 e 4.7.1824; Renato Lopes Leite, *Republicanos e libertários*, op. cit., p. 38; Glacyra Lazzari Leite, *Pernambuco, 1824: A Confederação do Equador*. Recife: Massangana, 1989, p. 120.

22. Manuel Cícero Peregrino da Silva, "Pernambuco e a Confederação do Equador", PAN, 23, p. 310.

23. PAN, 22, p. 134.

24. O texto encontra-se na *Análise do projeto de governo para as províncias confederadas* (Rio de Janeiro: [s.n.], 1824), atribuída a José da Silva Lisboa; em RIAP, 22 (1920), pp. 67-72; e na coleção visconde de Ourém, IHGB, L.144, doc. n. 3157. O projeto teria sido redigido pelo republicano português João Soares Lisboa, sob a supervisão de Carvalho.

25. Francisco Adolfo de Varnhagen, *História da Independência do Brasil*, op. cit., p. 307; Oliveira Lima, "História e histórias", RIAP, 20 (1918), p. 55; Ulysses Brandão, *A Confederação do Equador*, op. cit., pp. 193-4; CCF, 25.2.1824; Manuel Cícero Peregrino da Silva, "Pernambuco e a Confederação do Equador", op. cit., p. 310.

26. Leslie Bethell (Org.), *The Cambridge History of Latin America*, 3 v. Cambridge: Cambridge University Press, 1984, v. III, pp. 139-42.

27. FC, pp. 494-5, 508-9. Frei Caneca declarará que o texto fora-lhe entregue para publicação por Manuel de Carvalho, FC, p. 615. Segundo informação de José Murilo de Carvalho ao autor, trata-se de mera tradução da "Declaração dos direitos do homem", adotada pela França em 1793, exceto que retira a expressão "sagrado dever de insurreição", constante do artigo 29.

28. FC, pp. 441-5, 466-7. As "Bases da Constituição mexicana" haviam sido aprovadas em 1823, contendo os princípios em que se fundou a Constituição mexicana de 1824, próxima da norte-americana. As "Bases" estabeleciam um sistema federal de estados com governadores e assembleias eletivas, tendo na cúpula um presidente e vice-presidente, Senado e Câmaras de escolha popular.

29. RIAP, 23 (1908), pp. 321-2. Durante o Grande Conselho do Ceará, realizado em Fortaleza a 26 de agosto, o presidente Tristão de Alencar Araripe apresentara "um plano de nova forma de governo", não se sabe se provincial, se confederal, em doze artigos, desconhecendo-se, contudo, seu texto: Tobias Monteiro, *O Primeiro Reinado*, op. cit., v. I, p. 214.

30. Roderick J. Barman, *Brazil: The Forging of a Nation, 1798-1852*, op. cit., p. 122; *Desengano aos Brasileiros*, Recife, 4.7.182; Maria de Lourdes Viana Lyra, *Centralisation, système fiscal et autonomie provinciale*, op. cit., p. 129; PAN, 23, p. 121; Ulysses Brandão, *A Confederação do Equador*, op. cit., p. 205; Isabel Lustosa, *Insultos impressos*, op. cit., pp. 358-9; José da Costa Porto, *Pequena história da Confederação do Equador*, op. cit., pp. 63 ss.

31. Ulysses Brandão, *A Confederação do Equador*, op. cit., p. 205; Manuel Cícero Peregrino da Silva, "Pernambuco e a Confederação do Equador", op. cit., p. 333; Francisco Augusto Pereira da Costa, "Confederação do Equador", op. cit., p. 295; Manuel de Carvalho a Alencar Araripe, 6 e 25.8.1824, ANRJ, Confederação do Equador, 1694; Thomas Cochrane, *Narração dos serviços no libertar-se o Brasil da dominação portuguesa*, op. cit., p. 169; CCF, 8.7 e 19.9.1824.

32. Tobias Monteiro, *O Primeiro Reinado*, op. cit., v. I, pp. 116-23, 201-9; RIAP, 13 (1908), p. 334; João Craveiro Costa, "A Confederação do Equador e a província das Alagoas", op. cit., p. 19; Lucas A. Boiteux, "A Marinha imperial contraposta à Confederação do Equador", op. cit., pp. 95-7; Brian Vale, "A ação da Marinha na Confederação do Equador", op. cit., p. 145.

33. Como Barata, o padre Francisco Agostinho Gomes envolvera-se na conspiração baiana de 1798, representara a Bahia nas Cortes de Lisboa e deixara-se ficar em Pernambuco no regresso de Portugal. A seu respeito, István Jancsó, *Na Bahia, contra o Império*, op. cit., pp. 144-7.

34. Manning, v. II, pp. 777, 790; *Diário Fluminense*, Rio de Janeiro, 22.5.1824; CCF, 8.7.1824; PAN, XXII, pp. 127-8; Ignacio Acció1i de Cerqueira e Silva, *Memórias históricas e políticas da província da Bahia*, op. cit., v. IV, p. 180; PC, pp. 449-50; Katia Mattoso, "O consulado francês na Bahia em 1824", op. cit., pp. 157-8, 162-3, 167, 197.

35. Manning, v. II, p. 802; *Diário Fluminense*, Rio de Janeiro, 30.6, 9 e 14.7, e 4.9.1824; CCF, 8.7 e 10.8.1824; CWM, 321, pp. 274, 282-3; e 322, p. 186; D. Pedro a Barros Falcão, 7.7.1824, ANRJ, Confederação do Equador, 1694; ARCO, 7/6/243/300-309 e 7/6/243/322; Brian Vale, *Independence or Death!*, op. cit., pp. 131-2. As expectativas depositadas na atuação de Pedroso não se concretizariam e no fim de setembro Lima e Silva o enviou de volta à corte, a pretexto de cumprimentar o imperador pela derrota dos carvalhistas, mas com a recomendação ao ministro da Guerra de que o retivesse ali. Posteriormente, os oficiais que o haviam acompanhado a Pernambuco foram também mandados retornar ao Rio: PAN, XXII, pp. 369, 388. Existe no Arquivo Nacional o rascunho de carta de Carvalho a Pedroso, datada de 7.9.1824, concitando-o a aliar-se à Confederação, "assegurando-lhe não só a reintegração de seus postos, mas também um lugar distinto entre os mais be-neméritos": ANRJ, Confederação do Equador, 1694.

36. *Diário Fluminense*, Rio de Janeiro, 26.7.1824; BNRJ, I — 31, 22, I; CWM, 321, pp. 279, 281-2, 284; 323, pp. 177-8; CCF, 19.9.1824; CCF-RJ, 6.8.1824; José da Silva Lisboa, *Apelo à honra brasileira contra a facção federalista de Pernambuco*, op. cit., p. 5; Brian Vale, "A ação da Marinha na Confederação do Equador", op. cit., pp. 142-3; Aurelino Leal, *História cons-titucional do Brasil*. Rio de Janeiro: Imprensa Naval, 1915, p. 143.

37. *Arquivo diplomático da Independência*, op. cit., v. I, pp. 48, 64, 88, 159, v. II, pp. 119, 121, 127, 131; RIHGB, v. 80, pp. 157-8.

38. *Arquivo diplomático da Independência*, op. cit., v. III, pp. 138, 151, 167-8. O manifesto de Carvalho de 1º de maio foi inclusive traduzido e enviado ao visconde de Chateaubriand, então ministro dos Negócios Estrangeiros, pelo cônsul francês no Recife, CCF, 15.5.1824.

39. RIAP, 13 (1908), pp. 320-1; Thomas Cochrane, *Narração no libertar-se o Brasil da domina-ção portuguesa*, op. cit., p. 165; CWM, 321, p. 282; João Armitage, *História do Brasil*, op. cit., p. 81; CCNA, 6.10.1824; *Folhas esparsas*; BNRJ, I — 31, 33, 3; CCF, 25.12.1823; Tobias Monteiro, *O Primeiro Reinado*, op. cit., v. I, pp. 147-8; Glacyra Lazzari Leite, *Pernam-buco, 1824*, op. cit., pp. 62, 142.

40. Lima e Silva a Lord Cochrane, 4.10.1824, IHGB, 221, 9; *Arquivo diplomático da Indepen-dência*, op. cit., v. V, pp. 17, 103, 118, 123; Léon Bourdon, *José Corrêa da Serra, ambassa-deur du Royaume-Uni de Portugal et Brésil à Washington, 1816-1820*, op. cit., pp. 62, 67, 91, 94-7, 113-4. A Filadélfia era importante foco das atividades de revolucionários hispano--americanos e exilados bonapartistas. Em 1824, como fizera em 1817, Joseph Ray prote-geu vários confederados, facilitando sua fuga para os Estados Unidos, entre eles Barros Falcão, o coronel José Antônio Ferreira e Venâncio Henriques de Rezende, que, com outros, ali sobreviveram por algum tempo graças à ajuda de lojas maçônicas, disper-sando-se depois pela Colômbia, México e Buenos Aires. A Pernambuco só regressaram os que não haviam sido pronunciados. Barros Falcão teve seu pedido de perdão rejei-tado pelo imperador. Em 1825, Silvestre Rebelo terá de empenhar-se junto ao secretário

de Estado, John Quincy Adams, para que Ray não fosse novamente nomeado cônsul no Recife: *Arquivo diplomático da Independência*, op. cit., v. V, pp. 36, 127, 148, 150, 159, 163.

41. *Itinerário cronológico*; BNRJ, I — 31, 22, 1; *Folhas esparsas*; Manuel de Carvalho a Barros Falcão, 14.8.1824, IAHGP, A, 13; Antônio Joaquim de Mello, *Biografia de José da Natividade Saldanha*. Recife: [s.n.], 1895, p. 87; José Maria Ildefonso Jácome da Veiga Pessoa, "Dissertação", IAHGP, A, 14; PAN, XXII, pp. 336-7, 376-7, 387, 400, 471; CCF, 3.12.1824.

42. Miguel do Sacramento Lopes Gama, *Diálogo entre um corcunda, um constitucional e um federativo do Equador*. Recife: [s.n.], 1825, p. 35; BNRJ, I — 33, 22, 1; PAN, 22, p. 377, e 25, pp. 481-3.

43. Thomas Cochrane, *Narração no libertar-se o Brasil da dominação portuguesa*, op. cit., pp. 143, 153-4, 169; CWM, 315, pp. 362-3; ACI, LI, doc. n. 2389; PAN, 7, p. 303; *Itinerário cronológico*; CCF, 19.9.1824; Tobias Monteiro, *A elaboração da Independência*, op. cit., pp. 844-5; Henrique Boiteux, *Os nossos almirantes*. Rio de Janeiro: Imprensa Naval, 1917-8, v. II, pp. 80, 145, 175-6.

44. Que o almirante fez lançar por meio de papagaios de papel, que atraíam a atenção pública: IHGB, lata 218, 5.

45. ARCO, 2/5/451/125-6.

46. ACI, LI, doc. n. 2389; CCF, 19.9.1824; Ulysses Brandão, *A Confederação do Equador*, op. cit., pp. 224, 331.

47. No "Escorço biográfico de d. Pedro I", Maria Graham referiu apenas um encontro com Carvalho, sem aludir ao que havia registrado nas notas manuscritas à primeira edição inglesa do seu livro de viagem: ABN, 60, pp. 96-7.

48. João Armitage, *História do Brasil*, op. cit., p. 81; Maria Graham, *Diário de uma viagem ao Brasil*, op. cit., pp. 389, 392; ACI, LI, doc. n. 2389; CCF, 23.10.1824; Carvalho a Barros Falcão, 27.8.1824; IAHGP, A, 13; Oliveira Lima, "Mrs. Graham e a Confederação do Equador", RIAP, 12 (1905), pp. 306-10. Carvalho contrapropôs um encontro em galeota ancorada entre a capitânia da esquadra e a Fortaleza do Brum; ou então na ilha do Nogueira, no ancoradouro interno, mas dessa vez foi o almirante que se recusou a meter-se "nas mãos daqueles por quem vossa excelência mesmo é governado".

49. ARCO, 6/6/237/4; CCF, 19.9.1824; João Armitage, *História do Brasil*, op. cit., p. 83; Ignacio Accióli de Cerqueira e Silva, *Memórias históricas e políticas da província da Bahia*, op. cit., v. IV, p. 172.

50. Thomas Cochrane, *Narração no libertar-se o Brasil da dominação portuguesa*, op. cit., pp. 165.171-3; PAN, XXII; pp. 101, 315; CCF, 19.9.1824; Henrique Boiteux, *Os nossos almirantes*, op. cit., v. II, p. 144; Maria Graham, *Diário de uma viagem ao Brasil*, op. cit., p. 390; Tobias Monteiro, *O Primeiro Reinado*, op. cit., v. I, pp. 259, 262-3.

51. João Armitage, *História do Brasil*, op. cit., p. 82; Henrique Boiteux, *Os nossos almirantes*, op. cit., v. I, p. 80; IHGB, 316, n. 2; PAN, 22, p. 31; ABN, 60, p. 147; Tobias Monteiro, *O Primeiro Reinado*, op. cit., v. I, pp. 285-8.

52. ARCO, 1/5/450/66-68 e 1/5/450/69-70; *Os diários do almirante Graham Eden Hamond, 1825-1834/38*. Rio de Janeiro: JB, 1984, pp. 13-14, 27. Ver também Brian Vale, *Independence or Death!*, op. cit., pp. 149-50.

53. CCNA, 5.8.1824; Maria Graham, *Diário de uma viagem ao Brasil*, op. cit., p. 392; CCF, 19.9.1824; Manuel de Carvalho a Luís Carlos Carvalho da Silveira, 6.8.1824; e a Alencar Araripe, 11.8. e 5.9.1824, ANRJ, Confederação do Equador, 1694; Manuel de Carvalho a José Antônio Ferreira, 19.9.1824, IAHGP, A, 13; Ulysses Brandão, *A Confederação*

do Equador, op. cit., pp. 245-6; CWM, 323, p. 205; Tobias Monteiro, *O Primeiro Reinado*, op. cit., v. I, pp. 124-36, 210-16, 221.

54. *O Carapuceiro*, Recife, 28.7.1838. A esse respeito, cumpre lembrar as tentativas de Carvalho, no exílio de Londres, de estabelecer relações com o Libertador, culminando na viagem de Natividade Saldanha à Colômbia. De Paris, Borges de Barros avisava ao Rio que os amigos ingleses e franceses de Carvalho esperavam que Bolívar atacasse o Brasil, como um derivativo à inquietação do seu exército: *Arquivo diplomático da Independência*, op. cit., v. II, pp. 283-5, v. III, pp. 238-9, 24. Ver a respeito Arnaldo Vieira de Mello, *Bolívar e o Brasil* (Rio de Janeiro: [s.n.], 1968); e Vamireh Chacon (Org.), *Natividade Saldanha: Da Confederação do Equador à Grã-Colômbia* (Brasília: Senado Federal, 1983).

55. FC, pp. 432, 575-6, 602; PAN, 22, pp. 325-35.

56. PAN, 22, pp. 83, 85-9, 97, 104, 108, 313, 356-7; *Folhas esparsas*.

57. *Folhas esparsas* e *Itinerário cronológico*; PAN, 22, pp. 136, 155; João Craveiro Costa, *História das Alagoas*. São Paulo: [s.n.], [s.d.], p. 101.

58. PAN, 22, pp. 134, 142; *Itinerário cronológico*; Cochrane a Vilela Barbosa, 19.7.1824, IHGB, 316, n. 2; BNRJ, I — 31, 22, 1; *Folhas esparsas*; Carvalho a Barros Falcão, 20.8.1824, e Carvalho a José Antônio Ferreira, 19.8.1824, IAHGP, A, 13; *Atas*, p. 305. O Grande Conselho do Ceará, que elegeu os representantes da província à assembleia confederal do Recife, só teve lugar no dia 25 de agosto: PAN, 24, pp. 77, 83, 87-9.

59. Gláucio Veiga, *História das ideias da Faculdade de Direito do Recife*, op. cit., v. I, p. 282.

60. Joaquim Dias Martins, *Os mártires pernambucanos*, op. cit., passim; *O Sete de Setembro*, Rio de Janeiro, 16.9.1845.

61. *Diário Fluminense*, Rio de Janeiro, 11.10.1824.

62. Apud Ulysses Brandão, *A Confederação do Equador*, op. cit., pp. 271-2.

63. *O Carapuceiro*, Recife, 23.2.1833 e 27.9.1834; Joaquim Nabuco, *Um estadista do Império*, op. cit., pp. 111-2.

Apêndice [pp. 233-47]

1. *Peças*, n. 155.

2. BNRJ, II — 32, I, II.

3. *Peças*, n. 154. Sem data, mas provavelmente do mês de junho.

Índice onomástico

Números de páginas em *itálico* referem-se
a ilustrações

A

Accióli de Cerqueira e Silva, Inácio, *179*,
269, 272, 275-6
Adams, John Quincy, 276
Afonso, Francisco, 261
Albuquerque, Francisco de Paula
Cavalcanti de (coronel Suassuna), 29-
30, 42-3, 54, 129, 262
Albuquerque (filho), Francisco de Paula
Cavalcanti de, 129, 135-6, 163-7, 262
Albuquerque, José Francisco Cavalcanti de,
29, 252
Albuquerque, Manuel Caetano de Almeida
e, 133-4, 261, 263
Albuquerque Cavalcanti, José Mariano de,
129, 140, 264
Alencar, José Martiniano de, padre, 173, 268
Alencar, Tristão Gonçalves de, 193
Alexandre, Valentim, 92, 253, 255, 258-61
Almeida, Joaquim José de, 137, 143, 149, 162
Almeida, Tomás Xavier Garcia de, 89,
180, 272
Alves, Antônio, *108*
Alvear, Carlos de, 43, 45
Amaral, Francisco P. do, 262, 264
Amaral, Roberto, 271-2
Andrada, Antônio Carlos Ribeiro de, 38-9,
41-2, 48, 65, 85, 139, 148, 155, 255
Andrada, Martim Francisco Ribeiro de, 85,
141, 259, 265
Andada e Silva, José Bonifácio de, 7, 11, 19-
20, 24, 26, 70-1, 73-4, 76-7, 79-80, 83, 85-
7, 90, 96, 133, 139-44, 148, 152, 155, 157,
160-1, 164, 184, 223, 263-4, 266-7

Andrade, Gilberto Osório de, 255
Andrade, Gomes Freire de, 39, 43, 256
Andrade, Manuel Correia de, 273
Araújo, Manoel Correia de, 42, 106
Arcos, conde dos (Marcos de Noronha e
Brito), 38, 63, 71, 74, 260
Armitage, John, 32, 37, 225, 252-3, 268-9,
275-6
Arruda, José Jobson de A., 253
Azevedo, Fernando de, 51-2, 255

B

Bailyn, Bernard, 24
Bandeira, Manuel, 16, 251
Barata, Cipriano José, 23, 26, 137, 141-3, 145,
148, 150, 152, 154-5, 158-60, 162-7, 181,
194, 213, 238, 264-6, 275
Barbosa, Francisco Vilela, 25, 184, 203, 277
Barman, Roderick J., 17-8, 31, 45, 71, 159,
166, 216, 252, 254, 258, 267-8, 274
Barreto, Francisco Ferreira, 265
Barreto, Francisco Pais (morgado do Cabo),
27, 63-4, 129, 138-9, 147-9, 163-7, 173-4,
179-81, 183, 185-7, 189, 191, 195-8, 209-10,
219, 228, 237, 239-40, 245, 272
Barros, Domingos Borges de, 220, 243,
271, 277
Barros, Pedro José da Costa, 193
Berbel, Márcia Regina, 71, 258
Bernardes, Denis Antônio de M., 25, 37,
253, 257, 259-60, 262
Bethell, Leslie, 274
Boileau, P., 149, 152, 161, 165-6, 176
Boiteux, Henrique, 276
Boiteux, Lucas A., 270, 272, 274
Bolívar, Simon, 9, 20, 194, 207, 215, 227,
235, 277

Bonaparte, Napoleão, 12, 29-30
Bonavides, Paulo, 271-2
Bourdon, Léon, 270, 275
Braine, José Maria, *115*
Brandão, Ulysses, 215, 233, 268, 273-4, 276-7
Brant, Felisberto Caldeira (governador das armas da Bahia), 178, 180, 218
Brant, Felisberto Caldeira (representante do Brasil em Londres), 76, 86, 88, 141, 177, 219-20, 222, 237, 239
Brito, Lemos, 23
Bueno, Antônio Manuel da Silva, 137, 141
Burke, Edmund, 130

C

Cabugá *ver* Cruz, Antônio Gonçalves da
Cadaval, duque de (Nuno Álvares Pereira de Melo), 39
Caldas, Manuel José Pereira, 47
Câmara, Manuel Arruda da, 38, 44, 255
Campos, José Joaquim Carneiro de, 189-90
Caneca, Frei (Joaquim do Amor Divino), 15, 23, 25, 28, 40, 50, 66, 95-6, *100-1, 103-4*, 130-1, 137, 141, 146-7, 152-3, 155-6, 163, 175-7, 186-7, 191, 194, 202, 210, 214, 216, 222, 249, 251, 257-8, 263, 265, 270, 274
Carlos IV, rei da Espanha, 30
Carneiro, Manuel Borges, 84
Carvalho Pais de Andrade, Francisco de, 166
Carvalho Pais de Andrade, Manuel de, 71, 93, 97, *122*, 141, 160, 163, 167-8, 171, 214, 231, 233, 235, 245, 273-4, 276
Carvalho, Alfredo de, 138, 142, 213, 249, 252, 257, 264-5, 273
Carvalho, Antônio José de, 219
Carvalho, Augusto Xavier de, 268
Carvalho, João Vieira de, 263-4, 266-7
Carvalho, José Murilo de, 251, 274
Carvalho, M. E. Gomes de, 257, 259
Carvalho, Manuel Inácio de, 182, 270
Carvalho, Marcus J. M. de, 253, 257, 269
Castlereagh, Lord, 45
Castro, Miguel Joaquim de Almeida e, 255
Cavalcanti, Agostinho Bezerra, 203, 222

Cavalcanti, Antônio Francisco de Paula Holanda, 181
Cavalcanti, Manuel Clemente do Rego, 64, 97, 181
Chacon, Vamireh, 277
Chamberlain, Henry, 80, 226
Chateaubriand, F.-R., visconde de, 275
Cintra, Elias Coelho, 181, 269
Cirne, André Alves Pereira Ribeiro e, 265
Cochrane, Lord Thomas (conde de Dundonald e marquês do Maranhão), 152, 171, 178, 184, 188-9, 195, 199, 217, 219-20, 222-7, 229, 243, 249, 266, 269-71, 274-7
Condorcet, marquês de (M. J. Antoine Caritat), 50, 255
Congominho de Lacerda, Joaquim de Melo, 42, 54, 228
Constâncio, Francisco Solano, 254
Correia SearaSeara, Antônio Correia, 180-2
Costa, Bento José da, 43, 65-6, 257
Costa, Francisco Augusto Pereira da, 253, 257, 260, 262, 264, 267-9, 272, 273, 274
Costa, Hipólito José da, 33, 76-7, 79, 83-4, 87, 178
Costa, João Craveiro, 270, 274, 277
Costa, João Severiano Maciel da, 25, 184, 189-90, 205, 208, 226
Coutinho, d. José Joaquim da Cunha de Azeredo, 177, 260
Coutinho, d. Rodrigo de Sousa, 38
Coutinho, Lino, 137, 141
Cruz, Antônio Gonçalves da (Cabugá), 36, 46-7, 85
Cunha, João Nepomuceno Carneiro da, 129, 135
Cunha, João Xavier Carneiro da, 136, 264
Cunha, Joaquim Manuel Carneiro da, 218, 268

D

Dantas, Manuel Vieira, 218
Dias, Cícero, *100-1*
Dias, Graça da Silva, 253, 269
Dias, José Sebastião da Silva, 253, 269
Dias, Maria Odila Silva, 252

F

Falcão de Lacerda, José de Barros, 63-4, 90-1, 163, 165-8, 171, 179-82, 185-6, 188-9, 198-9, 209, 221, 228-9, 240, 249, 261, 267-9, 275, 277
Feijó, Diogo Antônio, 20, 137, 141
Ferreira, Domingos Malaquias de Aguiar Pires, 85
Ferreira, Edgardo Pires, 271
Ferreira, Felipe Néri, 81, 82, 83, 92, 93, 94, 96, 139, 140, 143, 164, 166, 180, 194, 209, 217, 218, 246, 261
Ferreira, Gervásio Pires, 14, 26-7, 61, 65-73, 75-98, *117*, 129-30, 132, 137, 139, 141, 144, 148, 163-4, 167-8, 171-2, 174, 189, 249, 256, 258, 259-63
Ferreira, José Alexandre, 140
Ferreira, José Antônio, 228, 275-7
Ferreira, Silvestre Pinheiro, 18, 36, 71
Fidié, João José da Cunha, 63
Filgueiras, José Pereira, 193, 227, 229
Fonseca, Felipe Mena Calado da, 26, 64
Fonseca, Mariano José Pereira da, 190
Fortuna, Inácio de Almeida, 268
Fragoso, João Luís, 252
França, Clemente Ferreira, 190
Franchini Neto, Hélio, 251
Franco, Álvaro da Costa, 28
Franklin, Benjamin, 46
Freire, Adelino de Luna, 229
Freyre, Gilberto, 255
Furet, François, 254

G

Galindo, Marcos, 28
Galloway, John H., 255-6
Gama, Bernardo José da, 43, 76, 86, 164, 188, 249, 259, 264, 266
Gama, Joaquim Fernandes, 95
Gama, José Fernandes, 139, 147, 260, 266
Gama, Miguel do Sacramento Lopes, padre, 37, 53, 67, 78, 130, 132, 222, 227, 229, 231, 276

Gomes, Francisco Agostinho, 137, 165, 218, 238, 275
Gonzaga, Tomás Antônio, 189
Gouveia, José da Cruz, 268
Graham, Gerald S., 254
Graham, Maria, 32, 171, 224-6, 268, 276
Grondona, Giuseppe, 142
Guedes, Max Justo, 28

H

Hamond, Graham Eden, 227, 276
Hayden, Bartholomew, 178
Hermann, Jacqueline, 258
Holanda, Sérgio Buarque de; 37, 253, 258
Humphreys, Robin A., 254

I

Iturbide, Agustín de, 207

J

Jancsó, István, 252, 275
Jewett, David, 225-6
João VI, d., 25, 30, 36, 38-9, 41, 43, 45, 62, 71-2, 74-5, 80-2, 92-3, 95, *102*, 154, 162-3, 190, 195, 206-7, 210-1, 218, 258, 260, 271
Jorge, Domingos Teotônio, 42, 46, *106*

K

Koster, Henry, 56, *110-11*, 190, 252, 255-6

L

La Greca, Murillo, *103*
Labatut, Pedro, 94, 96, 149, 152, 179
Lacerda, J. J. Correia de, 178
Lacerda, Manuel Inácio Cavalcanti de, 80, 89
Lacerda, P. A. de Barros Cavalcanti de, 249

Laîné, J. H., 62, 68, 91
Leal, Aurelino, 219, 275
Leão, Reinaldo Carneiro, 28
Lecor, Carlos Frederico, 63
Ledo, Joaquim Gonçalves, 19
Leite, Glacyra Lazzari, 273-5
Leite, Renato Lopes, 212, 214, 273-4
Leopoldina, d. (princesa e imperatriz do Brasil), 163, 226
Lima, José Inácio de Abreu e, 273
Lima, Luís Inácio de Andrade, 157, 268
Lima, Manuel de Oliveira, 17, 46-7, 50, 53, 215, 254-5, 258, 266, 273, 276
Lima, Pedro de Araújo, 155-7, 174, 263
Lima e Silva, Francisco de, 171, 219, 221-3, 225-31, 275
Lima Sobrinho, A. J. Barbosa, 73, 83, 189, 208, 258, 260, 271, 273
Lindoso, Dirceu, 256
Lins, Bento José Lamenha, 180-2
Lins, Luís Caldas, 269
Lins, Rachel Caldas, 255
Lisboa, João Soares, 23, 142, 206, 209, 213, 272, 274
Lisboa, José da Silva, 143-4, 189-90, 207, 213, 265, 267, 269-71, 273-5
Lobo, Rodrigo, 85
Loureiro, J. B. da Rocha, 178
Luís XVIII, rei da França, 131, 146, 220, 243
Luna, Lino do Monte Carmelo, 265
Lustosa, Isabel, 265, 267, 272, 274
Lyra, Maria de Lourdes Viana, 25, 58, 72, 216, 252, 256-8, 274

M

Machado, A. F. de Seixas, 218
Machado, Fernando Augusto, 259
Machado, Maximiano Lopes, 252
Madeira de Melo, Inácio Luís, 77, 90, 137, 152
Magalhães, Rodrigo da Fonseca, 256
Mahélin, Auguste, 271
Maia, J. Gonçalves, 273
Maler, coronel, 142
Manning, William R., 249, 265-8, 270-3, 275

Maranhão, Afonso de Albuquerque, 129, 138, 140, 148-9, 162
Mareschal, barão Wenzel de, 143, 155, 160-1, 164, 178, 193, 219, 249
Maria I, d. (rainha de Portugal), 41
Marília (Maria Doroteia de Seixas, 189
Marques, António H. de Oliveira, 252-3
Martins, Domingos José, 38, 42-3, 105-6, 257
Martins, Francisco José, 164
Martins, Joaquim Dias, 252-5, 257, 261, 262, 268, 271, 277
Mattoso, Katia de Queiroz, 269, 275
Mavignier, José de São Jacinto, 43
Maxwell, Kenneth, 254
Mayer, Manuel Pedro de Morais, 80, 82-3
Mayrink da Silva Ferrão, José Carlos, 40, 189-91, 194, 197-9, 203, 208, 219, 229, 267, 270, 272
Mello, Antônio Joaquim de, 73, 75, 249, 256-8, 262, 269, 271, 276
Mello, Arnaldo Vieira de, 277
Mello, J. A. Gonsalves de, 26, 255, 259, 262
Melo, Afonso de Albuquerque, 30, 252
Melo, C. F. Lumachi de, 253, 256
Melo, Jerônimo M. Figueira de, 256
Melo, José Correia de, 69, 257, 259
Melo, Luís José de Carvalho e, 190
Melo, Manuel Inácio Bezerra de, 129, 138, 163, 166
Mendonça, João Antônio Salter de, 25
Mendonça, José Luís de, 41-2, 106
Menezes Vasconcelos de Drummond, Antônio de, 80
Menezes, Manoel Joaquim de, 261
Miguel, d. (infante de Portugal), 205, 218
Miller, Joseph C., 58, 256
Monglave, Eugène de, 259
Monroe, James, 221
Monteiro, João do Rego Dantas, 261
Monteiro, Tobias, 17, 25, 226, 264, 267, 270-2, 274, 276-7
Montesquieu, barão de (Charles-Louis de Secondat), 21, 130
Montezuma, Francisco Gê Acaiaba de, 22
Moraes, Alexandre J. de Mello, 254-5, 258, 260-1, 263-5, 268
Morel, Marco, 265

Morelos, José Maria, 194, 235
Mota, Carlos Guilherme, 254-5
Moura, José Maria de, 69
Mourão, Gonçalo de Mello, 254
Mundurucu, Emiliano Felipe Benício, 203, 222

N

Nabuco, Joaquim, 51-2, 231, 255, 277
Nassau-Siegen, João Maurício de, 57
Neuville, Hyde de, 154
Neves, Guilherme Pereira das, 251-2
Neves, Lúcia Maria Bastos Pereira das, 251, 258, 265
Niemeyer, Conrado Jacob de, *113*, 256
Nóbrega, Luís Pereira da, 92
Nogueira, Severino Leite, 260
Noronha, d. Tomás de, 142

O

Oberacker Jr., Carlos H., 258
Oliveira, Aleixo José de, 180
Oliveira, João Alfredo Correia de, 253
Oliveira, Joaquim Pedro Gomes de, 25
Ourém, visconde de (José Carlos de Almeida Areia), 274
Ovídio, 260
Ozouf, Mona, 255

P

Padilha, José Marinho Falcão, 162-4
Palácios, Guillermo, 255
Palmela, duque de (Pedro de Souza Holstein), 25, 75, 154, 205-6, 272
Parreiras, Antônio, *104*, *109*
Paz, Ludgero da, 43
Pedro I, d., 9-10, 18-20, 32, 63-4, 70-1, 73-4, 76, 79-83, 86, 90-3, 95-6, 131-2, 136, 139, 143-5, 149, 152-3, 157, 159-61, 163, 167, 169, 174-5, 177, 181, 184-7, 189, 193-5, 198, 200-2, 205-7, 209, 211, 214, 217, 219-20, 222-4, 227, 229, 243, 256, 260-1, 263, 265, 267, 269, 271-2, 276
Pedro II, d., 268
Pedroso, Pedro da Silva, 16, 42, 95-6, 129, 135-41, 146, 219, 243, 264, 275
Pegas, Manuel Álvares, 155
Penalva, marquês de (Fernando Teles da Silva), 75, 178, 259
Pereira, Ângelo, 252-3
Pereira, José Clemente, 75, 86
Pereira, Luís Barroso, 185, 241
Pereira, Tomás de Araújo, 194
Pessoa, José Maria Ildefonso Jácome da Veiga, 221, 273, 276
Pinto de Miranda Montenegro, Caetano, 38-40, 42, 189
Pinto, Antônio Pereira, 190
Pinto, Irineu Ferreira, 253
Pombal, marquês de (Sebastião José de Carvalho e Melo), 41, 51
Porto, José Costa, 189, 258, 271, 274
Porto, Walter Costa, 263
Portugal, Bernardo Luís Ferreira, 43, *109*
Portugal, José Fernandes, 44
Portugal, Tomás Antônio Vilanova, 80, 206
Potelet, Jeanine, 252
Prado Júnior, Caio, 32, 252
Prado, João F. de Almeida, 254

Q

Quintela, Manuel Paulo, 141

R

Raguet, Condy, 143, 152, 194, 206, 208
Ratcliff, João Guilherme, 197, 218, 272
Ray, Joseph, 221, 275-6
Rebelo, José Silvestre, 221, 275
Rebelo, Manuel dos Anjos da Silva, 256
Rego Barreto, Luís do, 14, 26, 33, 37, 59, 61-5, 70, 77, 78-9, 84-5, 89, *116*, 129, 136, 154, 256-7, 260, 265
Rezende, Estêvão Ribeiro de, 164-5

Rezende, Venâncio Henriques de, 95, 97, 141, 144, 164, 187, 218, 268, 275
Ribeiro Pessoa, João, padre, 38, 42, 44, 48-51, 65, 217, 234
Ribeiro, Gladys Sabina, 257
Rocha, José Joaquim da, 80
Rodrigues, José Honório, 17
Rosanvallon, Pierre, 255
Roure, Agenor de, 267, 269
Rousseau, Jean-Jacques, 50, 259
Rugendas, Johann Moritz, *116*

S

Saldanha, José da Natividade, 23, *122*, 145, 173, 177, 213, 221, 277
Santos, Francisco de Paula Gomes dos, 65, 129, 262
Santos, Manuel Zeferino dos, 174
São Lourenço, barão de (Francisco Bento Maria Targini), 43
Say, Horace, 24
Schneider, Jurgen, 256
Schwarcz, Lilia M., 251-2
Seilbitz, Nuno Eugênio de Lócio e, 209, 218
Serra, José Corrêa da, 270, 275
Sierra y Mariscal, Francisco de, 30
Silva, Alberto da Costa e, 28, 251
Silva, Antônio Teles da, 75, 148, 259
Silva, Manuel Cícero Peregrino da, 214-5, 274
Silva, Teotônio Meireles da, 270
Silveira, Luís Carlos Carvalho da, 273, 276
Siqueira, Alexandre Tomás de Aquino, 38
Sousa, Octavio Tarquinio de, 17, 193, 266, 271
Souza, Francisco Maximiliano de, 69
Starling, Heloisa M., 251-2
Strangford, Lord, 57
Stuart, Charles, 226
Sturz, Johann J., 253
Suassuna *ver* Albuquerque (filho), Francisco de Paula Cavalcanti de)
Suassuna, coronel *ver* Albuquerque, Francisco de Paula Cavalcanti de
Subserra, conde de (Manuel Inácio Martins Pamplona), 25

T

Tavares, Francisco Muniz, 44, 47, 49, 97, 155, 157, 180-1, 239, 252-5, 267-9
Tavares, Jerônimo Vilela, 181
Tavares, João Fernandes, 243, 271
Taylor, John, 185-9, 191, 198-9, 203, 208-9, 218, 240, 246
Thouard, Dupetit, 217
Tollenare, Louis-François de, 39-40, 42, 47, 50, 56, 253-6
Torreão, Basílio Quaresma, 190-1
Turgot, A. R. Jacques, 50

V

Vale, Brian, 73, 258, 266, 268-70, 272, 274-6
Valle, José Ferraz Ribeiro do, 265
Varnhagen, Francisco Adolfo de, 17, 45, 72, 215, 261, 266, 274
Vasconcelos, José J. dos Reis e, 272
Veiga, Evaristo da, 22, 190
Veiga, Gláucio, 39, 229, 253, 269, 277
Vergueiro, Nicolau do Campos, 157
Viana, Francisco Vicente, 179, 218
Viana, Hélio, 262, 265
Viana, João Mendes, 94, 142, 238
Villèle, J. B. G., conde de, 220

W

Washington, George, 188, 194
Webster, Charles K., 255, 260
Wellington, duque de (Arthur Wellesley), 38

Créditos das imagens

capa: Acervo da Fundação Biblioteca Nacional — Brasil

pp. 100-1: Cícero Dias. *Frei Caneca*, 1982. Casa da Cultura de Pernambuco, Recife (PE)/ © Dias, Cícero dos Santos/ AUTVIS, Brasil, 2022. Reprodução Andréa Rêgo Barros
pp. 102, 103 [acima], 107, 108 [acima], 110, 111, 113, 114, 115, 118 [abaixo], 119, 121 [acima], 122 [abaixo], 124: Acervo da Fundação Biblioteca Nacional — Brasil
p. 103 [abaixo]: Acervo Museu do Estado de Pernambuco/ Fundarpe
p. 104: Museu Antonio Parreiras/ Wikimedia Commons/ Domínio Público
pp. 105, 106, 117 [acima], 118 [acima], 120, 127: Acervo do Museu do Instituto Arqueológico, Histórico e Geográfico Pernambucano (IAHGP)
pp. 108 [abaixo], 117 [abaixo], 121 [abaixo], 122 [acima]: Biblioteca Brasiliana Guita e José Mindlin — PRCEU/USP
p. 109: Arquivo Público Estadual Jordão Emerenciano/ Wikimedia Commons/ Domínio Público
p. 112 [acima]: Arquivo Histórico do Exército
p. 112 [abaixo]: Cedida pelo Arquivo Histórico Ultramarino — AHU
p. 116 [acima]: Acervo Digital Fundação Joaquim Nabuco/ MEC
p. 116 [abaixo]: Biblioteca Digital Curt Nimuendajú
p. 123: Wikimedia Commons
p. 125: Instituto Histórico e Geográfico Brasileiro (IHGB)
p. 126: Confederação do Equador. 1824. Acervo do Arquivo Nacional. Coleção Confederação do Equador, 1N, Códice 745, v. II. Fundo: BR RJANRIO 1N (pp. 20, 49)/ Arquivo Nacional

Todos os esforços foram feitos para encontrar os detentores de direitos autorais das fotos incluídas neste livro. Em caso de eventual omissão, a Todavia terá prazer em corrigi-la em edições futuras.

© Evaldo Cabral de Mello, 2004, 2014, 2022
© *prefácio*, Heloisa Murgel Starling, 2022

Todos os direitos desta edição reservados à Todavia.

Grafia atualizada segundo o Acordo Ortográfico da Língua
Portuguesa de 1990, que entrou em vigor no Brasil em 2009.

capa
Laura Lotufo
tratamento de imagens
Carlos Mesquita
pesquisa iconográfica e legendas
Francis Augusto Duarte e Danilo Marques — Projeto República/ UFMG
coordenação de pesquisa
Heloisa Murgel Starling
composição
Jusara Fino
preparação
Cacilda Guerra
índice onomástico
Luciano Marchiori
revisão
Huendel Viana
Gabriela Rocha

Dados Internacionais de Catalogação na Publicação (CIP)

Mello, Evaldo Cabral de (1936-)
 A outra Independência : Pernambuco, 1817-1824 /
Evaldo Cabral de Mello. — 1. ed. — São Paulo :
Todavia, 2022.

 ISBN 978-65-5692-323-9

 1. Pernambuco — Brasil — História. 2. Independência
do Brasil. 3. Frei Caneca. 1. Título.

CDD 981

Índice para catálogo sistemático:
1. História do Brasil 981

Bruna Heller — Bibliotecária — CRB 10/2348

todavia
Rua Luís Anhaia, 44
05433.020 São Paulo SP
T. 55 11. 3094 0500
www.todavialivros.com.br

fonte
Register*
papel
Pólen soft 80 g/m²
impressão
Geográfica